LA GRAMMAIRE DES PREMIERS TEMPS, B1-B2

Conception graphique de la couverture : Corinne Tourrasse
Maquette intérieure : Catherine Revil
Mise en page : Anne Bordenave
Enregistrement sonore et montage du CD MP3 : Le Hangar 38 – 38600 Fontaine
Acteurs : Dominique Abry, Valérie Blasco, Katell Branellec, Maria Branellec-Sorensen,
Marie-Laure Chalaron, Aurélie Derbier, Aliette Faure, Thierry Gratier de Saint-Louis, Alex Martorano,
Rose Mognard, Jacques Redoux, Kevin Spitareli

Achevé d'imprimer en septembre 2019
sur les presses de la Nouvelle Imprimerie Laballery – 58500 Clamecy
Dépôt légal : septembre 2019 – N° d'impression : 907585
Imprimé en France
La Nouvelle Imprimerie Laballery est titulaire de la marque Imprim'Vert®

© Presses universitaires de Grenoble, septembre 2015
15, rue de l'Abbé-Vincent – 38600 Fontaine
Tél. +33 (0)4 76 29 43 09 – Fax +33 (0)4 76 44 64 31
pug@pug.fr / www.pug.fr

ISBN 978-2-7061-2284-2

Dominique Abry, Marie-Laure Chalaron

LA GRAMMAIRE DES PREMIERS TEMPS
B1-B2

Nouvelle édition

Presses universitaires de Grenoble

■ Avant-propos

La grammaire des premiers temps B1-B2 fait suite à *La grammaire des premiers temps A1-A2* publiée en 2014. Elle remplace, dans une édition entièrement revue et augmentée, *La grammaire des premiers temps pour niveau intermédiaire* parue en 2003.

Les contenus grammaticaux

Cet ensemble grammatical qui comporte plus de 500 exercices, un CD d'environ 3 h 30 et un livret de transcriptions et corrigés permettra aux apprenants :
- de revoir, de consolider et d'approfondir les connaissances grammaticales acquises
  dans le volume A1-A2,
  – les formes verbales au présent, à l'impératif et au futur,
  – la détermination du nom et la caractérisation,
  – le comparatif et le superlatif,
  – les pronoms et la construction verbale
  – la syntaxe de la phrase affirmative, négative et interrogative,
- d'aborder systématiquement à l'oral et à l'écrit les contenus grammaticaux
  recommandés aux niveaux B1 et B2 par le CECRL : les formes verbales, le choix
  du mode, les marqueurs de temps et des relations logiques ainsi que la syntaxe
  des phrases complexes en relation avec les notions véhiculées :
  – la notion d'aspect,
  – l'expression de la postériorité, de l'antériorité et de la simultanéité,
  – l'expression de l'opinion, de l'obligation, des sentiments, du doute,
  – l'expression de la condition et de l'hypothèse,
  – l'expression de la cause, du but, de la conséquence, de l'opposition et de la concession,
- de se familiariser avec le fonctionnement du discours rapporté et d'exercer la concordance
  des temps en liaison avec le choix des verbes rapporteurs

Notons que certains points grammaticaux ne font pas l'objet d'exercices de production, mais seulement de reconnaissance et de compréhension, surtout à l'écrit. Ainsi en est-il du passé simple ou de certains marqueurs ou constructions (cause, condition, etc.) car, au niveau B, il est seulement demandé aux apprenants de les connaître et d'en comprendre le sens.

L'organisation des chapitres

Chaque chapitre s'ouvre par une **page d'entrée** immédiatement suivie, sur deux pages en vis-à-vis, d'un **tableau** du contenu traité dans le chapitre et d'un **corpus d'observation** écrit et oral qui contextualise et anime ce contenu.
Suivent des **exercices de repérage** des formes à l'écrit et à l'oral, des **exercices d'entraînement** écrits et oraux (complétion, répétition, transformation …), **des textes** à écouter, à lire et à dire, ainsi que des **activités** de production libre où l'apprenant pourra laisser libre cours à son imagination et sa créativité. Ainsi les enseignants trouveront dans cet ouvrage de nombreuses idées pour inviter les apprenants à s'exprimer en leur nom et à interagir dans la classe sans quitter pour

autant le domaine grammatical étudié. Chaque chapitre se termine par une **évaluation** qui permet à l'enseignant et/ou à l'apprenant de juger si le point grammatical étudié est acquis ou s'il doit faire l'objet d'une reprise.

Un exemple : Chapitre 12. Les constructions relatives.

	Tableau	p. 182
	Textes	279 *(annonces)*, 283 *(poème)*, 285 *(définitions)*, 290b *(interview)*, 293a) *(description)*, 294 *(informations)*, 295*(dialogue)*, 298 *(définitions)*, 304 *(résumés de livres)*
Exercices et activités	**Observation**	279, 280b), 282, 289b), 293a), 296, 298, 301
	Transcription	283, 288, 300
	Entraînement	281a), 282, 284, 286, 288, 291, 292, 294 a)b), 295, 297, 299, 301, 302, 303a) b), 304a) b), 305, 307 et 308 *(évaluation)*
	Échanges	280a), 281a, 285, 287, 289a) et c), 290a) b), 291, 303c)
	Créativité	281b, 289c), 293b, 306 et 309 *(évaluation)*

Les principes méthodologiques

Comme dans *La grammaire des premiers temps A1-A2*, nous sommes guidés par le principe que la présentation **des faits de langue** doit se faire simultanément **à l'oral et à l'écrit** et que l'appropriation grammaticale implique autant l'écoute et la pratique orale que celle de l'écrit. D'où la présence dans l'ouvrage d'un CD. Presque un tiers des exercices et activités sont travaillés simultanément à l'écrit et à l'oral. (163 sur 506 exercices).

Trois exemples. 1. La découverte de certaines structures se fait par des corpus audio. **2.** Certains enregistrements tiennent lieu de corrigé : l'apprenant écoute pour vérifier ses réponses. **3.** Certains dialogues ont une version complète enregistrée, suivie d'une version à une entrée qui invite l'apprenant à donner la réplique et entraîne ainsi sa fluidité orale.

Un autre principe est celui de la **variété des approches** dans l'enseignement et l'apprentissage de la grammaire.

Ainsi nous proposons à l'apprenant des exercices et activités variés qui exercent :
• sa perception auditive (*écoutez, répétez*) et son esprit d'observation (*repérez, notez…*)
• sa réflexion et sa capacité d'analyse (*observez, classez, expliquez, comparez…*)
• sa mémoire auditive et visuelle (*retrouvez de mémoire, apprenez par cœur, reconstituez …*)

mais qui font aussi appel :
• à ses connaissances, à son expérience, à son jugement (*racontez, échangez, écoutez/lisez puis commentez, donnez votre avis …*)
• à son imagination (*imaginez, improvisez…*).

Autant de manières, pensons-nous, qui doivent converger pour l'appropriation de la grammaire du français.

Quelques suggestions

Il nous semble important de **ne pas réduire les exercices à un usage unique**. De nombreux exercices exécutés d'abord conformément à la consigne peuvent être réutilisés d'une autre manière. Ainsi suggérons-nous par exemple :

— de reprendre oralement ce qui a été fait par écrit quelque temps auparavant ou l'inverse,
— de proposer des variations d'intonation sur les phrases qui s'y prêtent,
— de demander aux apprenants, après la correction d'un exercice, de quelles phrases ils se souviennent,
— de leur demander de proposer d'autres phrases pour prolonger un exercice,
— de contextualiser des phrases ou des dialogues (qui dit cela à qui ? pourquoi ? quand ? où ?),
— d'apporter des modifications à certaines phrases ou textes par réduction, amplification ou substitution,
— d'improviser des suites à des dialogues ou des textes courts,
— de rédiger des dialogues, de les jouer ou de les donner à lire à haute voix …

La diversité des usages pédagogiques d'un exercice anime et favorise le processus d'acquisition.

Nous voudrions aussi insister aussi **sur le rôle du livret des corrigés et transcriptions** en proposant quelques idées d'utilisation allant au-delà de sa simple fonction de correction. Pour diversifier le travail grammatical :

— le corrigé de tel exercice peut être lu, silencieusement ou à voix haute, par les apprenants avant l'exécution de l'exercice,
— un élève, le corrigé en main, peut jouer le rôle de correcteur dans un binôme ou un groupe,
— les exemples de réponses proposés pour les activités de production libre peuvent tenir lieu de corpus : ils peuvent aussi être lus à voix haute ou dictés par un apprenant, etc.

Par ailleurs, ce livret est de toute évidence un outil indispensable pour l'auto-apprentissage et l'apprentissage semi-guidé.

Récapitulatif des caractéristiques de cet ouvrage

- Démarche pédagogique reliant toujours **le sens à la forme**
- **Traitement oral et écrit des données grammaticales** : rôle important du CD
- **Variété des exercices et activités** au service de l'acquisition d'une compétence de communication
- Choix de la **page** comme **unité de travail**
- Incitation à l'**auto-apprentissage**
- **Tableaux récapitulatifs** : synthèse pour chaque point abordé
- Nombreux **renvois** d'un chapitre à l'autre : incitation à aller et venir dans l'ouvrage

Nous remercions Jean-Christophe Pellat,
co-auteur de la *Grammaire méthodique du français*
pour ses conseils avisés.

Nous remercions aussi tous les enseignants qui,
en France et à l'étranger, nous ont fait part
de leurs remarques et de leurs suggestions.

Révisions

Déterminants

l'univers,
une planète,
cette planète,
notre planète,
la terre,
deux hémisphères,
cinq continents,
des pays,
un pays,
mon pays,
ma région,
ma ville,
mon village,
ma rue,
mon immeuble,
ma maison…

Adjectifs

Entrée gratuite… Sens interdit… Route coupée… Magasin ouvert… Toilettes publiques… Sentier littoral… Arrêt scolaire… Baignade surveillée… Eau non potable…

Impératif

Écoutez, répétez, répondez… Lisez, écrivez, imaginez, parlez, racontez…

Imparfait

Je questionnais, tu traduisais, il répondait, tu traduisais, on se comprenait…

Présent

Je parle, tu parles, nous bavardons…

Vous partez,
Vous émigrez…
Vous regrettez?

On achète, on vend, on risque, on gagne ou non…

Ils sont là,
ils attendent,
ils sont prêts…
mais pas moi!

Passé composé

Je suis né, j'ai grandi, j'ai vieilli, j'ai vécu…

Il est venu, il attendu mais elle n'est pas venue…

Futur

Je ne dirai rien, je me tairai, vous ne saurez rien…

Tu verras, nous reviendrons, on t'appellera, on t'écrira…

Commençons!

◼ déterminants

① **Écoutez, puis complétez avec la forme qui convient : « un », « une », « des » / « le », « la », « les ». Puis réécoutez.**

1. *Un* homme qui veut changer de vie s'engage sur ...... bateau. Sur ce bateau, il y a ...... femme qui court le monde à la recherche d'...... marin qu'elle a aimé et qui a disparu. L'amour naît entre ...... homme qui veut changer de vie et ...... femme qui cherche ...... marin de Gibraltar. Ensemble, ils vont chercher ce marin disparu.

2. *Un* policier est appelé pour enquêter sur ...... mort mystérieuse, ... mort d'un concierge dans ...... immeuble de banlieue. Il se trouve que ...... policier et ...... concierge habitaient ...... même immeuble et partageaient ...... secret.

3. *Un* jour, ... jour de Noël, ... adolescent prend la fuite et se réfugie sur ...... plage qu'il croit déserte. Mais ...... plage n'est pas déserte et ...... jeune garçon va avoir quelques surprises et quelques frayeurs.

4. Je suis à *la* caisse. Derrière la vitrine du magasin, je vois ...... homme s'arrêter. C'est ...... homme grand, fort, souriant. Il porte ...... blouson noir, ... pantalon noir, ... gants noirs. ...... homme me regarde et entre dans ...... magasin. Il porte ...... sac noir. Il pose ...... sac noir sur ...... comptoir de ...... caisse, il ouvre ...... sac et sort du sac ...... pistolet noir. Il braque ...... pistolet sur moi. Je regarde ...... pistolet. C'était ...... pistolet à eau !

② **Complétez avec la forme qui convient : « un », « une », « des » / « le », « la », « les ».**

Dans un hôtel, *les* clients se succèdent à la banque de la réception.

1. – Vous m'avez appelé ...... taxi ?
– Oui ...... taxi vous attend devant ...... porte.

2. – Est-ce qu'il y a ...... toilettes, s'il vous plaît ?
– ...... toilettes sont réservées aux clients de l'hôtel.
– Mais je suis ...... cliente de l'hôtel !
– Oh ! Excusez-moi, Mademoiselle.

3. – Vous avez ...... bagages, Madame ?
– Oui, deux valises.
– Joseph ! Montez ...... valises de Madame.

4. – Est-ce que ...... animaux sont admis dans ...... hôtel ?
– Vous avez ...... chien ou ...... chat ?
– J'ai ...... chien et ...... perroquet.
– Pour ...... perroquet, je vais demander.

5. – Je viens chercher ...... amie, Anne Gauthier, c'est ...... chambre 200.
– Elle a laissé ...... message pour vous.

6. – Vous pouvez m'indiquer ...... restaurant dans ...... quartier ?
– Il y a ...... petit restaurant à 200 mètres à droite et ...... brasserie un peu plus loin.
– Vous me conseillez ...... restaurant ou ...... brasserie ?
– ...... restaurant est ...... excellent restaurant et ...... brasserie est très animée.
– Je vous remercie. Je vais voir.
– Vous avez ...... code ?
– Quel code ?
– ...... code de ...... porte pour rentrer après 23 heures. Le voici.
– Merci.

3 Complétez avec la forme qui convient : « un », « une », « des » / « du »,
« de la », « de l' ».

1. – Tu fais *du* sport ? Quels sports ?
– Je fais seulement ...... sports de combat.
– Quel est le sport de combat que tu préfères ?
– Le taï-chi.

2. – Vous mangez ...... viande combien de
fois par semaine ?
– Je suis végétarien.
– Vous mangez ...... poisson ?
– Oui, et ...... œufs.

3. – Tu as ...... tabac ? Je voudrais me rouler
...... cigarette.
– Tiens !
– Et tu as ...... feu ?
– Il y a ...... briquet sur la table.

4. – Tu as ...... argent ?
– Oui, j'ai ...... argent liquide, j'ai retiré
...... grosse somme.
– Tu as ...... monnaie ?
– Ah non, j'ai seulement ...... billets.
– On va faire ...... monnaie.

5. – Il y a encore ...... place pour le concert
de ce soir ?
– Il y a ...... places libres au fond de la salle.
– Et devant ?
– Non. Ah si ! il reste juste ...... place.
– Parfait ! ...... place me suffit !

6. – Je voudrais ...... whisky.
– Avec ...... glaçons ?
– Non, sec.

4 Complétez avec la forme qui convient : « un », « une », « des » / « du »,
« de la » / « de ».

Dans un restaurant

Table 3
– Vous prendrez *un* dessert ?
– Qu'est-ce que vous avez comme dessert ?
– Nous avons ...... glaces, ... tartes faites
maison et ...... gâteau au chocolat.
– Finalement, je ne prendrai pas ...... dessert.
Apportez-moi l'addition, s'il vous plaît.

Table 5 *(un copain du serveur)*
– Dis donc il y a beaucoup ...... monde !
Qu'est-ce que tu me conseilles aujourd'hui ?
– Tu veux ...... viande ou ...... poisson ?
– Tu sais bien que je ne mange pas ...... viande.
– Ah oui c'est vrai. Attends, je reviens !

À l'entrée
– Nous sommes trois.
– Il y a ...... table ici et ...... table en terrasse.
– Il y a trop ...... fumeurs en terrasse.
– Alors, ... table près de la porte.

Table 4
– ...... plat du jour, s'il vous plaît.
– Vous avez ...... chance. C'est ...... dernier !

Table 2
– Je pourrai avoir ...... carafe ...... eau, s'il
vous plaît et un peu plus ...... pain ?
– Tout de suite.

Table 6
– C'est quoi, ... plat du jour ?
– Il n'y a plus ...... plat du jour. Désolé.
– C'était quoi ?
– ...... poulet aux champignons avec ......
crème.

Table 1
– Vous pouvez m'apporter ...... café décaféiné,
si c'est vraiment ...... déca.
– Mais, Monsieur, notre déca, c'est ...... vrai
déca.

1

5 **Complétez avec la forme qui convient, puis formulez des questions avec les mots proposés.**

Avoir *de* l'influence sur les autres beaucoup ? → Vous avez *beaucoup d'* influence sur les autres?
Avoir *des* amis étrangers pas ? → Vous n'avez *pas d'* amis étrangers?

1. Avoir ...... temps libre pas assez ?
2. Faire ...... sport beaucoup ?
3. Parler ...... langues étrangères combien ?
4. Prendre ...... somnifères pas du tout ?
5. Gagner ...... argent assez ?
6. Recevoir ...... conseils trop ?
7. Connaître ...... chansons beaucoup ?

8. Lire ...... bandes dessinées pas ?
9. Manger ...... viande pas beaucoup ?
10. Avoir ...... projets d'avenir beaucoup ?
11. Avoir ...... frères et sœurs combien ?
12. Passer ...... temps sur Internet beaucoup ?
13. Faire ...... musique pas ?
14. Boire ...... vin un peu ?

6 **Complétez ces phrases avec les formes qui conviennent.**

Il y a *des* gens partout. Il y a beaucoup trop *de* monde et pas assez *de* place pour tout le monde.

1. Vous faites ...... bruit. Chut! Ne faites pas ...... bruit. Un peu ...... silence, s'il vous plaît. Il y a ...... gens qui travaillent. **2.** Vous avez ...... chance, vous avez beaucoup ...... chance si vous avez des amis qui ont ...... relations et ...... influence. **3.** Mon père est retraité, il a ...... temps libre, c'est vrai, mais il trouve qu'il a beaucoup trop ...... temps libre. **4.** Vous pouvez avoir ...... compte en banque, mais pas ...... carte de crédit et pas ...... carnets de chèque. **5.** Comme vous avez ...... diplômes et ...... expérience, avec un peu ...... chance, vous trouverez facilement ...... travail.

7 **Complétez avec « au », « à la », « aux » / « du », « de la », « des ».**

Aller *à* l'aéroport, *à la* bibliothèque, *au* cinéma, ... école, ... fac, ... gare, ... marché, ... opéra, ... piscine, ... poste, ... préfecture, ... restaurant, ... stade, ... théâtre, ... toilettes, ... université.

Sortir / Revenir *du* travail, ... fête, ... marché, ... université, ... supermarché, ... poste, ... piscine, ... théâtre, ... restaurant, ... opéra, ... gare, ... école, ... bibliothèque.

S'intéresser *à la* mécanique, ... actualité, ... sports, ... autres, ... cuisine, ... économie, ... environnement, ... foot, ... gens, ... histoire, ... mode, ... politique.

Parler *de* l'art, ... passé, ... avenir, ... études, ... existence, ... jeunes, ... temps qu'il fait, ... vacances, ... vie.

Avoir peur *des* araignées, ... chômage, ... ennui, ... guerre, ... inconnu, ... hommes, ... mort, ... maladie, ... noir, ... serpents, ... silence, ... orage.

Faire confiance *à la* vie, ... nature, ... science, ... hommes politiques, ... autres.

Se méfier *des* gens, ... nature humaine, ... médias, ... compliments, ... passion.

8 Lisez et observez le début du texte, puis complétez avec les formes qui conviennent.

> Imaginez un village, quelque part dans la campagne française, un joli petit village avec, au centre du village, sur une place ronde une église romane. Une rue entoure la place. Elle est bordée de quelques commerces : une banque, une boulangerie-pâtisserie, un salon de coiffure, un bureau de tabac, une épicerie, un café-restaurant, un bureau de poste, une pharmacie, un magasin de souvenirs. La dernière maison de la rue est le presbytère, la maison du curé du village. Les gens vont et viennent sur la place. Il est 9 heures du matin. C'est l'été. Un bus de touristes vient de se garer.
>
> La porte *du* bus s'ouvre. Les touristes descendent *du* bus, traversent la place, se regroupent devant le porche *de l'*église et écoutent les commentaires *du* guide.
>
> Le curé *du* village sort *de l'*église et s'installe *à la* terrasse *du* café.

- Le patron ...... café vient le servir. Un enfant sort ...... café et court ...... boulangerie-pâtisserie.
- Le mari ...... boulangère sort ...... boulangerie et pousse la porte ...... n° 12.
- Un vieux monsieur sort ...... n° 12 et traverse la place pour aller ...... banque.
- Une jeune fille d'une vingtaine d'années sort ...... banque et entre ...... pharmacie.
- La femme ...... épicier sort ...... pharmacie et s'arrête devant la vitrine ...... bureau ...... tabac.
- Une vieille dame sort ...... bureau ...... tabac et se dirige vers l'église.
- Les touristes sortent ...... église et prennent la direction ...... magasin ...... souvenirs.
- Le propriétaire ...... magasin ...... souvenirs les invite à entrer.
- Le chauffeur ...... bus s'impatiente. Le guide ...... touristes lui fait signe d'attendre.
- Les touristes sortent ...... magasin ...... souvenirs et prennent des photos ...... place ...... église et ...... enfants qui jouent au ballon sur la place.
- Le chauffeur klaxonne et les touristes se dirigent vers le bus. La porte ...... bus se ferme et le bus démarre.

9 Complétez.

Dans ce vieux jardin abandonné, vous pourrez voir :

Un mur : *Un* mur entoure *le* jardin. Les pierres *du* mur *du* jardin tombent.

Un chêne : C'est ...... chêne centenaire. ...... grosse branche ...... chêne s'est cassée.

Une grille : ...... grille ...... jardin ne ferme plus. La couleur ...... grille a disparu.

Des bancs : Il y a ...... vieux bancs de bois. La peinture ...... bancs est à refaire.

Une fontaine : Il y a ...... petite fontaine en pierre. L'eau ...... fontaine coule doucement.

Une statue : ...... statue représente ...... lion. Une ...... pattes ...... lion manque.

Une allée : ...... allée mène à ...... petite fontaine en pierre. Le sol ...... allée est couvert d'herbes folles.

Un chat : ...... chat noir marche dans ...... allée. ...... oiseau voit ...... chat. Il s'envole.

1

10 Complétez avec « mon », « ma », ou « mes », puis avec « notre » ou « nos » en faisant les changements nécessaires.

Je vous présente *mes* condoléances. **1.** Toutes …… félicitations! **2.** Transmettez …… bon souvenir à vos parents. **3.** Je vous présente …… excuses. **4.** …… amitiés à votre femme. **5.** Soyez assuré de …… soutien et de …… amitié. **6.** Tous …… vœux de bonheur pour la nouvelle année! **7.** Avec toute …… reconnaissance et …… remerciements!

Nous vous présentons *nos* condoléances.

11 Complétez avec « ton », « ta », « tes », puis avec « votre » ou « vos ».

Quelle est *ta* date de naissance? **1.** C'est quel jour …… anniversaire? **2.** …… départ et …… retour sont prévus pour quand? **3.** Tu auras quand les résultats de …… examen? **4.** Rappelle-moi le jour et l'heure de …… arrivée. **5.** Quand as-tu pris …… décision? **6.** Tu téléphones souvent à …… amis ou tu leur envoies des SMS? **7.** Quels sont …… acteurs préférés?

Quelle est *votre* date de naissance?

12 Complétez avec « son », « sa », « ses ».

Il m'a parlé de *sa* famille et de *son* enfance. **1.** Elle m'a raconté …… voyages, …… aventures. **2.** Il m'a fait part de …… inquiétude et de …… doutes sur …… avenir professionnel. **3.** Elle m'a éclairé sur …… personnalité, sur …… caractère, sur …… goûts. **4.** Il m'a confié …… peurs et …… rêves. **5.** Elle m'a dévoilé …… secret: le secret de …… naissance. **6.** Il m'a invité à faire partie de …… amis sur Facebook. **7.** Elle a mis des photos de …… dernier voyage sur …… blog.

13 Complétez avec « son », « sa », « ses » ou « leur(s) ».

Dans un immeuble, un soir, vers 7 heures

Un enfant verse des graines dans la cage de *son* oiseau. **1.** Un vieux monsieur dort dans …… fauteuil, …… chat sur les genoux. **2.** Une jeune femme pose …… sac et …… gants sur un meuble. **3.** Deux étudiants assis à …… bureau, devant …… ordinateur, échangent …… impressions. **4.** Dans la salle de bains, face à la glace, un homme inspecte …… dents. **5.** Deux chiens attendent …… maître. **6.** Par la fenêtre ouverte, un jeune homme appelle …… amie qui gare …… moto. Elle enlève …… casque et lui fait signe. **7.** Devant la porte de …… appartement, une femme fouille …… sac pour chercher …… clés. **8.** Des jumeaux d'un an font …… premiers pas sous les yeux amusés de …… nounou.

14 Complétez avec « ce », « cette », « cet » ou « ces ».

Tu prends des vacances quand *cette* année? **1.** À quelle heure on a rendez-vous …… après-midi? **2.** Qu'est-ce qu'on fait …… soir? **3.** Tu t'es réveillé à quelle heure …… matin? **4.** Il va faire quel temps …… jours-ci? **5.** Tu as bien dormi …… nuit? **6.** C'est …… mois-ci, vos vacances? **7.** Vous avez beaucoup de travail …… semaine? **8.** Tu as des examens …… trimestre?

15 Complétez avec « ce », « cette », « cet » ou « ces ».

Dans une classe de langue

Pouvez-vous répéter *cette* phrase?

1. Comment se prononcent …… deux mots? **2.** …… texte est facile à comprendre. **3.** Je ne comprends pas l'objectif de …… exercice. **4.** Est-ce que …… verbe est régulier? **5.** Pouvez-vous me décrire …… photo? **6.** …… cours de langue est trop facile pour moi. **7.** Je ne peux pas répondre à …… deux questions. **8.** …… test me semble trop difficile. **9.** …… explications vous suffisent-elles? **10.** …… règle n'a pas d'exception.? **11.** Je trouve que …… classe est très sympathique. **12.** …… activité ne me plaît pas du tout. **13.** Je vous conseille …… excellent dictionnaire. …… dictionnaire vous sera utile longtemps. **14.** Vous réécouterez …… court enregistrement chez vous. Demain, je vous poserai des questions sur …… enregistrement. **15.** …… horaire de cours vous convient-il? …… nouvel horaire peut être modifié, s'il ne vous convient pas.

■ adjectifs

16 Passez du masculin au féminin. Lisez les phrases à voix haute. Soulignez les liaisons obligatoires. Écoutez pour vérifier.

Un charmant vieux monsieur, discret et très élégant porte un nouveau chapeau blanc.
Une charmante vieille dame, discrète et très élégante porte une nouvelle veste blanche.

1. Un avocat jaloux, armé d'un long bâton, poursuit son principal rival.
Une avocate …., …… d'une …… épée, poursuit sa ………… rivale.

2. Un jeune et joli garçon, fin et rêveur, achète un parfum délicat et discret.
Une …………… fille, …………, achète une eau de toilette ……… .

3. Un mystérieux inconnu, très nerveux, inscrit un faux nom sur un registre d'hôtel.
Une ……… inconnue, ………… , inscrit une ……… identité sur un registre d'hôtel.

4. Dans un hôpital canadien, un père heureux tient dans ses bras ses deux fils jumeaux.
Dans une maternité ….. , une mère ……… tient dans ses bras ses deux filles ……… .

5. Un homme impulsif ouvre, d'un geste rageur, une enveloppe contenant un gros chèque.
Une femme ……… ouvre, d'une manière ………, une enveloppe contenant une ……… somme.

6. Dans un jardin public, deux gros messieurs craintifs hésitent à lâcher leur gentil petit chien.
Sur une place ………, deux ……… dames ……… hésitent à lâcher leur ……… chienne.

17 Remplacez les noms masculins par des noms féminins.

Dans un vieux pub de Dublin, un verre plein à la main, un jeune infirmier iranien raconte à un vieux musicien catalan les souvenirs de son pays natal.

❚ présent des verbes

annexe 2 p. 305

18 Faites des petits textes à l'oral et à l'écrit en variant les pronoms.

1. Avoir 50 ans ● Être célibataire ● Avoir un chat ● Être écrivain

2. Avoir 65 ans ● Être retraité(e) ● Avoir beaucoup de temps libre ● Faire des voyages ● Aller partout dans le monde

3. Avoir un an ● Être mignon(ne) ● Faire pipi au lit ● Avoir un frère ● Ne pas avoir de sœur

4. Avoir 30 ans ● Être marié(e) ● Avoir trois enfants ● Avoir une profession intéressante ● Faire de la politique ● Aller souvent à l'étranger ● Être très occupé(e)

5. Avoir entre 25 et 30 ans ● Faire beaucoup de sport ● Avoir des amis ● Être en bonne forme ● Aller très bien

6. Avoir 40 ans ● Être divorcé(e) ● Ne pas avoir de travail ● Être au chômage ● Refaire une formation ● Ne pas avoir d'argent ● Ne pas aller bien

7. Avoir 15 ans ● Être jeune ● Aller au lycée ● Faire du ski ● Avoir des copains et des copines

8. Avoir 90 ans ● Être veuf / veuve ● Avoir des petits-enfants ● Ne jamais aller chez le médecin ● Être en bonne santé

19 Faites des petits textes à l'oral et à l'écrit en variant les pronoms.

1. Aimer tous les pays ● Habiter en Europe ● Parler plusieurs langues

2. Aimer travailler ● Travailler beaucoup ● Commencer tôt le matin ● Travailler tard le soir

3. Aimer dormir ● Se coucher tôt ● Rester tard au lit ● Détester le lundi matin

4. Aimer rire ● Aimer plaisanter ● Rire beaucoup ● S'amuser beaucoup

5. Aimer la musique ● Écouter beaucoup de musique ● Jouer de la guitare ● Chanter

6. Aimer les fleurs ● Planter des fleurs ● Offrir des fleurs

7. Aimer parler ● Communiquer facilement ● Détester le silence ● Poser beaucoup de questions

8. Changer d'humeur facilement ● Rire puis pleurer ● Crier puis sourire ● Adorer puis détester

20 Conjuguez ces verbes en –ayer –uyer –oyer. Écoutez pour vérifier.

	Base 1 – je, tu, il / elle, ils / elles	**Base 2** – nous, vous
payer	*je paie*	
essuyer		
envoyer		

21 Passez du « vous » au « tu » à l'oral et à l'écrit. Échangez.

Vous recevez et envoyez beaucoup de mails ? → *Tu reçois et envoies beaucoup de mails ?*

1 Vous tutoyez votre professeur de français ? **2** Vous vous ennuyez ou non dans les musées ?
3 Vous nettoyez souvent les vitres de votre logement ? **4** Vous essuyez souvent la vaisselle ?

5 Vous payez plus souvent en espèces ou par carte bancaire ? **6** Vous envoyez des cartes postales quand vous voyagez ? **7** Quel est le mot français que vous employez le plus souvent ?

22 Passez du « tu » au « vous » à l'oral et à l'écrit. Échangez.

Tu vois combien de couleurs dans un arc-en-ciel ? → *Vous voyez combien de couleurs… ?*

1 Tu prévois un voyage combien de temps à l'avance ? **2** Tu aimes les grandes villes ou tu les fuis ? **3** Tu crois au « coup de foudre », au destin ? **4** Tu te distrais comment quand tu t'ennuies ?

23 Conjuguez ces verbes en -e.er. Écoutez pour vérifier.

	Base 1 – je, tu, il / elle, ils / elles	**Base 2** – nous, vous
acheter	*j'achète*	
s'appeler		
répéter		

24 Passez du « vous » au « tu » à l'oral. Écrivez la forme verbale. Échangez.

Vous épelez facilement votre nom en combien de langues ? → *Tu épelles…*
Vous congelez les aliments ? → *Tu congèles…*

1 Vous achetez combien de paires de chaussures par an ? **2** Vous enlevez vos chaussures pour marcher sur les tapis ? **3** Vous pelez les fruits avant de les manger ? **4** Vous vous pesez régulièrement ? **5** Vous jetez vos vieux vêtements ? **6** Vous espérez parler couramment français dans combien de temps ? **7** Vous vous inquiétez de l'avenir ou non ? **8** Vous aérez votre chambre avant de vous coucher ? **9** Vous vous séchez les cheveux à l'air ou au séchoir électrique ? **10** Vous cédez votre place aux gens plus âgés dans le bus ?

25 Prononcez et écrivez ces verbes à la 3ᵉ personne. Écoutez pour vérifier.

Verbes type	il / elle / on	ils / elles	autres verbes
finir	*finit*	*finissent*	majorité des verbes en **-ir**
connaître			naître, paraître
partir			sortir, sentir, mentir
mettre			promettre, admettre
se battre			débattre, combattre
entendre			attendre, descendre, vendre
perdre			mordre
répondre			correspondre
lire			interdire
conduire			construire

Verbes type	il / elle / on	ils / elles	autres verbes
se plaire			se taire
vivre			survivre
suivre			poursuivre
écrire			décrire, inscrire
se servir			desservir
dormir			s'endormir
éteindre			atteindre, peindre
se plaindre			craindre, contraindre

26 **Échangez entre vous sur les différents sujets proposés ci-dessous. Vérifiez votre connaissance des formes verbales.**

1 attendre patiemment son tour dans une file d'attente **2** conduire à droite / à gauche **3** construire sa maison soi-même **4** défendre la liberté de la presse **5** descendre souvent dans la rue pour manifester **6** dormir dans la pièce où l'on mange **7** écrire avec l'alphabet romain **8** élire le chef d'État au suffrage universel **9** lire de la poésie **10** dire bonjour aux personnes dans l'ascenseur **11** répondre aux sondages **12** punir beaucoup les élèves/enfants **13** se battre pour l'honneur **14** ne pas se plaindre quand on souffre **15** se rendre fréquemment au marché **16** se réunir souvent entre amis **17** se servir beaucoup du klaxon en voiture **18** servir les invités avant de se servir **19** sortir tard le soir **20** suivre scrupuleusement les règlements **21** vivre en famille **22** agir pour l'égalité des sexes **23** craindre de passer sous une échelle ou de casser un miroir

→ Est-ce que, dans votre pays, *les gens attendent* patiemment *leur tour*? / *on attend* patiemment *son tour*? Est-ce que *les gens conduisent* à gauche? *On conduit* à droite ou à gauche?

27 **Prononcez et écrivez les formes de ces verbes. Écoutez pour vérifier.**

	Base 1 je, tu, on, il / elle	Base 2 ils / elles	Base 3 nous, vous
pouvoir	*je peux*		
vouloir			
devoir			
recevoir			
boire			
tenir			
venir			
prendre			

28 **Vérifiez oralement votre connaissance des formes verbales.**

Nous *(boire)* à votre santé ! → Nous *buvons* à votre santé.

1. Que *(vouloir)*-vous faire ce soir ? **2.** Est-ce que vous *(se souvenir)* de ma date d'anniversaire ?
3. Où *(devoir)*-nous nous retrouver ? **4.** Je *(ne pas se souvenir)* de l'adresse exacte. **5.** Je *(s'aper-cevoir)* que je suis en retard ! **6.** Je *(devoir)* prévenir mes amis. **7.** Je ne *(comprendre)* pas ton attitude. **8.** Que *(contenir)* votre sac et que *(contenir)* vos valises ? **9.** Nos services *(recevoir)* plus de 100 courriels par jour. **10.** Nous *(ne pas vouloir)* vous déranger. **11.** Beaucoup de Français *(percevoir)* des allocations logement. **12.** La pluie et le mauvais temps *(revenir)* la semaine prochaine. **13.** Vous *(entreprendre)* des études longues mais intéressantes. **14.** Nous *(se tenir)* à votre disposition pour toutes les informations complémentaires. **15.** On *(pouvoir)* se retrouver ce soir pour dîner ? Mais vous *(pouvoir)* refuser si vous *(vouloir)* ! **16.** Qui *(revenir)* demain ? Qui *(ne pas vouloir)* revenir ? Qui *(ne pas pouvoir)* revenir ? **17.** Je *(s'abstenir)* de faire un commentaire, je *(ne rien vouloir)* dire.

29 **Échangez entre vous sur les différents sujets proposés ci-dessous. Confrontez vos expériences culturelles, posez des questions et répondez-y.**

1 apprendre tôt les langues étrangères **2** apprendre à sourire par politesse **3** boire beaucoup de thé / de café / d'alcool **4** devoir se soumettre à la volonté de ses parents **5** percevoir une bourse du gouvernement **6** pouvoir ne pas voter **7** prendre beaucoup de vacances **8** retenir ses sentiments et ses larmes **9** vouloir devenir fonctionnaire **10** obtenir facilement un poste dans l'administration

→ Est-ce que, dans votre pays, *on apprend* tôt les langues étrangères ? Dans votre pays, *on apprend* tôt les langues étrangères ? Est-ce que *les jeunes apprennent* tôt les langues étrangères dans votre pays ? Est-ce que, dans votre pays, *vous apprenez* tôt les langues étrangères ?

ex 80a
ex 148, 164, 168

30 **Posez les questions et répondez-y.**

1 **Que faites-vous quand vous avez très peur ?** ● crier ● pleurer ● appeler « au secours »
● rester muet ● trembler ● rire nerveusement ● pâlir → *Vous criez ? Vous pleurez ?*

2 **Que faites-vous quand vous avez mal ?** ● respirer à fond ● souffrir en silence ● pleurer ●
gémir ● se taire ● se plaindre

3 **Que faites-vous quand vous êtes en colère ?** ● bouder ● devenir tout rouge ● crier ● claquer
les portes ● s'enfermer dans sa chambre ● contenir sa colère ● devenir méchant ● perdre son calme
● réagir violemment ● se taire

4 **Que faites-vous quand vous avez un problème difficile à résoudre ?** ● essayer de résoudre seul
le problème ● abandonner le projet ● demander conseil ● réfléchir longuement ● agir instinctivement
● devenir nerveux ● téléphoner à un ami

5 **Que faites-vous quand vous êtes débordé(e) ?** ● rester calme ● s'énerver ● agir précipitamment
● devenir irritable ● courir dans tous les sens ● pleurer

6 **Que faites-vous quand vous avez une insomnie ?** ● se lever ● rester couché(e) ● lire ● écouter
la radio ● prendre un somnifère ● boire ● manger ● sortir faire un tour

7 **Que faites-vous quand vous tombez amoureux?** ● dissimuler son sentiment ● écrire des poèmes ● envoyer des SMS tous les jours ● rougir ● pâlir ● perdre l'appétit ● bafouiller ou bégayer ● offrir des fleurs

8 **Que faites-vous quand on n'est pas d'accord avec vous dans une discussion?** ● changer de sujet ● poursuivre tranquillement la discussion ● essayer de convaincre ● argumenter ● se mettre en colère ● perdre son calme ● accepter les arguments de votre partenaire

■ impératif

31 **Passez du « tu » au « vous » ou l'inverse.**

ex 86, 363

Entrez, je vous en prie. Installez-vous! Faites comme chez vous!
→ *Entre, je t'en prie, installe-toi, fais comme chez toi.*

1. Tu as le temps, prends ton temps, ne te précipite pas, réfléchis avant de répondre!
→ Vous avez le temps.........................

2. Nous sommes en retard, dépêchons-nous, ne perdons pas notre temps.
→ Tu es en retard ....

3. Réponds-moi, dis-moi la vérité, ne me mens pas, ne me cache rien.
→ Répondez-moi ....

4. N'oubliez surtout pas! Envoyez-moi la facture. N'attendez pas trop longtemps!
→ N'oublie ....

5. S'il te plaît, laisse-moi terminer. Ne m'interromps pas.
→ S'il vous plaît, ...

6. Tu as le choix. Choisis! Prends ce qui te plaît.
→ Vous avez le choix? ....

7. Tu ne crains rien. Ne t'inquiète pas. N'aie pas peur. Calme-toi!
→ Nous ne ....

8. Le bébé dort. Tais-toi! Ne fais pas de bruit. Marche sur la pointe des pieds.
→ Silence les enfants! ....

32 **Demandez à quelqu'un:**

ex 317

1. de vous laisser tranquille → *Laisse(z)-moi tranquille!*
de se réveiller et de se lever → ....
de s'amuser → ....
de ne pas chercher à vous comprendre → ....
de ne pas se moquer de vous → ....
de ne pas vous déranger → ....

2. de ne pas oublier le rendez-vous → ....
de vous céder sa place → ....
de se dépêcher → ....
de vous tutoyer → ....
de vous appeler par votre prénom → ....
de ne pas s'inquiéter pour vous → ....

3. de réfléchir avant de se décider → ....

de partir sans vous, de ne pas vous attendre → ....

de se taire → ....

de vous conduire à l'aéroport → ....

de ne pas perdre de temps → ....

de ne pas se plaindre → ....

4. de prendre son temps → ....

de ne pas vous décevoir → ....

de venir vous aider → ....

de vous tenir la porte → ....

■ passé composé

33 **Complétez ces phrases d'excuse avec l'auxiliaire « être » ou « avoir ».**

Excusez-moi, je me *suis* trompé de numéro.

1. Excusez-moi ! Je vous ...... fait mal ? **2.** Je ...... entré(e) sans frapper, la porte était entrouverte. **3.** Excuse-moi, je n'...... pas voulu te troubler en posant cette question. **4.** J'...... oublié ton anniversaire, je suis confus(e). **5.** Pardon, je suis désolé(e), je suis navré(e) de ce qui s'...... passé. Vraiment navré(e). **6.** Je suis embêté(e) ; un petit malheur ...... arrivé : ton ordinateur ...... tombé et il s'...... cassé. **7.** Je ne sais pas comment me faire pardonner ma colère. Je ...... devenu fou. Je suis mort de honte. **8.** Veuillez nous excuser, il y ...... eu un malentendu. **9.** Je ne vous ...... pas interrompu(e), je vous prie de ne pas m'interrompre. **10.** Je ne ...... pas venu(e) et je ne t'...... pas prévenu(e) ! Oui, je sais. Mille excuses.

34 **Complétez avec l'auxiliaire « être » ou « avoir ».**

Les déménageurs *sont* descendus du camion, puis ils *ont* descendu les meubles du camion.

1. Les pompiers ...... descendus de leur camion et ...... sorti les victimes de la voiture accidentée. **2.** Les contrebandiers ...... passés devant le poste de douane et ...... passé la frontière sans problème. **3.** Les gangsters ...... sortis d'une voiture noire et ...... sorti des armes du coffre de la voiture. **4.** De nombreux manifestants ...... descendus dans la rue et la manifestation ...... descendu l'avenue principale vers le port. **5.** Quand les chiens ...... entrés, les chats ...... sorti leurs griffes. **6.** Aux premières neiges, les bergers ...... descendus de l'alpage avec leurs troupeaux et ...... rentré les bêtes dans l'étable pour l'hiver. **7.** Quand le professeur ...... entré, les élèves ...... sorti leurs livres de leurs sacs. **8.** Le médecin ...... rentré les données d'un patient dans son ordinateur et ...... sorti appeler le patient suivant.

35 Racontez au passé.

Il descend de sa moto. Il rentre précipitamment dans l'immeuble. Il passe devant les boîtes aux lettres. Il monte l'escalier quatre à quatre. Il s'arrête devant une porte. Il sort une clé de sa poche. Il rentre de force la clé dans la serrure. La clé rentre mais ne tourne pas. Il redescend quatre à quatre. Il repasse devant les boîtes aux lettres. Il sort de l'immeuble. Il passe sa main sur son front. Il remonte sur sa moto et repart en trombe.

Il *est descendu* de sa moto.

36 Vérifiez votre connaissance des participes passés de ces verbes courants. Soulignez les verbes qui se conjuguent avec « être ».

apercevoir	*J'ai aperçu*	**obtenir**	....
apercevoir (s')	*Je me suis aperçu(e)*	**offrir**	....
apprendre	*J'ai appris*	**ouvrir**	....
avoir	....	**parcourir**	....
asseoir (s')	....	**partir**	....
battre (se)	....	**payer**	....
boire	....	**peindre**	....
comprendre	....	**perdre**	....
conduire	....	**plaindre (se)**	....
connaître	....	**plaire (se)**	....
courir	....	**pleuvoir***	....
couvrir	....	**pouvoir**	....
craindre	....	**prendre**	....
croire	....	**promettre**	....
découvrir	....	**recevoir**	....
défendre	....	**reconnaître**	....
descendre	....	**répéter**	....
devenir	....	**répondre**	....
dire	....	**rire**	....
écrire	....	**savoir**	....
ennuyer (s')	....	**sortir**	....
envoyer	....	**sourire**	....
être	....	**souvenir (se)**	....
faire	....	**suivre**	....
falloir*	....	**taire (se)**	....
finir	....	**tenir**	....
fuir	....	**traduire**	....
interdire	....	**vaincre**	....
lire	....	**vieillir**	....
mettre	....	**vendre**	....
monter	....	**venir**	....
mourir	....	**vivre**	....
naître	....	**vouloir**	....

* Verbes impersonnels

37 Utilisez le passé composé dans les dialogues suivants.
Travaillez oralement. Puis écoutez pour vérifier.

1. – Allô, Léa ?
   – Ah non, Monsieur, ce n'est pas Léa.
   – Excusez-moi, je me suis trompé
   de numéro.
   – Non, vous *ne vous êtes pas trompé*
   mais Léa *(sortir)*.

2. – Comment tu *(trouver)* le film ?
   – Je *(ne pas aimer du tout)*.
   – Moi, j'*(trouver)* ça pas mal !

3. – Nous *(se retrouver)* à l'aéroport.
   – Vous *(ne pas avoir du mal)*
   à vous retrouver ?
   – Non, ça *(ne pas être)* difficile.

4. – On *(décider)* de partir.
   – Quand est-ce que vous *(prendre)*
   la décision ?
   – On *(se décider)* hier matin.

5. – Tu *(fermer)* les volets ?
   – Oui, et je *(couper)* l'eau et l'électricité.
   – Tu *(brancher)* le répondeur ?
   – Je *(tout faire)*. On peut partir.

6. – Vous *(remplir)* votre fiche ?
   – Oui, je l'*(remplir)*.
   – Vous *(ne rien oublier)* ?
   – J'*(tout vérifier)*.
   – C'est parfait.

7. – Qu'est-ce que tu *(se faire)* au doigt ?
   – Je *(se blesser)*.
   – Comment ça ?
   – Je *(se coincer)* le doigt dans une porte.
   – Ça *(devoir)* te faire mal ?
   – Ben, oui.

8. – Vous *(se renseigner)* sur les prix
   du cours ?
   – Pas encore, je *(ne pas se renseigner)*, mais
   je vais le faire.

9. – À quelle heure vous *(rentrer)*
   cette nuit ?
   – Vers deux heures.
   – Je *(ne pas vous entendre)*.
   – On *(faire attention)*, on *(monter)* tout
   doucement.

10. – Tu *(arriver)* quand ?
   – Nous *(arriver)* hier.
   – Tu *(ne pas venir)* seul ?
   – Non, un ami m'*(accompagner)*.

11. – Votre mère *(mourir)* en quelle année ?
   – Mais ma mère vit toujours !

12. – Tu *(rappeler)* le médecin ?
   – Non, je *(ne pas l'appeler)* tout
   de suite, mais je *(passer)* à son cabinet.
   – Il t'*(faire)* une ordonnance ?
   – Oui et je *(passer)* à la pharmacie.

13. – Où est Lucas ?
   – Il *(descendre)*.
   – Et les valises, où sont-elles ?
   – Il les *(descendre)*.

14. – Vous *(sortir)* hier soir ?
   – Non, nous *(ne pas bouger)*,
   nous *(rester)* à la maison.

15. – Vous *(interrompre)* vos études ?
   Pourquoi ?
   – Parce que je *(partir)* faire le tour
   du monde.
   – Vous *(parcourir)* tous les océans ?
   – Presque, oui.

16. – Comment est-ce que vous *(devenir)*
   riche ?
   – J'*(hériter)* d'un oncle très riche.
   – Ça *(changer)* votre vie ?
   – Fondamentalement je *(rester)* le
   même.

17. – Vous *(passer)* de bonnes vacances ?
   – Il *(pleuvoir)* tout le temps.
   On *(ne pas faire)* grand-chose.

18. – Tu *(passer)* voir ta mère ?
   – Oui, je *(passer)* la soirée chez elle.

19. – Vous *(vivre)* longtemps
   en Angleterre ?
   – Oui, j'y *(rester)* dix ans.
   – C'est là que vous *(connaître)*
   votre femme ?
   – Oui, et que nous *(se marier)*.

38 **Complétez les réponses avec le même verbe. Faites l'accord.**

Vous avez vérifié l'adresse de livraison ? – *Oui je l'ai vérifiée.*

1. Vous avez réparé la portière de la voiture ? – Nous ne l'avons pas encore ....
2. Vous avez commandé les pièces manquantes ? – Nous les avons .... hier.
3. Vous avez déposé les chèques à la banque ? – Non, ne les ai pas encore ....
4. Vous avez rempli les deux formulaires ? – Je les ai .... Les voilà !
5. Vous avez relevé le numéro du taxi ? – Malheureusement, je ne l'ai pas ....

39 **Complétez en faisant les accords nécessaires.**

– Tu as garé ta voiture sur ce parking ? Où est-ce que tu l'as gar*ée* ?

1. Tu as écout… les CD que je t'ai apport… ? Quels morceaux as-tu préfér… ? **2.** Tu as reç… une lettre de l'étranger, tu l'as ouvert… ? Tu l'as l… ? **3.** J'ai perd… mes clefs ! Je ne sais pas où je les ai oubl… ! **4.** Si vous les avez aim…, ces chocolats, je vous en rapporterai. **5.** Laquelle des voitures que tu as essay… as-tu préfér… ? **6.** Il avait command… des chaussures noires, mais les chaussures qu'on lui a livr… sont brunes **7.** Il a refusé la proposition qu'on lui a fait… **8.** Elle a achet… deux tapis et les a offert… à sa mère pour son anniversaire.

40 **Complétez les participes passés en faisant l'accord si nécessaire.**

Ils sont entr*és* dans le restaurant, ont chois… une table, ont consult… le menu et ont command… . Ils ont attend… un quart d'heure puis une demi-heure sans être servis. Ils ont appel… mais la serveuse ne les a pas entend… et n'est pas ven… . Ils ont patient… encore quelques minutes, puis ils se sont lev… et sont sort… .
Dix minutes plus tard, la serveuse est sort… de la cuisine avec leurs plats et ne les a pas v… . Elle a pos… les plats sur la table, a réfléchi un moment, puis les a serv… en riant à une autre table. Puis elle est retourn… à la cuisine en chantonnant.

p. 108

imparfait

41 **Retrouvez les bases de l'imparfait.**

	Présent	Imparfait
croire	nous croyons	*je croyais, tu croyais, il croyait, nous croyions, vous croyiez, ils croyaient*
aller	nous allons	je
faire	nous	je
se taire	nous	tu
commencer	nous	tu

manger	nous	je
s'ennuyer	nous	elle
se connaître	nous	elles
écrire	nous	je
lire	nous	on
pouvoir	nous	nous
voir	nous	elles
savoir	nous	il
boire	nous	on
recevoir	nous	vous

42 **Lisez ce texte de Ionesco à haute voix avec les verbes à l'imparfait. Écoutez pour vérifier.**

Quand j'*avais* des cauchemars et que je *parlais* en dormant, tu me *(consoler)* tu m'*(embrasser)*, tu me *(calmer)*. Quand j'*(avoir)* des insomnies et que je *(quitter)* la chambre, tu *(se réveiller)* aussi. Tu *(venir)* me chercher dans la salle du trône, dans ta robe de nuit rose avec des fleurs, et tu me *(ramener)* me coucher en me prenant par la main. Je *(partager)* avec toi mon rhume, ma grippe. On *(ouvrir)* les yeux en même temps, le matin. Nous *(penser)* aux mêmes choses en même temps. Tu *(terminer)* la phrase que j'avais commencée dans ma tête. Je t'*(appeler)* pour que tu me frottes le dos quand je *(prendre)* mon bain. Tu *(choisir)* mes cravates. Je ne les *(aimer)* pas toujours. Nous *(avoir)* des conflits à ce sujet. Tu *(ne pas aimer)* que je sois décoiffé. Tu me *(peigner)*. Tu *(essuyer)* ma couronne, tu en *(frotter)* les perles pour les faire briller.

■ futur

43 **Souvenez-vous de la formation régulière du futur. Complétez le tableau.**

	Tous les verbes en -er[1]	Tous les verbes en -a/-o/-uyer[2]	La majorité des verbes en -ir[3]	Verbes en -re[4]
Je	voyager*ai*	m'ennuier*ai*	partir*ai*	attendr*ai*
Tu				
Il / Elle / On				
Nous				
Vous				
Ils / Elles				

1. sauf «aller», 2. sauf «envoyer», 3. sauf «venir», «tenir», «mourir», «courir», «cueillir», 4. sauf «faire» et «être».

44 Futurs irréguliers. Écrivez pour chaque verbe une phrase avec deux futurs.

aller	J'irai	J'irai où tu voudras.
envoyer	J'enverrai	Nous vous enverrons un SMS quand nous arriverons.

faire	....	....	**pouvoir**	....	....
être	....	....	**voir**	....	....
venir	....	....	**devoir**	....	....
tenir	....	....	**recevoir**	....	....
mourir	....	....	**valoir**	....	....
courir	....	....	**vouloir**	....	....
cueillir	....	....	**falloir***	....	....
avoir	....	....	**pleuvoir***	....	....
savoir	....	....	**s'asseoir**	....	....

* **Verbes impersonnels**

45 Utilisez le futur dans ces dialogues. Écoutez pour vérifier.

1. – On *passera* vous voir ce soir.
– Non pas ce soir, on *(ne pas être)* pas là.

2. – Alors, vous avez pris votre décision ?
– Je *(ne pas partir)*, je reste.

3. – Vous *(venir)* dimanche ?
– Ça *(dépendre)* du temps qu'il *(faire)*.

4. – Tu *(tâcher)* de ne pas rentrer trop tard.
– J'*(essayer)*.

5. – Tu *(éteindre)* l'ordinateur en partant !
– Oui, je *(ne pas oublier)* pas.

6. – Vous *(ne pas faire)* pas d'imprudences ?
– Mais non, on *(faire)* attention.

7. – Nous *(être)* combien à table ?
– On *(être)* nombreux.

8. – Comment ça va se passer ? Tout *(aller bien)* tu crois ?
– Ne t'en fais pas ! Tout *(se passer)* très bien.

9. – Qu'est-ce qu'il *(falloir)* que je fasse, Docteur ?
– Vous *(devoir)* surveiller votre tension !

10. – Tu crois qu'on *(obtenir)* ce qu'on *(vouloir)* ?
– Il *(falloir)* certainement insister.

11. – Quel temps *(faire)*-t-il demain ?
– Il *(pleuvoir)* toute la journée.

12. – On vous *(écrire)*, on vous *(envoyer)* des cartes postales.
– Ça nous *(faire)* plaisir !

13. – Elle ne *(dire)* rien ? Elle *(ne rien révéler)* ?
– Non, elle *(savoir)* garder le secret.

14. – Ils n'*(avoir)* pas le temps de finir.
– Tant pis, ils *(finir)* demain !

15. – Ça me *(plaire)* ?
– Oui, je crois que tu *(aimer)*.

16. – Vous *(pouvoir)* venir nous rejoindre ?
– Nous *(venir)*, certainement.

17. – Je ne m'*(asseoir)* pas près de Luc. Il m'agace.
– Bon, je te *(mettre)* à l'autre bout de la table.

18. – Vous *(se souvenir)* de moi ?
– Je ne vous *(oublier)* certainement pas.

19. – Comment est-ce que je *(savoir)* si ma candidature est retenue ?
– Nous vous *(avertir)*, vous *(recevoir)* une convocation.

20. – Vous nous *(prévenir)* quand vous *(avoir)* les résultats ?
– Nous vous les *(envoyer)* aussitôt que nous les *(recevoir)*.

Chapitre 2

Les déterminants et les pronoms

Déterminants définis, indéfinis, quantitatifs

Dans cette copie, j'ai souligné

l'erreur (= la seule erreur) / les erreurs
votre erreur / vos erreurs
cette erreur / ces erreurs

toutes les erreurs
la majorité des erreurs
la plupart des erreurs

certaines erreurs (pas toutes)

chaque erreur

une erreur, deux, trois… dix, douze,
vingt erreurs
une dizaine, une douzaine, une vingtaine
d'erreurs

quelques erreurs
plusieurs erreurs

peu d'erreurs
un petit nombre d'erreurs
beaucoup d'erreurs
de nombreuses erreurs
un grand nombre d'erreurs

différentes erreurs, diverses erreurs

Dans cette copie, je n'ai pas relevé

d'erreurs
une seule erreur

Dans cette copie, je n'ai relevé

aucune erreur
nulle erreur (langue littéraire, juridique
ou administrative)

Pronoms

en	le, la, l', les
Vous avez trouvé des erreurs dans ma copie ? – Oui, j'**en** ai trouvé.	Vous avez corrigé les / mes / ces erreurs ? – Je **les** ai corrigées. – Je **les** ai <u>toutes</u> corrigées.
Vous **en** avez trouvé <u>beaucoup</u> ? – Je n'**en** ai pas trouvé <u>beaucoup</u>. – J'**en** ai trouvé <u>quelques-unes</u>.	
Vous avez corrigé les / mes / ces erreurs ? – J'**en** ai souligné <u>certaines</u> (pas toutes). – J'**en** ai souligné <u>une dizaine</u>. – J'**en** ai souligné <u>plusieurs</u>.	
Je n'**en** ai corrigé qu'<u>une partie</u>, je ne **les** ai pas <u>toutes</u> corrigées.	

46 Connaissez-vous ces proverbes et citations ? Ont-ils un équivalent dans votre langue ? Reformulez-les. Soulignez les pronoms et déterminants.

①

Nul homme n'est sans défauts : le meilleur est celui qui en a le moins. Horace

②

Il ne faut pas courir plusieurs lièvres à la fois.

③

Deux avis valent mieux qu'un.

④

À chaque jour, suffit sa peine.

⑤

Le pique-assiette est comme le sel il n'est absent à aucun repas.

⑥

Il ne faut pas mettre tous ses œufs dans le même panier.

⑦

Chaque homme doit inventer son chemin. J.-P. Sartre

⑧

Avoir beaucoup d'amis, c'est n'avoir pas d'amis. Aristote

⑨

Si vous ne savez pas où vous êtes, n'importe quel chemin fera l'affaire.

⑩

Si tu as de nombreuses richesses, donne ton bien ; si tu possèdes peu, donne ton cœur.

47 Complétez les phrases en choisissant les mots dans la liste suivante. Utilisez vos connaissances ou votre intuition.

> aucun(e) ● quelques ● plusieurs ● de nombreux, de nombreuses ● peu de
> ● beaucoup de ● la majorité des ● la plupart des ● la quasi-totalité des
> ● tous les, toutes les ● certain(e)s ● chaque

Tous les titulaires du baccalauréat français ont accès à l'université.

1. [   ] francophones ne sont pas français, [   ] francophones ont une autre nationalité. **2.** En France, [   ] ministère n'est installé en province ; [   ] ministères sont dans la capitale. **3.** [   ] jours fériés français sont des fêtes religieuses chrétiennes, mais il existe [   ] fêtes non religieuses : le 1ᵉʳ mai et le 14 juillet par exemple. **4.** [   ] noms français ont un pluriel en « x » mais [   ] noms français prennent un « s » au pluriel. **5.** [   ] Français ont au moins deux prénoms. **6.** [   ] des musées français sont fermés le mardi. **7.** [   ] hommes politiques français sortent de l'ENA. **8.** [   ] Français sont membres d'une ou [   ] associations. **9.** [   ] Française, ni [   ] Français ne peut voter avant ses 18 ans. **10.** Par rapport à d'autres nationalités, [   ] de Français pratiquent un instrument de musique. **11.** En France [   ] rues portent un nom. **12.** [   ] personnages célèbres qui reposent au Panthéon sont des hommes. **13.** La prononciation de [   ] mots français est difficile pour [   ] étrangers.

48 **a) Vrai ou faux pour vous ? Échangez entre vous.**

> ex 238

La plupart des gens de ma famille parlent plusieurs langues.
→ *Dans ma famille, nous sommes tous polyglottes.*
→ *Chez moi personne n'est polyglotte.*
→ *Dans ma famille tout le monde parle au moins deux langues.*

1 Aucun de mes cousins n'habite son pays natal, ils sont tous dispersés aux quatre coins du monde.

2 Je mange beaucoup d'œufs. J'en mange presque une dizaine par semaine.

3 Un grand nombre de mes amis pratiquent régulièrement un ou plusieurs sports.

4 Il y a pour moi certains sujets qui sont tabou.

5 Je pense que chaque artiste apporte quelque chose de nouveau à l'art.

6 La majorité des cyclistes ne respectent pas le Code de la route.

48 **b) Écoutez quelques réactions à ces phrases et reprenez-les oralement.**

49 a) Lisez cet extrait du règlement intérieur d'un réseau de bibliothèques. Observez les formes en gras.

RÈGLEMENT INTÉRIEUR

● L'accès **à toutes nos bibliothèques** et la consultation sur place sont libres et gratuits pour **tous les lecteurs**.

● L'accès à la bibliothèque est interdit à **toute personne** qui, par son comportement ou sa tenue entraîne une gêne pour le public ou le personnel.

● Pour obtenir une carte de lecteur, un usager doit justifier de son identité et de son domicile en présentant les justificatifs suivants :
– une pièce d'identité (carte d'identité, passeport, permis de conduire, carte de séjour, permis de chasse, carte d'étudiant),
– un justificatif de domicile de moins de trois mois (quittance de loyer, facture EDF ou de téléphone, etc.) ou une déclaration sur l'honneur.

● **Tout vol ou toute détérioration** des lieux, du matériel ou des documents, toute agression physique ou verbale pourra entraîner une poursuite judiciaire.

● **Tout accident ou événement anormal** doit être immédiatement signalé à un membre du personnel de l'établissement.

● Dans certaines de nos bibliothèques, nous mettons gratuitement à la disposition du public un espace informatique équipé en réseau et ouvert sur l'Internet. **Tous les utilisateurs** devront s'engager à respecter les règles de bon usage de cet accès internet.

● Il est interdit d'effectuer des prises de vues d'un usager ou d'un membre du personnel sans son accord explicite.

« Tout » et **« nul »** appartiennent au langage juridique, administratif ou littéraire.

Tout individu a droit à la vie, à la liberté, à la sûreté de sa personne. [...]
Nul ne sera tenu en esclavage ni en servitude [...].
Nul ne peut être arbitrairement arrêté, détenu ou exilé.

Déclaration universelle des droits de l'homme du 10 décembre 1948

49 b) Répondez oralement ou par écrit à chacune des questions suivantes en veillant au bon emploi des déterminants.

L'accès à certaines bibliothèques du réseau est-il payant ? – *Non, l'accès à toutes les bibliothèques est gratuit pour tous les lecteurs.*

1. Peut-on interdire à quelqu'un l'entrée ? **2.** Que doivent faire les usagers pour obtenir une carte de lecteur ? **3.** Quelles sont les responsabilités des lecteurs ? **4.** Que se passe-t-il en cas de vol par exemple ? **5.** Que faire en cas d'accident ou d'événement anormal ? **6.** Toutes les bibliothèques offrent-elles un espace Internet ? **7.** Peut-on photographier à l'intérieur de certaines bibliothèques ?

■ n'importe quel, n'importe lequel

50 Vrai ou faux à votre avis ? Donnez votre opinion.

1 On peut télécharger gratuitement et légalement n'importe quel film.	**2** Les chefs d'État gardent tous leur calme dans n'importe quelles circonstances.	**3** Les adolescents acceptent les interdits mais pas n'importe lesquels.
4 Dans mon pays, on peut trouver de quoi manger à n'importe quelle heure.	**5** On ne peut pas dire n'importe quoi à n'importe qui.	**6** La recherche doit progresser à n'importe quel prix.
7 N'importe quelle personne est capable de comprendre les mathématiques.	**8** Vivre avec un chien, un chat ou n'importe quel animal implique des responsabilités.	**9** On peut faire un enfant à n'importe quel âge.

> * **N'importe qui** = n'importe quelle personne ; **n'importe quoi** = n'importe quelle chose ; **n'importe quand** = à n'importe quel moment ; **n'importe où** = à n'importe quel endroit/ dans n'importe quel lieu.

51 Reformulez la partie en italique en utilisant « n'importe quel(le)(s) ».

Je veux voir un responsable, *peu importe le responsable*
→ Je veux voir un responsable, *n'importe quel responsable*.
Je veux acheter, oui, mais *en tenant compte du prix*.
→ Je veux acheter, oui, mais pas *à n'importe quel prix*.

1. Il veut absolument travailler et cherche un boulot, *peu lui importe le boulot*. **2.** Peut-on mettre *toutes les cartes* SIM dans un iPhone ? **3.** Chez nous, *on n'a pas d'heure fixe pour manger*. **4.** Vous pouvez m'appeler *à l'heure qui vous convient*. **5.** En France, *il y a des jours où on ne peut pas se marier*. **6.** Les athlètes doivent s'entraîner chaque jour obligatoirement *par tous les temps*.

52 a) Complétez oralement en utilisant « n'importe lequel », « n'importe laquelle », « n'importe lesquel(le)s ».

Choisissez un chiffre de 1 à 20, *n'importe lequel*.

1. Prenez une carte, ... **2.** Fais un vœu, ... **3.** On peut consommer des graisses mais pas .... **4.** Je suis très libre, fixez-moi une date, ... **5.** On peut sortir de France avec une somme d'argent mais pas avec .... **6.** Nous pouvons accepter certaines de vos conditions, mais pas ....

52 b) Écoutez et répétez les phrases suivantes.

en

53 **a) Reconstituez les titres des faits divers.**

> quelques — **un groupe de** — fêtards —
> personnes — réveillées — par

→ *Quelques personnes réveillées par un groupe de fêtards !*

1. deux — **plusieurs** — dizaines de —
adolescents — avouent — cambriolages

2. beaucoup de — **peu de** — aucun —
feu — fumée — et — dégât important

3. plusieurs milliers d' — quelques —
euros — pour — secondes — un butin de

4. de nombreuses — un — un —
victimes — fait — sur — marché —
attentat

5. pas de — dans la Clio — trace de —
drogue — Fausse piste !

6. à chaque — une — il offrait — qui
passait — fleur — femme

7. plusieurs — quelques — en — heures
— incendiés — véhicules

8. aucune — de la — du — banque —
trace — braqueur — toujours

53 **b) Répondez aux questions. Utilisez le pronom « en » dans la réponse.**

Les fêtards ont réveillé de nombreuses personnes ? → *Non, ils en ont réveillé quelques-unes.*

1. Les adolescents ont commis beaucoup de cambriolages ? **2.** Il y avait beaucoup de fumée ?
3. Les cambrioleurs ont dérobé un millier d'euros ? **4.** Il y a eu beaucoup de victimes ? **5.** Les
douaniers ont trouvé de la drogue dans la voiture ? **6.** Il offrait combien de fleurs aux passantes ?
7. Les manifestants n'ont pas incendié de voitures ? **8.** La police a-t-elle trouvé des traces du
braqueur ?

54 **Formulez les questions oralement en utilisant « un ou plusieurs ».
Votre réponse est libre et comportera le pronom « en ». Travaillez à deux.**

Nombre de gagnants ?
– Il y aura *un* ou *plusieurs* gagnants ?
– Il y *en* aura *beaucoup*. / Il n'y *en* aura qu'*un*.

3. Nombre de places ?
– On te garde .... ?
– ....

1. Nombre d'enfants ?
– Ils ont... ?

– ....

4. Nombre de candidats ?
– Vous présenterez................................... ?

– ....

2. Nombre de langues latines parlées ?
– Tu parles..

– .... ?

5. Nombre de valises perdues ?
– Vous avez perdu.................................... ?

– ....

◼ en/le, la, l', les

13

55 Travaillez les dialogues à deux. Utilisez les pronoms qui conviennent.

Dans un restaurant à l'heure de pointe

Table 1 *(le serveur et un homme d'affaires)*
– Vous pouvez m'apporter mon café, s'il vous plaît et l'addition en même temps.
– Ah ! oui, votre café. Oui ! Je vous *l'*apporte, excusez-moi.

Table 4 *(le serveur et une femme avec un enfant)*
– Je voudrais un peu plus de pain, s'il vous plaît !
– Je vous *en* apporte tout de suite.

À l'entrée *(le serveur et un couple)*
– Bonjour messieurs dames.
– Nous voudrions déjeuner. Nous sommes trois.
– Il n'y a plus de table à l'intérieur mais il …… reste …… en terrasse.

Table 5 *(le serveur et un copain à lui)*
– Tu veux un apéritif ?
– Oui, apporte-moi un kir. Qu'est-ce que tu me conseilles aujourd'hui ?
– Le saumon mi-cuit avec du riz.
– Ah non pas de riz, j'……… ai mangé hier.
– Alors le saumon avec des pâtes fraîches.
– OK, et un verre de blanc.

Table 2 *(le serveur et une étudiante)*
– Vous le voulez comment, votre steak, mademoiselle ?
– Je …… voudrais bleu. J'aime la viande rouge.

Table 6 *(le serveur et un jeune homme)*
– Il vous reste des plats du jour ?
– Je vais voir s'il …… reste, mais je ne crois pas.

Table 7 *(deux amies)*
– Elles ne sont pas bonnes, les frites ?
– Si, je …… trouve bonnes mais j'ai plus faim, je ne …… finirai pas. Sers-toi, prends-……. Finis-…… si tu veux.

Table 9 *(un jeune couple)*
– On ne prendrait pas un peu de vin de pays ?
– J'…… ai déjà commandé, en t'attendant.

Table 10 *(le serveur et une habituée)*
– Je vais prendre un plat du jour comme d'habitude.
– Vous avez de la chance. Il …… reste …… C'est le dernier ! Je vous …… réserve ?

Table 11 *(le serveur et une dame à l'air pincé)*
– La purée de pommes de terre est à peine tiède, ce n'est pas mangeable.
– Je vais vous …… faire réchauffer ou je vous …… change si vous préférez.

Table 12 *(une vieille dame et son petit-fils)*
– Je te sers encore un peu de vin, grand-mère ?
– Ne m'…… sers pas trop, j'ai déjà la tête qui tourne.

Table 8 *(un Français et un étranger)*
– Je n'ai jamais mangé d'escargots !
– Vous n'…… avez jamais mangé ? Il faut essayer. C'est l'occasion ou jamais !

À l'entrée *(un groupe de jeunes filles)*
– C'est plein. Il n'y a plus de table à l'intérieur.
– Si, regarde, il y …… a …… qui va se libérer. Ils sont en train de payer.

Table 3 *(le serveur et une femme seule)*
– Qu'est-ce que vous avez comme dessert ?
– Le dessert du jour, c'est un gâteau au chocolat avec de la crème anglaise. Je vous …… recommande.
– Je vais ……goûter, ce fameux gâteau.

Dans la salle *(le serveur à voix forte)*
– Un café et l'addition pour la 1 !

 ex 282, 363

56 Utilisez un pronom dans la réponse. Écoutez pour vérifier.

– Il a tourné combien de films ? *(une dizaine)*
– Il *en* a tourné *une dizaine.*
– Tu en as vu combien ? *(tous)*
– Je *les* ai *tous* vus.

1. – Votre groupe a donné beaucoup de concerts ? *(une vingtaine)*
  – Nous ....
  – Vous n'avez pas enregistré d'album ? *(deux)*
  – Si, nous ....

2. – Le maire a persuadé les habitants de lui faire confiance ? *(pas tous)*
  – Il ....
  – Il en a convaincu beaucoup ? *(un certain nombre)*
  – Beaucoup, euh… Il ....

3. – Votre parti a perdu des électeurs ? *(aucun)*
  – Pas du tout, nous ....
  – Mais vous n'en avez pas gagné ? *(beaucoup)*
  – Détrompez-vous ....

57 Lisez les différentes possibilités de réponse de l'exemple. À votre tour, proposez pour chaque question deux réponses.

– Vous avez abordé tous les problèmes au cours de la réunion ?
– Oui, nous *les* avons *tous* abordés.
– *Tous*, non, mais nous *en* avons abordé *plusieurs*, les plus importants.
– Non, *pas tous*, mais *nous en* avons tout de même abordé *quelques-uns.*
– Non, *aucun* malheureusement, *nous n'en* avons abordé *aucun.*

1. – Vous avez bien noté le nom de tous les participants ?
  – Oui, bien sûr,...
  – Malheureusement, ...

2. – Le professeur a corrigé toutes les copies ?
  – Oui, ...
  – Non, ...

3. – Après le vol, vous n'avez retrouvé aucun papier d'identité ?
  – Si, ...
  – Non, ...

4. – Tous les participants sont arrivés. Il ne manque personne ?
  – Oui, ...
  – Non, ...

5. – Il y a des risques d'orage. Vous avez bien fermé toutes les fenêtres ?
  – Je crois que ....
  – J'ai oublié de ....

6. – Monsieur le Député, une dizaine de personnes vous attendent.
  – Désolé, ...
  – J'ai peu de temps, ...

58 **a) Lisez ce document administratif concernant une carte de séjour. Observez l'emploi des pronoms.**

> - Si vous avez perdu votre carte de séjour,
> - Si on vous l'a volée, si vous voulez en faire modifier le contenu (changement de situation matrimoniale par exemple),
> - Si vous souhaitez en faire prolonger la durée,
>
> **adressez-vous à la préfecture.**

> **« en » remplace « de + groupe nominal »**
> Modifier le <u>contenu</u> **de votre carte de séjour** → **en** modifier le contenu.
> Prolonger la <u>durée</u> **de votre carte** → **en** prolonger la durée.

58 **b) Reformulez les phrases suivantes en supprimant les répétitions.**

Je vois les inconvénients de cette solution, mais je ne vois pas les avantages de cette solution.

→ *...mais je n'en vois pas les avantages.*

Fixons déjà la date de la réunion, nous fixerons le contenu de la réunion plus tard.

→ *...nous en fixerons le contenu plus tard.*

1. Je maîtrise le fonctionnement de ce logiciel mais je ne comprends pas la logique de ce logiciel.

2. Une équipe médicale mène une étude sur la cigarette électronique et va bientôt publier les résultats de cette étude.

3. Je vois bien l'intérêt de cet appareil, mais je n'ai pas l'usage de cet appareil.

4. Ils auraient très envie de partir en voyage, mais ils n'ont pas les moyens de partir.

5. Nous sommes conscients de la difficulté de l'expédition et nous assumons les risques de l'expédition.

6. Votre dossier n'est pas complet. Vous devez compléter la dernière page de votre dossier.

7. Il est long cet exercice. On ne voit pas la fin de cet exercice.

8. J'aimerais bien être un figurant dans un film mais je n'ai pas encore eu l'occasion d'être un figurant.

9. Il souhaite faire fortune mais il ne prend pas le chemin de la fortune.

10. Cet appareil est compliqué. Je vais vous expliquer le fonctionnement de cet appareil...

> **Rappelez-vous :** « en » remplace aussi le lieu d'où l'on vient et « y » le lieu où l'on est et où l'on va.
> Il revient de la gare, de Paris, de l'aéroport → il *en* revient.
> Il va, il est à la gare, à Paris, à l'aéroport → il *y* va, il *y* est.

◼ avoir du... un... le... de...

> « Pour avoir du talent, il faut être convaincu
> qu'on en possède. » Gustave Flaubert

59 **a) Quels sont les métiers, les professions, les fonctions qui demandent :**

- du courage
- le goût de l'aventure
- un odorat exceptionnel
- une très grande politesse, de la discrétion
- le sens des affaires, l'appétit du gain
- de l'imagination, des qualités créatrices
- une grande sensibilité, des qualités de cœur
- un esprit rapide, la passion des langues
- de l'autorité, le goût du pouvoir, une grande confiance en soi
- des talents manuels, de la précision, de la minutie, et de la patience

- une élocution facile, l'art de convaincre
- l'esprit d'équipe
- une très bonne mémoire, une belle voix, du charme, l'envie de plaire
- de bons réflexes, du sang-froid et le goût du risque
- une bonne santé et un bon équilibre nerveux
- le sens de l'humour
- l'amour des mots, du talent, de l'imagination
- une bonne vue, des capacités sportives
- de grandes qualités humaines, des qualités d'écoute

Échangez entre vous.

59 **b) Classez les qualités évoquées selon leur construction.**

Pour exercer certaines professions, il faut :

du...	de la...	de l'...
du courage,		

un	une
un odorat exceptionnel,	

des	de + adjectif + nom au pluriel
des qualités créatrices,	

le...	la...	l'...
le goût de l'aventure,		

60 Formulez les phrases comme dans l'exemple.

Elle est patiente   patience (f.)   beaucoup   patience infinie
→ *Elle est patiente, elle a de la patience, elle a beaucoup de patience, elle a une patience infinie*

1. Il est fort	force (f.)	beaucoup	force de taureau
2. Elle est énergique	énergie (f.)	beaucoup	énergie remarquable
3. Ils sont volontaires	volonté (f.)	beaucoup	volonté de fer
4. Elles sont courageuses	courage (m.)	énormément	très grand courage
5. Ils sont audacieux	audace (f.)	beaucoup	audace folle
6. Ils sont rigoureux	rigueur (f.)	beaucoup	grande rigueur
7. Elle est chanceuse	chance (f.)	beaucoup	chance exceptionnelle

15

61 Complétez. Écoutez pour vérifier.

Extraits d'entretien d'embauche

1. – Vous avez *de la* patience ?

– Je suis très patiente.

– Il faut beaucoup ...... patience avec ces jeunes enfants.

– J'ai ...... patience infinie avec les enfants.

2. – Quelles sont vos qualités principales ?

– J'ai ...... goût des contacts.

– Vous avez ...... expérience de la vente ?

– Je n'ai pas beaucoup ...... expérience mais j'apprends vite.

– Vous avez ...... mémoire ?

– J'ai ...... excellente mémoire.

3. – Quelles qualités pensez-vous pouvoir développer dans notre entreprise ?

– ...... esprit d'initiative entre autres.

– Mais encore ?

– ...... esprit d'équipe aussi.

62 **a)** Avez-vous les compétences nécessaires pour exercer les métiers suivants ? Simulez un entretien d'embauche.

Vous voulez devenir opérateur de vidéo surveillance ?
- Êtes-vous rigoureux et avez-vous le goût de l'ordre ?
- Avez-vous une bonne vue et une bonne ouïe ?
- Avez-vous le souci du détail, êtes-vous doté d'une bonne mémoire ?
- Êtes-vous à l'aise avec l'utilisation des outils informatiques ?

Si vous réunissez ces qualités, contactez-nous.

Quelles sont les qualités et les compétences nécessaires pour travailler dans le secteur de l'immobilier ?
La mission du professionnel de l'immobilier est de loger ses concitoyens, il lui faut donc avoir de grandes qualités humaines, du tact, et un bon sens de la psychologie.
Ce sont des métiers qui exigent aussi des compétences juridiques, fiscales, comptables et commerciales.

62 **b)** Écrivez un texte pour une autre profession.

63 **Observez la structure des différentes questions du quiz.**
Puis ajoutez des questions et posez-les.

Pouvez-vous donner

le nom d'un(e) / de quelques	le nom du / de la / de l' / des …	un nom / quelques noms de ….
le nom d'une étoile ?	le nom de l'étoile la plus brillante ?	quelques noms d'étoiles ou de planètes ?
le titre de quelques romans francophones célèbres ?	le titre du roman le plus célèbre de Victor Hugo ?	deux noms de romanciers contemporains ?
le nom d'une mer intérieure très salée ?	le nom des mers ou océans qui bordent la France ?	un nom de mer intérieure ?
le nom d'un quai qui à Paris longe la Seine ?	le nom de la plus petite place parisienne ?	quelques noms d'avenues, de places ou de rues très célèbres dans le monde ?
le nom de deux départements qui portent le nom d'un fleuve ?	le nom des villes où siègent les institutions européennes ?	trois noms de capitales commençant par un M ?

16

64 **Écoutez, répétez et écrivez. Pourquoi passe-t-on de « des » à « de » ?**

Je vais acheter une boîte **de** chocolats. → Je vais acheter une boîte ***des*** chocolats *que vous m'avez recommandés*.

1. Veux-tu une tasse de thé ? → ....
2. Offrons-lui un flacon de parfum. → ....
3. J'ai ouvert une bouteille d'excellent vin. → ....
4. Je peux vous faire goûter un morceau de fromage. → ....

65 **Complétez librement une liste d'achats à faire.**

Pourrais-tu acheter quatre cornets de frites, mais pas n'importe quelles frites, *quatre cornets des frites qu'on aime, celles du petit marchand du coin de la rue*. Prends aussi, si tu veux bien un paquet… des sachets… des tablettes… des boîtes… un pot… un bocal… une bouteille… trois bouteilles… 600 grammes… un tube… un pack… Voilà, c'est tout !

◼ le mien, le tien, le sien...

66 Soulignez le groupe nominal (déterminant + nom) et complétez avec un pronom possessif.

Un emprunteur : <u>Mon ordinateur</u> s'est bloqué, je peux utiliser *le tien* ?
<u>Ma valise</u> ne ferme pas bien, tu peux me prêter la *tienne* ?

1. Mon stylo n'écrit plus, tu pourrais me passer .... ? **2.** Je n'ai pas fait mes exercices, passe-moi .... s'il te plaît. **3.** J'ai fini mes frites, je peux piquer* quelques-unes .... ? **4.** J'ai fini ma bière, je peux finir .... ? **5.** Je ne trouve plus mes lunettes de soleil, tu peux me prêter .... ? **6.** J'aime bien ton idée, mais elle est très différente ....

* familier : piquer = prendre, voler, emprunter

67 Complétez le tableau des pronoms possessifs.

	Singulier		Pluriel	
	Masculin	Féminin	Masculin	Féminin
mon, ma, mes + nom →	le mien	la mienne		
ton, ta, tes + nom →	le tien			
son, sa, ses + nom →	le sien			
notre, nos + nom →	le nôtre			
votre, vos + nom →	le vôtre			
leur, leurs + nom →	le leur			

68 Complétez avec le pronom possessif qui convient.

Chacun a sa <u>façon de voir</u> les choses, nous avons *la nôtre* et vous *la vôtre*.
Nos voisins ont <u>la clé</u> de notre appartement et nous avons *la leur*.

1. Il a ses habitudes et sa femme a ....
2. Nous aurons chacun notre chambre, moi .... et vous ....
3. Faites votre travail, nous ferons ....
4. Il vit avec ses enfants, mais il mène sa vie et eux ....
5. Elle ne sait rien de ma vie et je ne sais rien de ....
6. J'ai reconnu mes erreurs et il a reconnu ....
7. Elle ne m'a pas donné son numéro de téléphone ; mais je lui ai donné ....
8. Tout le monde a ses problèmes, tu as .... j'ai .... chacun a ....
9. Nous avons notre langage, les animaux ont ....

◼ lequel, laquelle...

Quel + nom ? **Lequel ?** **Celui...**	**Pour quel candidat voter ? Lequel choisir ?** ● Le candidat de droite ? Celui du centre ? Celui de gauche ? ● Celui qui fait beaucoup de promesses ? Celui qui n'en fait pas trop ? ● Le (candidat le) plus jeune ? Le (candidat le) plus expérimenté ?
Quelle + nom ? **Laquelle ?** **Celle...**	**Quelle route prendre ? Laquelle choisir ?** ● L'autoroute ? La route nationale ? ● Cette route-ci ? Celle-là ? ● Celle de droite ? Celle de gauche ?
Quels + nom ? **Lesquels ?** **Ceux...**	**Lesquels des tableaux de ce peintre avez-vous préférés ?** ● Les tableaux abstraits ? Les figuratifs ? ● Ces tableaux ? Ceux-ci ? Ceux-là ? ● Ceux de la première période ? Ceux de la fin de sa vie ?
Quelles + nom ? **Lesquelles ?** **Celles...**	**Parmi ces photos, lesquelles vas-tu imprimer ?** ● Les photos couleur ? Celles en noir et blanc ? ● Ces photos ? Celles-ci ? Celles-là ? ● Celles où on te voit ? Celles de ton copain ? ● Les tiennes ? Les miennes ?

▪ celui, celle...

69 **Lisez les exemples puis complétez.**

On peut préférer son travail à *celui* de son père. ● sa façon de s'habiller à *celle* de ses parents. ● ses enfants à *ceux* de ses voisins. ● ses conditions de vie à *celles* des générations précédentes.

On peut préférer 1. sa nourriture à .... d'autres pays. **2.** son sort à .... des éléphants. **3.** sa femme à .... de son voisin. **4.** ses propres tableaux à .... de Van Gogh. **5.** l'immeuble où on habite à .... d'en face. **6.** les paysages de son pays à .... d'autres pays. **7.** son humour à .... d'autres peuples. **8.** ses propres intérêts à .... de son entourage. **9.** son mode de vie à .... de ses (arrière)-grands-parents. **10.** sa langue maternelle à .... de Molière. **11.** ses idées à .... de ses parents.

70 **Complétez. Écoutez pour vérifier.**

Devant une affiche de cinéma
– Tu as vu *ce* film?
– Non, je n'ai pas vu *celui-ci*, mais *celui-là*.

1. Chez un antiquaire
– Elle est de quelle époque .... armoire?
– Elle est du XVIIIe siècle.
– Et ....?
– Toutes les autres sont du XIXe.

2. Dans un commissariat de police
– C'est qui .... type?
– .... qui dort? ou l'autre à côté?
– .... qui dort.
– C'est le type qui m'a piqué mon portefeuille.

3. Dans une administration
– .... adresse, c'est votre adresse?
– Non, c'est .... de mes parents.

4. Au téléphone dans une société
– Alors, ... factures, tu me les apportes?
– Lesquelles?
– .... que tu viens de recevoir.
– Ah, oui pardon! Tout de suite!

5. Dans un jardin
– C'est .... arbre que je dois couper?
– Il faut couper tous .... qui cachent le soleil.

6. Dans un magasin de chaussures
– Vous voulez essayer .... chaussures noires?
– Non, plutôt ...., les bleues. Et aussi .... qui sont en vitrine.

7. Chez un vendeur d'informatique
– Lequel de .... deux ordinateurs me conseillez-vous?
– .... est intéressant comme prix, mais .... est plus puissant, et plus léger aussi.

8. Dans un grand magasin
– J'hésite, je ne sais pas laquelle prendre : .... en toile est plus légère, mais .... est plus rigide et pour l'avion c'est mieux!
– Moi, à ta place, je prendrais ....

9. Dans un restaurant
– .... deux tables sont libres?
– .... oui, mais .... est réservée.

cela, ça, ce

ex 135, 151, 321

71 **a)** Écoutez, puis travaillez les dialogues à deux. Choisissez-en deux et prolongez-les.

1. À propos d'un examen ou d'un entretien d'embauche
– Ça s'est bien passé ?
– Oui, ça s'est super* bien passé !
– C'est bien.

2. À propos de quelque chose qui se mange
– Tu as goûté ça ? Ça t'a plu ?
– C'est bizarre, ça a un drôle de goût.

3. À propos d'une piqûre d'insecte
– Ça te fait mal ?
– Pas très, mais ça picote et ça me brûle.
– Mets ça sur la piqûre. Ça va passer. Ce n'est pas grave.

4. À propos d'un vêtement ou d'un bijou
– Pourquoi vous n'essayez pas ça ?
– Ce n'est pas dans mes prix.
– Ça ne coûte rien d'essayer.

5. À propos d'un projet, d'un rendez-vous, d'une réunion ou d'une sortie
– C'est confirmé pour la semaine prochaine ?
– Je pense que ce sera annulé.

6. À propos d'une absence au travail ou au lycée
– Vous étiez absent hier ! C'est la troisième fois ce mois-ci ! Ça ne peut plus durer.
– Ça ne se reproduira plus. Je vous le promets.

7. À propos d'un site ou d'un monument
– C'est comment ?
– Ça n'a rien d'exceptionnel, mais c'est intéressant.
– Ça vaut le détour ?
– Ça vaut la peine, je crois.

8. À propos d'un restaurant et des prix pratiqués
– Ça a l'air sympa, dans ce restaurant !
– Tu as vu les prix ? C'est un attrape-touriste* !
– Tu trouves ça trop cher ?
– C'est de l'arnaque* !

* familier

71 **b)** Classez les phrases contenant « ça » et « ce » dans le tableau suivant.

	« ça » sujet	« ça » complément	« ce », « c' »
1.	*Ça* s'est (super) bien passé		*C'est* bien !
2.		Tu as goûté *ça* ?	
3.			
4.			
5.			
6.			
7.			
8.			

Évaluation

72 **Rétablissez les déterminants de ces textes.**

1. « Je n'aime pas .... vacances parce que je n'aime pas .... voyages. Courir dans .... gare en portant .... valise très lourde dans .... main, ... sac dans l'autre, ... billets entre .... dents, faire la queue dans .... aéroport pour enregistrer .... bagages, supporter .... nervosité des vacanciers qui ont peur de .... avion ou qui se sentent obligés d'emmener avec eux .... grand-mère qui perd .... mémoire, qui aurait été heureuse de rester chez elle avec .... petites manies, être bousculé par .... groupe de sportifs insouciants, partir en retard, arriver fatigué à .... heure impossible, chercher .... taxi. Tout cela, je vous le laisse. »
D'après Tahar Ben Jelloun, *Le premier amour est toujours le dernier.*

2. Calme Je vous conseille de rester calme. Si vous perdez votre calme, vous êtes perdus ! Dans cette situation, il faut .... calme, beaucoup .... calme. Seul .... grand calme peut sauver la situation. Je vous en prie : .... calme ! ● **Patience** Je sais que .... patience n'est pas votre qualité principale, mais il vous faudra .... patience, il vous faudra beaucoup .... patience, il vous faudra même .... patience infinie pour réussir. Si vous n'avez pas .... patience, vous n'y arriverez pas.

73 **Écoutez. Complétez puis jouez l'interview à deux.**

— *Je reçois aujourd'hui, pour* .... *dernière publication, Dominique Laborde, que* .... *auditeurs connaissent bien. Dominique Laborde, vous avez publié* .... *ouvrages :* .... *biographies,* .... *de romans* .... *recueils de nouvelles et* .... *essais sur différents sujets de société. Vous publiez aujourd'hui* .... *recueil de poèmes de jeunesse.*
— Oui, j'écrivais .... poésie quand j'étais jeune, ... jour. Oh oui, presque .... jours et j'avais .... poèmes griffonnés dans .... petits carnets.
— *Vous* .... *aviez perdus ?*
— Non, je .... avais oubliés. Et un jour, j'......... ai retrouvé .... dans ma maison d'enfance, puis j'ai cherché .... et je .... ai .... retrouvés. Et j'ai feuilleté .... carnets, les uns après les autres.
— *Avec émotion ? Avec nostalgie ?*
— Avec .... certaine nostalgie parfois, mais aussi avec .... grand plaisir et souvent avec étonnement.
— *Et vous avez décidé de* .... *publier ?*
— D'......... publier .... Je ne .... ai pas .... publiés, j'......... ai fait une sélection.
— *Vos poèmes n'ont pas de titre et sont très courts.*
— Oui, ... ne porte de titre et .... sont très brefs : la plupart ne dépassent pas dix lignes, certains n'......... ont que trois, d'autres une seule.
— *Vous voulez bien nous* .... *lire* .... *?*
— Lequel ?
— .... *! Choisissez* .... *qui vous plaira.*
— Alors, ..., le dernier.
D'après Victor Hugo, *Chanson.*

Chapitre 3

Les pronoms et la construction verbale

Dis-lui / Dis-lui tous les mots qui nous lient / Les mots qui fuient et les non-dits / Oh... Dis-le-lui / Dis-lui qu'au long des longues nuits / Ils font mal encore aujourd'hui / Oh... Dis-le-lui / Dis-lui. Roch Voisine

ROCH VOISINE

	Verbe + quelqu'un	Verbe + à + quelqu'un	Verbe + de + quelqu'un
moi, me	On m'écoute.	On me parle.	On s'occupe de moi.
toi, te	Je te rappellerai.	Je t'écrirai.	Je me souviendrai de toi.
nous	On nous cache tout.	On ne nous dit rien.	On se moque de nous.
vous	Je vous préviendrai.	Je vous enverrai un courriel.	La réponse dépendra de vous.
le, lui	Vous le connaissez. Vous l'appréciez ?	Vous lui téléphonez ? Vous lui parlez ?	Vous ne vous souvenez pas de lui ?
la, lui, elle	Vous la connaissez. Vous l'appréciez ?		Vous ne vous souvenez pas d'elle ?
les, leur, eux	Vous les connaissez ? Vous les aimez bien ?	Vous leur écrivez ? Vous leur parlez ?	Vous parlez d'eux ?
les, leur, elles			Vous parlez d'elles ?

	Verbe + quelque chose	Verbe + à + quelque chose	Verbe + de + quelque chose
le, la, les, en, y	Vous le recevrez par la poste *(le livre)*. Vous la recevrez par la poste *(la commande)*. Vous les recevrez par la poste *(les livres)*.	Tu y penses ? *(à ton avenir, à ce que je t'ai dit, à passer à la banque…)* Tu y crois ? *(à sa promesse, à ta réussite…)*	Vous vous en méfiez *(des promesses, de la gloire…)*. Ne vous en mêlez pas *(de leurs affaires, de cette dispute…)*. Je n'en doute pas *(de son innocence, de votre affection…)*.

Constructions verbales, p. 311

74 a) **Lisez ces devinettes. Que remplacent les pronoms en gras ?**

1. On **la** célèbre
le 14 juillet en France,
le 1ᵉʳ août en Suisse,
le 21 juin au Québec et
le 21 juillet en Belgique.

2. Si vous avez affaire
à **eux** pour un contrôle,
soyez courtois, ne **les** agressez
pas, parlez **leur** poliment.

3

3. Les sportifs
peuvent **y** participer
tous les quatre ans.

4. Si on **vous en** prive,
c'est que vous avez été
lourdement condamné
par la justice.

5. En décembre,
les enfants pensent **à lui**
et **lui** écrivent.

6. On **en** prend soin, on **les** regarde pousser,
on **leur** donne à boire. Certaines personnes
leur parlent.

7. Des millions de personnes
l'ont perdue entre 1914 et 1918.

8. En vieillissant, on a de plus
en plus besoin d'**elles**.

9. Quand on s'**y** accoutume, il est
souvent difficile de s'**en** défaire.

10. On s'oppose à **eux**
à l'adolescence.

11. On a beaucoup
parlé **de lui** en 1492.

74 b) **Formulez les phrases en remplaçant chaque pronom par un nom. Puis écrivez d'autres devinettes.**

1. On célèbre **la fête nationale** le 14 juillet en France, le 1ᵉʳ août en Suisse, le 21 juin au Québec et le 21 juillet en Belgique.

74 **c) Relisez les devinettes de l'exercice précédent. Notez les verbes qu'elles comportent avec leur construction.**

Pronoms	Infinitifs des verbes des devinettes
le, la, l', les + verbe	célébrer quelque chose, …
lui, leur + verbe	
verbe + de lui, d'elle(s), d'eux	
verbe + à lui, à elle(s), à eux	avoir affaire à quelqu'un, …
y + verbe	
en + verbe	

75 **Quelle est la construction de ces verbes ?**

J'ai parlé de lui : *parler de quelqu'un*
J'en ai parlé : *parler de quelque chose*
Je lui ai parlé : *parler à quelqu'un*

Je m'intéresse à lui : *s'intéresser à quelqu'un*
Je m'y intéresse : *s'intéresser à quelque chose*

J'ai pensé **à elle*** : ....
J'ai besoin d'eux : ....
J'en ai besoin tout de suite : ....
J'en suis convaincue : ....
Je le rappellerai : ....
Je les ai tous invités : ....
Je leur pardonne : ....
Je lui ai promis de venir : ....
Je renonce **à lui*** : ....
J'en prends soin : ....
Je m'y habituerai facilement : ....
Je me joindrai à eux : ....
Je m'habitue à elle : ....

Je me suis séparée de lui : ....
Je n'ai pas du tout peur de lui : ....
Je n'en ai pas envie : ....
Je n'y ai pas pensé : ....
Je ne la comprends pas : ....
Je vais m'en occuper : ....
Je ne veux pas avoir affaire **à eux*** : ....
Je ne veux pas y renoncer : ....
Je peux me confier à lui ? ....
Je vais m'occuper d'eux : ....
Je m'en suis séparé : ....
Je prends soin d'elle : ....
Je n'en ai pas peur : ....

> * **Pour quelques verbes non pronominaux construits avec «à», le pronom est postposé :**
> penser à, songer à, tenir à, avoir affaire à, renoncer à, avoir recours à, faire allusion à…
> *Je pense à toi / à lui / à elle / à vous / à eux / à elles* et non ~~je te pense / je lui pense~~…
> *Il tient à moi / à toi / à lui / à nous / à eux* et non ~~je me tiens / je te tiens / je lui tiens~~…
>
> **Tous les verbes pronominaux construits avec à ou de + quelqu'un ont un pronom postposé.**
> *Je m'intéresse à lui et je m'occupe de lui.*

Constructions verbales, p. 311

76 Complétez avec les pronoms qui conviennent.

Lorsqu'un événement important survient, vous pouvez...
- raconter, cacher ou oublier cet événement → le raconter ou le cacher ou l'oublier
- regretter cet événement → ... regretter
- faire allusion **à** cet événement → ... faire allusion
- repenser souvent **à** cet événement → ... repenser souvent
- être fier **de** cet événement → ... être fier
- parler **de** cet événement autour de vous → ... parler
- vous désintéresser **de** cet événement → vous ... désintéresser
- vous souvenir **de** cet événement → vous ... souvenir

Lorsqu'un nouveau voisin emménage dans votre immeuble, vous pouvez...
- saluer ce voisin → ... saluer
- aider ce voisin à emménager → ... aider à emménager
- souhaiter la bienvenue **à** ce voisin → ... souhaiter la bienvenue
- parler **à** ce voisin → ... parler
- proposer votre aide **à** ce voisin → ... proposer votre aide
- prêter **à** votre voisin ce qui manque → ... prêter ce qui ... manque
- penser à ce voisin → penser à ...
- vous intéresser **à** ce voisin → vous intéresser à ...
- vous occuper **de** ce voisin → vous occuper de ...

77 Complétez avec les verbes proposés.

s'accrocher à quelqu'un → Avoir des amis, c'est bien, mais il n'est pas recommandé de *s'accrocher à eux.*
s'adapter à quelqu'un → On ne choisit pas son directeur, mais on doit *s'adapter à lui.*

1. s'attacher à quelqu'un → On s'attache à un chat et un chat ....

2. s'en prendre à quelqu'un → Les adolescents en révolte contre leurs parents ....

3. s'habituer à quelqu'un → Lorsqu'un nouveau ministre est nommé, le personnel doit ......

4. s'intéresser à quelqu'un → Une jeune actrice triomphe à Cannes! Tous les journalistes.....

5. s'opposer à quelqu'un → On peut respecter ses adversaires politiques et ....

6. se confier à quelqu'un → Si vous avez un confident, c'est pour ....

7. se consacrer à quelqu'un → Le bon docteur Schweitzer aimait ses malades et ....

8. se comparer à quelqu'un → Est-il possible d'admirer une personne sans ....

9. se fier à quelqu'un → C'est quelqu'un sur qui vous pouvez compter, vous pouvez ....

10. se joindre à quelqu'un → Venez à notre table. Si vous voulez, vous pouvez .... !

11. Se plaindre à qqn → Si vous n'êtes pas content de l'arbitrage, allez voir l'arbitre et ....

12. S'adresser à qqn → Nos conseillers sont à votre disposition. N'hésitez pas à ....

78 Remplacez avec les pronoms qui conviennent.

Lorsqu'une décision importante vient d'être prise, vous pouvez.
- ignorer cette décision   → *l'ignorer*
- vous réjouir de cette décision   → *vous en réjouir*
- vous opposer à cette décision   → *vous y opposer*
- contester ou refuser cette décision   →
- approuver et accepter cette décision   →
- être victime ou bénéficiaire de cette décision   →
- vous désoler de cette décision et souffrir de cette décision   →
- vous intéresser à cette décision et commenter cette décision   →
- regretter cette décision mais vous soumettre à cette décision   →

79 **a)** Remplacez avec les pronoms qui conviennent.

Si le voisin qui vient d'emménager vous est sympathique et se révèle amical, vous pouvez :
- confier vos clés à ce voisin   → *lui confier vos clés.*
- rendre ou demander des services à ce voisin   →
- vous attacher à ce voisin et penser souvent à ce voisin   →
- téléphoner à ce voisin et inviter ce voisin à dîner   →
- présenter ce voisin à vos amis et présenter vos amis à ce voisin →

Il se peut aussi que votre voisin vous soit indifférent. Dans ce cas, vous pouvez :
- ignorer votre nouveau voisin   →
- ne pas avoir affaire à votre voisin   →
- ne pas vous occuper de votre voisin   →
- vous désintéresser de votre voisin   →
- éviter de rencontrer votre voisin   →

Mais, si vous ne ...... faites pas confiance, si vous vous méfiez de ...... ou s'il ...... fait peur, évitez de ...... rencontrer. Mieux vaut alors que chacun reste chez ......!

79 **b)** Refaites l'exercice en remplaçant « voisin » par « voisine », « voisins », « voisines ».

N'oubliez pas	
verbe + de / à + quelqu'un	**verbe + de / à + quelque chose**
je parle de lui / d'elle / d'eux / d'elles je me souviens de lui / d'elle / d'eux / d'elles je me sépare de lui / d'elle / d'eux / d'elles	j'en parle je m'en souviens je m'en sépare
je m'attache à lui / à elle / à eux / à elles je m'habitue à lui / à elle / à eux / à elles	je m'y attache je m'y habitue

La grammaire des premiers temps B1-B2

80 a) Écoutez et imaginez ces scènes de rues. Rétablissez les pronoms.

Le rendez-vous, rue d'Alésia

Il entre dans un café et s'installe à la terrasse chauffée. Le serveur, chemise blanche, gilet et pantalon noirs, …… apporte un café. Il allume une cigarette, prend un journal oublié sur la chaise, …… ouvre, …… feuillette puis …… repose sur la table.

Une jeune femme blonde à la peau très claire, très mince, vêtue de gris, entre dans le café et s'approche de …… . Elle …… embrasse et s'assoit à ses côtés. Ils ne se disent mot. Elle fume. Elle ouvre son sac et sort une enveloppe kraft. Elle …… pose sur la table. Aussitôt, elle se lève et sort. Sur le trottoir, elle s'arrête et …… envoie un baiser du bout de ses gants. Il …… fait un signe de la main et …… regarde s'éloigner. D'une main hésitante, il plie l'enveloppe et …… glisse dans la poche intérieure de sa veste.

À l'ombre d'un magnolia, place des Grès

De la rue Vitruve arrive un jeune couple avec un petit garçon blond aux yeux bleus. Elle, elle est court-vêtue et parfumée ; lui, est soigneusement mal rasé et rieur. Pendant que les parents consultent la carte, l'enfant découvre les secrets de la chaise pliante. Il …… ouvre, …… rabat, …… déplie et …… referme bruyamment.

À l'entrée d'un square, la vieille dame, le chien et l'enfant

Le gamin a vu le chien, s'approche de …… et s'accroupit à sa hauteur. Le petit garçon regarde la vieille dame et …… parle. Elle ne répond pas, absorbée dans ses pensées, dans ses souvenirs. L'enfant parle alors au chien sans toutefois oser …… caresser. Le chien se redresse, la dame se lève et tous deux reprennent le même chemin à la même vitesse. L'enfant …… regarde s'éloigner et prend place sur le banc. Il croise les jambes, …… replie, baisse la tête puis se recroqueville sur ……-même dans une boule de solitude.

Place du marché Saint-Honoré

La voiture s'arrête à l'angle de la terrasse du café. Une jeune femme, élégante et élancée, sort et en fait le tour. Elle aide un vieil homme à sortir du véhicule. Dans le coffre, elle prend une petite valise qu'elle …… met dans la main. Elle …… embrasse sur les deux joues et …… adresse quelques recommandations. La voiture s'éloigne. Il pose la valise et …… envoie un long baiser.

À la sauvette rue Clerc

Trapue et légèrement voûtée par une soixantaine d'années, elle avance timidement. Son sac se balance mollement au bout de ses doigts. À sa rencontre, arrive un jeune homme qui marche à l'aide d'une canne, le bas du visage enveloppé dans une écharpe. Parvenu à la hauteur de la passante, il glisse la canne sous son bras, …… arrache son sac et s'enfuit à toutes jambes dans une rue adjacente. Saisie de stupeur, les mains tremblantes, elle reste longtemps immobile, impuissante à articuler une parole. Badauds et marchands …… entourent, …… interrogent et enfin …… invitent à s'asseoir à la terrasse du café. Quelques minutes plus tard, elle part, triste mais réconfortée par l'accueil de ces inconnus. À l'angle de la rue resurgit le jeune homme. Encore troublée, elle ne …… reconnaît pas. Celui-ci …… rend le sac. Bégayant, il s'explique et s'excuse. Elle …… remercie et poursuit sa promenade.

Anecdotes parisiennes

80 **b) Ce texte pourrait-il à votre avis commenter un des tableaux ?**
Sinon, modifiez le texte ou écrivez-en un autre.

Il vient de lui annoncer qu'il allait la quitter, qu'il ne l'aimait plus, qu'il en aimait une autre, qu'il ne voulait plus vivre avec elle. Elle ne lui répond pas. Elle ne le regarde pas. Elle semble l'ignorer. Elle ne veut pas lui dire qu'elle ne pourra pas vivre sans lui. Elle préfère se taire.

Edward Hopper, *Nighthawks*

Edward Hopper, *Room in New York*

80 **c) Cherchez des photos ou des reproductions de tableaux avec des personnages et décrivez les scènes en prenant exemple sur les textes ci-dessus.**

81 Formulez des réponses avec les données en gras.

Garder l'ordinateur, ne pas se débarrasser de l'ordinateur
Qu'est-ce que vous avez fait de votre vieil ordinateur ?
– Je l'ai gardé, je ne m'en suis pas débarrassé.

1. Assister à la conférence, mais ne pas participer à la conférence
Vous participez à la conférence ?
– ....

2. Ne pas convaincre de rester, mais persuader son ami de retarder son départ
Vous avez réussi à convaincre votre ami de rester ?
– ....

3. Penser à faire les réservations, mais ne pas encore faire les réservations
Tu t'es occupé de faire les réservations ?
– ....

4. Être connecté à Twitter 24 h sur 24, et ne pas pouvoir se passer de Twitter
Vous êtes un adepte de Twitter ?
– ....

5. Promettre une interview aux journalistes, mais ne pas encore rencontrer les journalistes
Vous avez rencontré les journalistes ?
– ....

82 Écoutez chaque question et répondez-y du tac au tac.

Vous vous êtes habitué **à** *votre nouvel ordinateur* ? – Oui, *je m'y suis habitué.*
Tu t'es servi **de** *mon ordinateur* ? – Non, *je ne m'en suis pas servi.*

1. Vous vous habituez **à** .... ?
– Non, ...

2. Vous avez pensé **à** .... ?
– Non, ...

3. Vous avez pensé **à** .... ?
– Oui, ...

4. Tu comptes **sur** .... ?
– Oui, ...

5. Vous vous intéressez **à** .... ?
– Non, ...

6. Vous avez renoncé **à** .... ?
– Non, ...

7. Vous ne croyez pas **à** .... ?
– Si, ...

8. Vous prenez soin **de** .... ?
– Oui, ...

9. Il a succédé **à** .... ?
– Oui, ...

10. Vous vous attendiez **à** .... ?
– Non, ...

11. Vous avez déjà eu peur **de** .... ?
– Non, ...

12. Vous ne manquez pas **à** .... ?
– Bien sûr que si, ...

◼ ordre des doubles pronoms

83 Entraînez-vous. Formulez oralement les phrases.

au présent

suggérer, proposer, recommander *(de changer de manière de vivre)*	Je te le *suggère, je te le propose, je te le recommande.*
donner, prêter, laisser *(mes partitions)*	Je te les ....
faire suivre, renvoyer, transmettre *(la réponse à ta lettre)*	Je te la ....

au futur

dire, raconter *(ce qui s'est dit, ce qui s'est passé)*	Tu me le ....
présenter, faire connaître *(une amie)*	Tu me la ....
redemander, réclamer *(les 20 euros empruntés)*	Tu me les ....

au passé composé

faire savoir, rappeler, redire *(à quelqu'un qu'il a rendez-vous)*	On le lui ....
demander, emprunter, rendre *(une perceuse à un voisin)*	On la lui...............................
apporter, laisser, confier, *(des clés à des amis)*	On les leur ....

84 Travaillez les dialogues à deux. Soulignez les doubles pronoms.
Que remplacent « le », « en », « y » ?

1.

– Promets-le-moi !
– Qu'est-ce que je dois te promettre ?
– Que tu seras à l'heure pour une fois, que tu ne me feras pas attendre comme d'habitude.
– Oui, je te le promets !

2.

– Tu me raconteras !
– Quoi ?
– Ce qui s'est passé.
– Mais oui je te le raconterai !

3.

– Je te le suggère !
– Qu'est-ce que tu me suggères ?
– De changer de vie.
– Tout le monde me le dit.
– Mais personne ne peut t'y contraindre.

4.

– Mes parents m'y obligent.
– À quoi ?
– À faire des études.
– Ils ont eu raison de vous y pousser.
– Ils ne m'y poussent pas, ils me l'imposent.

5.

– Ma présence est indispensable à cette réunion ? Vous me le confirmez ?
– Je vous le confirme, je vous le répète. Et je peux même vous l'écrire noir sur blanc !

3

85 **a) Complétez oralement.**

Donner? Prêter?   → Ton pull, tu *me le donnes* ou tu *me le prêtes*?

1. Conseiller? Déconseiller?   → Ce livre, tu ....?

2. Téléphoner? Faxer?   → Les résultats, vous ....?

3. Présenter? Cacher?   → Ton copain, tu ....?

4. Livrer? Envoyer par la poste?   → Ma commande, vous ....?

5. Échanger? Donner?   → Ces timbres, tu ....?

6. Imposer? Faire choisir?   → Les jours de vacances, on ....?

7. Laisser? Reprendre?   → Tes clés, tu ....?

8. Refuser? Accorder?   → Le visa, on ....?

85 **b) Complétez oralement.**

J'ai oublié mes clés dans la voiture; tu pourrais aller *me les chercher*?

1. Si tu n'as pas besoin de ta voiture demain, est-ce que je peux ....?

2. J'aurais besoin du livre que je t'ai prêté; ça t'ennuierait de ....?

3. Maman, mon pantalon est trop long. Tu peux ....?

4. Ah! Vous ne connaissez pas les frères Andrieux! ....?

5. J'ai oublié mes lunettes de soleil chez toi; tu pourras ....?

6. Si vous ne comprenez pas l'exercice, je veux bien ....?

7. J'ai deux très bons films en DVD, si ça t'intéresse ....?

22

86 **Qui peut prononcer ces phrases à propos de qui ou de quoi?
Écoutez des dialogues insérant ces phrases.**

Exemple: *Trois jeunes sur une plage.*

Évaluation

87 **Complétez avec le pronom qui convient.**

Carte Vitale N'oubliez pas votre carte Vitale. Ayez-*la* toujours sur vous. Vous pouvez … avoir besoin à tout moment. Vous devez … présenter aux professionnels de santé si vous voulez être remboursés rapidement. Faites-… un usage strictement personnel. Ne … prêtez à personne.

Carte verte Tout véhicule à moteur doit être assuré. La carte verte remise par l'assureur … atteste. Cette carte comporte une vignette verte découpable. Vous devez … apposer sur votre pare-brise. Si vous … égarez, vous devez … signaler à votre assureur qui vous … renverra une autre.

Conseiller bancaire Si vous n'avez pas encore de conseiller bancaire, il faut absolument que vous … ayez un. C'est … qui connaîtra le mieux votre dossier. Vous … appellerez pour … interroger sur votre compte, pour … soumettre vos projets, pour … demander conseil. Il sera votre allié.

88 **Complétez avec deux pronoms.**

1. Je n'ai plus de permis de conduire, la police *(retirer)* **2.** Tu n'as plus de pantoufles, le chien *(déchirer)* **3.** Il n'a plus de chapeau, le vent *(emporter)* **4.** Je n'ai plus de dents de sagesse, le dentiste *(arracher)* **5.** Elle n'a plus du tout d'illusions, la vie *(enlever)* **6.** Nous n'avions plus d'argent, un vieil oncle *(envoyer)* **7.** Il n'avait pas de voiture, ses parents *(acheter)* **8.** Ils n'avaient pas d'appartement, un ami *(prêter)* **9.** Je n'avais pas de travail, un voisin *(trouver)*

89 **a) Répondez positivement ou négativement en utilisant un pronom. Échangez.**

1 Vous vous servez beaucoup de votre téléphone portable ? **2** Vous vous remettez rapidement de vos émotions ? **3** Vous vous souvenez de votre premier baiser ? **4** Vous tenez compte de l'avis des autres ? **5** Vous parlez souvent du chef d'État de votre pays ? **6** Vous avez souvent besoin de votre banquier pour finir vos fins de mois ? **7** Vous vous souvenez de votre arrière-arrière-grand-mère ? **8** Vous dépendez financièrement de vos parents ? **9** Vous avez participé au dernier marathon de New York ? **10** Vous vous intéressez à la philatélie ? **11** Vous pensez souvent à votre avenir ? **12** Vous êtes favorable à l'élection des chefs d'États au suffrage universel ? **13** Dans votre pays, les élèves demandent la parole aux professeurs avant de parler ? **14** Lorsque vous êtes absent, vous croyez que vous manquez à vos camarades ? **15** Vous offrez des fleurs à votre mère pour son anniversaire ? **16** Vous dites merci à une personne qui vous tient la porte pour vous laisser passer ?

89 **b) Deux de ces verbes ne pronominalisent pas « à + quelqu'un » de la même manière que les autres. Lesquels ? Faites des phrases.**

répondre à qqn, parler à qqn, téléphoner à qqn, penser à qqn, écrire à qqn, promettre à qqn, reprocher à qqn, tenir à qqn, appartenir à qqn.

Chapitre 4

La caractérisation et les modificateurs du nom et du verbe

Modificateurs du nom

Adjectifs	**Un grand** événement, un événement **mémorable**, un **grand** événement **inattendu**.
Participes passés ou présent	Un événement **relaté** par toute la presse, un événement **ayant fait** la une des journaux.
Groupes prépositionnels	Un événement **de l'enfance**, un événement **à fêter**, un événement **sans précédent**.
Propositions relatives	Un événement **qui fait date**, un événement **dont on se souvient**, un événement **que la presse relate**.

12. Propositions relatives

Modificateurs de l'adjectif

Adverbes	Un **très** grand événement, un événement **tout particulièrement** inattendu, **le plus** grand événement du siècle.

5. La comparaison

Modificateurs du verbe

Adverbes	Ils chantent **beaucoup**. Ils chantent **souvent**. Ils chantent **faux**. Ils chantent **ensemble**.
Groupes prépositionnels	Ils chantent **en chœur**. Ils chantent **à l'unisson**. Ils chantent **sans cesse**.
Gérondif	Il arrive **en courant**.

Modificateurs de l'adverbe

Adverbes	Ils chantent **très** bien. Ils chantent **particulièrement** bien.

La grammaire des premiers temps B1-B2

◾ modificateurs du nom

90 **a)** Lisez ce règlement. Avec quelle règle êtes-vous d'accord ou pas d'accord ? Quelles autres règles pouvez-vous proposer ?
Les règles sont-elles les mêmes dans votre pays ?

> ### Arrêté préfectoral
>
> **Le chauffeur de taxi a le droit**
> - de refuser <u>les voyageurs</u> dont les bagages ne sont pas transportables à la main, sauf s'il s'agit des véhicules pliables de personnes handicapées ;
> - de refuser <u>les voyageurs</u> dont la tenue ou les bagages sont de nature à salir ou à détériorer l'intérieur du véhicule ;
> - de refuser <u>les voyageurs</u> en état d'ivresse ;
> - de refuser <u>les voyageurs</u> accompagnés d'animaux, sauf lorsqu'il s'agit d'aveugles avec leur chien guide ;
> - d'accepter <u>des voyageurs</u> ne se connaissant pas mais allant dans une même direction, à la demande de ceux-ci et à condition qu'ils soient d'accord entre eux.
> - de refuser de prendre en charge <u>des voyageurs</u> qui sont poursuivis par la police.
>
> **Le chauffeur de taxi n'a pas le droit**
> - de refuser de prendre en charge <u>des personnes</u> handicapées, même lorsqu'il est nécessaire de les aider pour prendre place à l'intérieur du taxi.
>
> *Arrêté préfectoral de la région parisienne*

90 **b)** Classez les modificateurs des noms soulignés selon leur construction.

Le chauffeur de taxi a le droit de refuser
ou n'a pas le droit de refuser des voyageurs ou personnes

■ **nom + adjectif** → *des personnes handicapées,*..

....

■ **nom + participe passé** → ....

....

■ **nom + participe présent** → ....

....

■ **nom + groupe prépositionnel** → ....

....

■ **nom + proposition relative** → ....

....

◼ place de l'adjectif

91 **Observez la place des adjectifs dans ces titres de romans.**

Philippe Labro
L'étudiant étranger

Jorge Semprun
Le grand voyage

Duras
La vie tranquille

Modiano
Quartier perdu

Sébastien Japrisot
Un long dimanche de fiançailles

Nina Bouraoui
La voyeuse interdite

ALBERT CAMUS
Le premier homme

Cherchez d'autres titres de romans comportant des adjectifs.

La majorité des adjectifs sont placés **après le nom** : appartenance géographique, sociale…, couleur, forme…
Certains adjectifs sont en général placés **avant le nom** : petit, grand, gros, jeune, joli, beau, bon, vieux, vieille, mauvais…
Les adjectifs numéraux sont toujours placés **avant le nom** : le premier mai, le second trimestre.
Certains adjectifs peuvent être placés **avant ou après le nom**.

ex 94

Devant un nom masculin commençant par une voyelle ou un h muet,
– bon et ancien se prononcent comme au féminin : bon appétit [bɔnapeti], bonne année [bɔnane].
– beau, nouveau et vieux changent de forme : bel, nouvel, vieil : un bel homme, un ancien/ vieil ami.

92 **Placez un adjectif avant le nom et l'autre après le nom.**

une maison / abandonnée, vieille → *une vieille maison abandonnée*
des résultats / bons, inattendus → *de* bons résultats inattendus*

1. un roman / mal écrit, mauvais → ....
2. des yeux / noirs, grands → ....
3. un sportif / dynamique, jeune → ....
4. une journée / longue, pluvieuse → ....
5. un restaurant / bon, pas cher → ....
6. un appartement / beau, moderne → ....
7. un bol / grand, plein de café → ....
8. un été / beau, ensoleillé → ....
9. une femme / blonde, jeune → ....
10. une rue / obscure, petite → ....
11. des oiseaux / bleus, jolis → ....
12. un homme / fatigué, vieux → ....
13. une route / droite, très longue → ....
14. une voiture / américaine, grosse, rouge → ....
15. un chat / affamé, noir, petit → ....
16. un ami / étranger, nouveau → ....
17. un ami / journaliste, ancien → ....

> * **des** → **de** lorsque l'adjectif est antédéposé.

Salvador Dalí, *Jeune fille à la fenêtre*

93 **a) Imaginez.**   ex 60, 62

Que voit-elle de sa fenêtre ?
de la position où elle est ?
et en se penchant ?
Qu'entend-elle ?
Que sent-elle ?

Et vous, que voyez-vous depuis la fenêtre de
votre chambre ?

23
93 **b) Écoutez et écrivez.**

93 **c) Cherchez d'autres tableaux
ou photos et imaginez ce que l'on voit
par la fenêtre.**

Certains adjectifs changent de sens **en changeant de place** : *un grand homme = un homme célèbre.* ● *un homme grand = un homme de haute taille*

24
94 Écoutez les explications qui sont données.

- une adresse fausse / une fausse adresse ....
- une femme seule / une seule femme ....
- un ancien immeuble / un immeuble ancien ....
- un certain charme / un charme certain ....
- le dernier été / l'été dernier ....

Les adjectifs appréciatifs, qui sont en général placés après le nom, peuvent, pour des raisons expressives, stylistiques, discursives être placés avant le nom. Mais si vous les placez après le nom, vous ne ferez pas d'erreur.
C'était un exposé remarquable. ou *C'était un remarquable exposé !*
J'ai été témoin d'un accident terrible. ou *J'ai été témoin d'un terrible accident.*
Une intonation expressive peut accompagner l'adjectif.

25
95 Écoutez et répétez les titres de nouvelles, puis écrivez-les de mémoire.

| ASTRONOMIE | Une exceptionnelle pluie d'étoiles filantes a été observée partout en Europe. |

| ÉLECTIONS | .... |

| FAITS DIVERS | .... |

| POLITIQUE | .... |

| SPORT | .... |

| TÉLÉRÉALITÉ | .... |

Puis rajoutez un titre à trois rubriques de votre choix.

■ groupes prépositionnels

96 Supprimez dans ce texte tout ce qui caractérise les objets mentionnés. Que reste-t-il ?

> « Se plaisent chez nous : les poupées, les kaléidoscopes, les bocaux vides sans couvercle, les bouteilles de formes étranges […], les chaussures dont aucune paire, même usée, ne se décide jamais à nous quitter […], les ficelles, les tubes de Scotch, les paniers en osier défoncés, les tentures multicolores […], les agrafes métalliques […], les shakers à cocktail rouillés et les pelles à tarte d'origine mystérieuse, les médicaments que personne ne prend. Les clous tordus. Les classeurs où rien n'est classé. »
>
> Françoise Mallet-Joris, *La maison de papier*, Grasset, 1970.

97 **Décrivez au choix le contenu** d'un sac à main de femme, d'un sac à dos de randonneur, d'une serviette d'étudiant ou d'homme d'affaires, d'une valise de détenu, d'un tiroir de bureau, d'une trousse de toilette…

98 Quels sont les objets caractérisés ?

	Adjectifs	en	de	à
Une table	ronde, ovale	en bois, en plastique	de jardin, de salon	à rallonges, à dessin
1.	uni, chaud	en coton, en laine	(de) femme, (d')homme	à col roulé, à capuche
2.	pratiques, originales	en plastique	de vue, de soleil	à verres teintés, progressifs
3.	solides, légères, souples, plates	en cuir, en toile	de sport, de (bonne) qualité	à talons, à lacets, à scratch
4.	neuve, fiable, allemande	en acier	de location, d'occasion	à trois portes, à cinq portes, à toit ouvrant
5.	ronde, carrée, étanche	en or, en argent	de plongée	à aiguilles, à quartz

99 Choisissez un thème, des mots liés à ce thème et des caractérisants.

Un voyage	→ *lointain, touristique, organisé*	→ *d'affaires, en groupe, sans histoires*
Un sac	→	→ ....
Une valise	→	→ ....
Un billet	→	→ ....
Un séjour	→	→ ....

◾ propositions relatives

100 Remplacez la proposition relative par un adjectif.

Un travail qui <u>fatigue</u>, *qui* <u>use</u>, *qui* <u>stresse</u> → *un travail fatigant, usant, stressant*
Un travail qui demande de la <u>rigueur</u> → *un travail rigoureux*

1. qui implique une <u>collaboration</u>, une <u>coopération</u> →
2. qui <u>abrutit</u> →
3. qui <u>attire</u> →
4. qui <u>motive</u>, qui <u>intéresse</u> →
5. qui <u>enrichit</u>, qui <u>épanouit</u> →
6. qui <u>ennuie</u> ou <u>passionne</u> →

7. qui comporte des <u>dangers</u>, des <u>risques</u> →
8. qui comporte beaucoup de <u>contraintes</u> →
9. qui demande de la <u>minutie</u> →
10. qui ne dure qu'une <u>saison</u> →
11. qui <u>prend</u> beaucoup de temps ou d'énergie →
12. qui <u>amuse</u> →

101 **a) Observez les caractérisants des noms. Écoutez et soulignez les mots entendus puis retrouvez de mémoire ce qui a été dit.**

<u>Travail</u>	● <u>pénible</u>, précaire, bénévole, intérimaire, manuel, saisonnier, clandestin ● <u>de nuit</u>, d'équipe, d'avenir, au noir, à domicile, <u>à la chaîne</u>, à distance, à plein temps, à mi-temps, à temps partiel ● le télétravail
1. Emploi	● mal / bien payé, rémunéré, stable, saisonnier ● de secrétaire, de commercial, de mannequin ● un emploi-jeune
2. Secteur d'activité	● privé, public, industriel, bancaire, tertiaire, concurrentiel… ● d'activité, du tourisme, de l'hôtellerie, à risques…
3. Contrat	● journalier ● de travail, à durée (in)déterminée (CDI/CDD), en alternance ● un contrat jeune
4. Salaire	● petit, bon, décent, confortable, brut ● de misère, de base, de 2 000 euros
5. Congé	● parental, sabbatique ● de formation / de maternité, sans solde, pour convenance personnelle ● congés payés, congé maladie, congé maternité, congé-formation
6. Formation	● professionnelle, initiale, continue, permanente ● de cuisinier, de secrétaire médicale, en entreprise, à distance
7. Stage	● (non) rémunéré ● de formation, en entreprise

101 **b) Choisissez une photo et faites parler cette personne de son travail.**

102 **Écoutez, répétez et écrivez les définitions des mots suivants. Puis, à votre tour choisissez des mots et définissez-les.**

est une matière… est un document… est un objet… est une construction… est un méca-nisme… est un corps étranger… est un service… est un procédé … etc.

▮ portraits

103 **a)** **Lisez ces portraits.**

> Madame Grandet était une femme sèche et maigre, jaune comme un coing...
>
> Honoré de Balzac, *Eugénie Grandet*

> L'homme, qui entra tenant un journal à la main, avait les traits mobiles et le regard fixe.
>
> Marcel Schwob, *La Machine à parler*

> C'était un homme de taille moyenne, d'allure très soignée, les cheveux châtains, les yeux marron.
>
> Katherine Pancol, *Les yeux jaunes des crocodiles*

> Mon frère Paul était un petit bonhomme de trois ans, la peau blanche, les joues rondes, avec de grands yeux d'un bleu très clair, et les boucles dorées de notre grand-père inconnu.
>
> Marcel Pagnol, *La Gloire de mon père*

> Desposoria est grasse et belle avec des yeux toujours splendidement tournés vers son mari...
>
> Jules Supervielle, *Le Voleur d'enfant*

b) **Lisez un de ces portraits modifiés, puis à votre tour modifiez-en un autre.**

Desposoria est *une femme maigre* et *sans attrait* avec *de petits yeux qui semblent toujours regarder dans le vide.*

104 **a)** **Lisez cet avis de recherche. Imaginez le dialogue entre la personne qui vient déclarer la disparition et le policier qui l'enregistre.**

> ### AVIS DE RECHERCHE DE LA POLICE NATIONALE
>
> **Signalement:** Femme de type européen, âgée de 57 ans au moment de sa disparition, taille 1 m 57, corpulence forte, yeux marron, cheveux châtains et courts, porteuse de lunettes de vue. Vêtue d'un pantalon de couleur beige, d'un haut de couleur marron et elle portait des chaussures de couleur blanche ou marron. Porteuse de bijoux: une chaîne tour de cou en or avec un pendentif constitué d'une perle et de deux pierres de couleur rouge, et plusieurs bagues et bracelets. **Circonstances de la disparition:** A disparu le 11 juin à PARIS 13e à bord d'une voiture CITROËN de type C3 blanche et n'a plus donné signe de vie.

104 **b)** **Écoutez et reconstituez le dialogue.**

105 **a)** Parmi les phrases ci-dessous, lesquelles peuvent s'appliquer à l'une ou l'autre de ces personnes ? Échangez entre vous. Modifiez les phrases à volonté.

C'est certainement quelqu'un de sérieux

C'est certainement quelqu'un de sérieux. → C'est quelqu'un de très sérieux. → C'est apparemment / probablement quelqu'un de sérieux

1. C'est une femme d'un certain âge.

2. C'est une personne souriante, ouverte, au visage carré.

3. C'est quelqu'un qui a l'air doux et triste.

4. C'est quelqu'un de coquet.

5. C'est une personne qui doit avoir un tempérament rêveur.

6. C'est probablement une personne timide et peu sûre d'elle.

7. C'est quelqu'un de retenu, de secret.

8. C'est quelqu'un qui n'a pas l'air très en forme et qui ne donne pas l'impression d'être heureux.

9. C'est plutôt un bel homme.

10. C'est une gamine d'une dizaine d'années, malicieuse.

11. C'est apparemment quelqu'un d'extraverti !

12. C'est une personne âgée, antipathique, qui ne sourit jamais, qui râle tout le temps.

ex 301

105 **b)** Rédigez une annonce de rencontre pour l'un de ces personnages.

La grammaire des premiers temps B1-B2

106 **a)** Lisez ces extraits des *Notes de chevet* d'une femme japonaise Sei Shonagon, qui vivait au Japon à la cour impériale au XIᵉ siècle.

> ### Choses détestables
> Un visiteur qui parle longtemps alors qu'on est pressé.
>
> ### Choses qui ne font que passer
> Un bateau dont la voile est hissée.
> L'âge des gens.
> L'automne, l'hiver, le printemps, l'été.
>
> ### Choses qui font battre le cœur
> Des moineaux qui nourrissent leurs petits.
> Se coucher seule dans une chambre où brûle un parfum délicieux.
>
> ### Choses élégantes
> De la neige tombée sur les fleurs des glycines et des pruniers.
>
> ### Choses qui ne servent plus à rien, mais qui rappellent le passé
> Une natte à fleurs, vieille, et dont les bords usés sont en lambeaux.
> Un pin desséché, auquel s'accroche une glycine.
>
> ### Choses qui rendent heureux
> Je trouve les morceaux d'une lettre que quelqu'un a déchirée.
> Je cherche un objet et je le retrouve.

106 **b)** Voici quelques autres rubriques de l'ouvrage de Sei Shonagon. Qu'est-ce que cela vous inspire ? Écrivez et comparez vos productions.

- Choses contraignantes
- Choses difficiles à dire
- Choses excessivement effrayantes
- Choses admirables
- Choses peu rassurantes
- Choses sans valeur
- Choses qui font rêver
- Choses qui passent trop vite
- Choses dont on se lasse
- Choses dont on se souvient toujours
- Choses qui plongent dans l'ennui
- Choses qui distraient dans les moments d'ennui
- Choses qu'il vaut mieux oublier
- Choses étranges
- Choses qui font honte
- Choses émouvantes
- Choses qui remplissent d'angoisse
- Choses qui remplissent l'âme de tristesse
- Choses que le temps efface
- Choses que l'on regrette longtemps
- Choses sans importance

ex 280 et s.

■ constructions avec adjectif

107 Observez les constructions. Échangez entre vous.

1 Avez-vous dans votre entourage quelqu'un qui est devenu célèbre ?	devenir
2 Connaissez-vous quelqu'un qui reste calme en toutes situations ?	rester
3 Vous sentez-vous nerveux en ce moment ?	se sentir
4 Vous est-il arrivé de vous trouver stupide ? de vous croire exclu(e) ?	se trouver
5 Aimez-vous vous rendre utile ?	se croire
6 Connaissez-vous des gens qui se montrent aimables en toutes circonstances ?	se rendre
	se montrer
7 Qu'est-ce qui vous paraît difficile dans l'apprentissage du français ?	paraître
8 Porter un chapeau à plumes vous semblerait-il ridicule ?	sembler
9 Est-ce que la politique vous laisse indifférent ?	laisser
10 Qu'est-ce qui rend méchant ? aimable ? sourd ?	rendre
11 Certains aliments vous rendent-ils malade ?	
12 Trouvez-vous la vie belle ? vos voisins sympathiques ? votre travail intéressant ? cet exercice profitable ?	trouver

108 Complétez avec un adjectif qui vous semble approprié.

Rester 1. Il s'est marié tardivement, il est resté *célibataire* jusqu'à 40 ans. **2.** Ne bougez pas, restez .... **3.** Vingt personnes sont restées ...... toute une nuit dans un ascenseur. **4.** Ce bar reste ...... très tard dans la nuit.

Devenir 1. Si on épouse un Suisse, est-ce qu'on devient ...... automatiquement ? **2.** La situation économique peut devenir .... **3.** Il était pauvre et modeste ; il est devenu ...... et .... **4.** Si on a été volé ou trompé plusieurs fois, on devient ....

Rendre 1. Son dernier roman l'a rendu ...... **2.** Écouter de la musique trop fort peut rendre .... **3.** L'alcool peut rendre ...... si on en boit beaucoup. **4.** L'humour rend la vie plus ....

Sembler, avoir l'air, paraître 1. Il faut discuter le prix ! Ça me paraît ......! **2.** Vous me semblez ...... ; ça ne va pas ? **3.** À première vue, le nouveau professeur a l'air .... **4.** Sur les photos, l'hôtel semblait ...... mais en fait, il ne l'était pas du tout.

Se sentir 1. Tout le monde est parti ; je me sens .... **2.** Nous avons beaucoup marché, je me sens .... **3.** J'ai bien dormi, je me sens ....

Trouver 1. On a trouvé le film .... Et vous ? **2.** Tu ne trouves pas que ce type a un curieux comportement ? Moi, je le trouve .... **3.** Ne ris pas ! Il n'y a pas de quoi rire. je ne trouve pas ça ...... du tout !

Tomber 1. Ça a été le coup de foudre ! Ils sont tombés ...... au premier regard. **2.** Elle est brusquement tombée gravement ....

109 Observez les prépositions qui suivent ces séries d'adjectifs.
Proposez pour chaque ligne une phrase d'exemple.

aimable, gentil, méchant, aimable, affectueux… *avec qqn…*
bien disposé, généreux, cruel, méfiant, ingrat… *envers qqn…*
furieux, fâché, irrité *contre qqn, qqch / de + infinitif*
confus, désolé, navré, déçu… content, ravi, heureux, satisfait, fier… mécontent, furieux, (mal)heureux, inquiet… surpris, étonné *de qqn ou qqch / de + infinitif*
passionné, amoureux, fanatique, fou, enthousiaste, admiratif *de qqn ou qqch*
sensible, insensible, indifférent, étranger *à qqn / qqch*
favorable, opposé, hostile *à qqch / qqn*
certain, sûr, assuré *de qqch / de + infinitif*
décidé, déterminé, résolu, disposé, prêt *à + infinitif*
impatient, pressé *de + infinitif*
comparable, semblable, contraire, opposé, inférieur, supérieur *à qqn / qqch*
différent, distinct, distant, éloigné, proche, voisin *de qqn / qqch*
compétent, fort, bon, expert, doué, mauvais, nul *en qqch*

110 Complétez les phrases avec les prépositions qui vous semblent convenir. Puis vérifiez dans la liste ci-dessus.

1. Les ouvriers se déclarent *méfiants envers* certaines propositions de la direction de l'usine et déterminés …… parvenir à leurs fins pour obtenir une augmentation supérieure …… 5 %. Cependant, le syndicat majoritaire semble disposé …… négocier et prêt ……… faire des concessions. Tous sont impatients …… mettre un terme à ce conflit.

2. Cet élève est bon …… maths, il est fort …… histoire il est doué …… les langues, compétent …… informatique. Bref, il est fort …… tout et il est taillé pour des études supérieures brillantes. Et en plus, il est passionné …… musique et de sport et fou …… cinéma.

3. Le ministre s'est dit heureux …… nous recevoir et s'est montré très aimable avec nous. Il n'avait pas l'air pressé …… mettre fin à l'entretien. Non seulement il n'était pas indifférent …… ce que nous lui exposions, mais il semblait vraiment favorable …… notre projet. Nous avons été un peu étonnés …… temps qu'il nous a consacré. Nous sommes sortis très satisfaits …… l'entrevue.

111 Formulez des questions et répondez-y en utilisant : c'est + adjectif + de.

conférence – difficile – suivre
– C'est une conférence difficile à suivre ?
– Oui, c'est difficile de suivre cette conférence.

1. recette – simple – exécuter

2. chanson – facile – mémoriser

3. équation – difficile – résoudre

4. références – ennuyeuses – recopier

5. itinéraire – compliqué – expliquer

6. sujet – passionnant – analyser

4

◼ modificateurs du verbe

Adverbes d'intensité

Les plus fréquents	Autres adverbes
peu, assez peu, très peu, pas beaucoup	● Il a très **légèrement** plu cette nuit. ● Le public a **faiblement** applaudi. ● Nous sommes **moyennement** contents du score.
très, fort, beaucoup, tout à fait	● C'est **extrêmement** regrettable! ● Tu es **complètement** fou! ● Votre texte est **parfaitement** rédigé! ● Votre aide nous a été **infiniment** précieuse. ● Nous sommes **terriblement** inquiets. ● Il est **follement** amoureux. ● Le repas a été **copieusement** arrosé.

Adverbes de temps, ex 338

Adverbes de manière

112 Observez les exemples et complétez le tableau.

Adjectif	Adverbe	Locution adverbiale
Majorité des adjectifs: féminin + -ment [mɑ̃]		
efficace	efficacement	avec efficacité
aimable	....	avec amabilité
naturel(le)	....	avec naturel
froide/froid	....	avec froideur
légère/léger	....	avec légèreté
franche/franc	....	avec franchise
silencieuse/silencieux	....	en silence
douce/doux	....	avec douceur
Adjectifs masculins terminés par une voyelle: masculin + -ment [mɑ̃]		
passionné(e)	passionnément	avec passion
modéré(e)	....	avec modération
poli(e)	....	avec politesse
Sauf: gai(e)	gaiement	de gaîté de cœur
Adjectifs terminés par «ent» et «ant» → -emment, -amment [amɑ̃]		
prudent	prudemment	avec prudence
méchant	méchamment	avec méchanceté
intelligent	....	avec intelligence
bruyant	....	de façon bruyante
Sauf: lent	lentement	avec lenteur
Formations particulières: bref/brève → brièvement; gentil/gentille → gentiment.		

113 Complétez en reformulant avec un adverbe correspondant au mot en italique.

Il nous faut une réponse *claire*, répondez-nous *clairement*.

1. On vous *lit* difficilement, pourriez-vous écrire plus .... ?
2. Tu manques de *méthode*, il faudrait travailler vraiment plus ....
3. *Prudence* sur la route! S'il te plaît, conduis ....
4. Veuillez être *poli*, veuillez me parler ....
5. Soyez *franc*, répondez-moi ....
6. Ne sois pas si *sérieux*! Aborde la vie moins ....
7. Sois *gentil*. S'il te plaît, parle-moi ....
8. Votre travail n'est pas *suffisant*, vous ne travaillez pas ....
9. Ce n'est pas *fréquent*, ça n'arrive pas ....
10. Soyez *bref*, répondez-moi ....

114 Écrivez le contraire.

Travailler *peu*, *difficilement* et *sans plaisir*. → Travailler *beaucoup*, *facilement* et *avec plaisir*.
Manger *proprement* et *sans bruit*. → Manger *salement* et *en faisant du bruit/bruyamment*.

1. Chanter *beaucoup* mais *faux*. → ....
2. Lire les journaux *épisodiquement* et *par obligation*. → ....
3. S'adresser à quelqu'un *de manière brutale* et *sans sourire*. → ....
4. Manger *très peu* et *sans appétit*. → ....
5. Écrire *vite* mais *mal*. → ....
6. Cuisiner *rarement* et à *contrecœur*. → ....
7. Téléphoner *souvent* et *longtemps*. → ....
8. Danser *beaucoup*, *volontiers* et *avec grâce*. → ....
9. Se réveiller *tôt* et *facilement*. → ....
10. Travailler *lentement* mais à *fond*. → ....

115 Échangez entre vous. Y a-t-il des choses que vous faites:

● à contrecœur, sans le souhaiter, sans le désirer? ● avec facilité ou avec talent? ● à la va-vite, très rapidement? ● avec amour ou avec passion, avec entrain, avec joie, avec plaisir, en riant? ● en râlant, en ronchonnant? ● en vous cachant, sans vous faire voir? ● en prenant votre temps, sans vous presser? ● par esprit de contradiction? ● par hasard? ● par obligation, par nécessité, par devoir? ● sans y penser, instinctivement?

> **Le gérondif a une forme invariable : en + base imparfait + -ant [ɑ̃] :**
> en rêvant, en chantant.
> **Deux verbes irréguliers :** en ayant, en sachant.

Évaluation

116 **Amplifiez les phrases suivantes. Rajoutez des adjectifs, des groupes prépositionnels, des relatives, des adverbes.**

Une voiture roule sur une route.

→ Une *grosse* voiture *décapotable* roule *à une vitesse folle* sur *une longue* route *bordée d'arbres.*
→ *Une vieille* voiture *à cheval* roule *à faible allure* sur une route *de campagne, suivie par une équipe de télévision.*
→ Sur une *petite* route *sinueuse de montagne,* une voiture *pleine de jeunes en vacances* roule *joyeusement vers les sommets enneigés.*

1. Sur un banc, un homme dort.

....

....

2. Au balcon d'une fenêtre, deux étudiants commentent une scène.

....

....

3. Dans un jardin, autour d'une table, quatre femmes et un homme parlent.

....

....

4. Deux hommes sortent d'une banque.

....

....

5. Des oiseaux picorent sur la place du village, près de l'église.

....

....

6. Un journaliste et des photographes suivent une actrice.

....

....

7. Sur un marché, un vendeur sert un client.

....

....

Chapitre 5

La comparaison

Structures de la comparaison

Comparatif

La comparaison porte sur le verbe	La comparaison porte sur le nom
Il dort plus/davantage**, moins, autant ● que moi. ● en été qu'en hiver. ● qu'il ne* le faut.	Ils ont gagné plus/davantage**, moins, autant de matchs que les autres équipes. cette année que l'an dernier. qu'on ne* le pensait.

La comparaison porte sur l'adjectif	La comparaison porte sur l'adverbe
Elle est plus, moins, aussi efficace ● que les autres. ● qu'avant. ● le matin que le soir. ● qu'elle n'*en a l'air.	On se réunira plus, moins, aussi souvent qu'avec l'ancien directeur. à la cafétéria que dans mon bureau. en petit groupe qu'en grand groupe. qu'on ne* l'avait prévu.

Cas particulier: ~~plus bon~~ → meilleur. Le café est moins bon/aussi bon/meilleur ici qu'ailleurs.	**Cas particulier:** ~~plus bien~~ → mieux. On mange moins bien/aussi bien/mieux ici qu'ailleurs.

* Ce «ne» dit explétif n'a pas de sens négatif.

**«Davantage» peut remplacer «plus» lorsque la comparaison porte sur le verbe et le nom.

ex 382

Superlatif

Verbe	Nom
Qui dort le plus? Qui travaille le moins?	Qui passe le plus de temps couché? Qui mange le moins de viande?

Adjectif	Adverbe
Qui est le moins ponctuel? Qui est le plus rapide à la course?	Qui se couche le plus tard? Qui s'énerve le moins souvent?

Cas particuliers: ~~le plus bon~~ → le meilleur → Qui est le meilleur skieur? C'est elle la meilleure! ● ~~le plus bien~~ → le mieux → C'est elle qui skie le mieux.

Gradation	Corrélation
De plus en plus, de moins en moins...	**Plus... plus..., plus... moins...**
● Les villes grandissent. Elles s'étendent de plus en plus. ● Le nombre de chômeurs diminue. Il y en a de moins en moins. ● La situation s'améliore. Ça va de mieux en mieux. ● Leurs relations qui n'étaient déjà pas bonnes se dégradent. Leurs relations sont de pire en pire.	● Plus il pleut, plus les risques d'inondation sont importants. ● Plus vous serez nombreux, moins vous paierez. *Publicité SNCF* ● Plus les bons vins ont vieilli, meilleurs ils sont. ● Moins vous ferez d'erreurs, meilleure sera votre note. ● Moins il y a d'intermédiaires, moins les produits sont chers.

117 **a)** Observez les termes de comparaisons dans les titres de presse. Soulignez-les. Quels sont les titres qui peuvent prêter à discussion ? Échangez.

<u>Moins de</u> ministres pour <u>moins de</u> dépenses publiques.
LES CHAUVES PLUS SEXY ?
En couple, on met de moins en moins ses biens en commun.
IL N'Y A JAMAIS EU AUTANT DE MILLIARDAIRES DANS LE MONDE.
Faut-il davantage de contrôles anti-dopage pour les sportifs ?
Le cancer. Une maladie qui se soigne de mieux en mieux.
Plus les femmes sont instruites, moins leurs enfants ont faim.
L'économie frugale : « Faire mieux avec moins. »
PRESQUE AUTANT DE PLUIE EN 24 HEURES QU'EN UN MOIS !
Les ados fument moins de cannabis et plus de tabac.
TROIS FOIS PLUS DE MICHEL QUE DE CATHERINE.

5

117 **b)** À quels titres correspondent ces extraits d'articles ?

1. La tendance est à une « individualisation croissante » du patrimoine au sein des couples, selon une étude publiée par l'Insee.

2. Un chercheur américain a montré à des participants une soixantaine de photographies d'hommes aux crânes plus ou moins dégarnis afin qu'ils les comparent. Résultat : non seulement les chauves semblaient plus virils, mais les participants les ont jugés plus grands et plus costauds que les autres.

3. Une étude publiée par le site Idées Libres fait une liste des prénoms les plus portés dans les conseils municipaux. Les Catherine arrivent en première position chez les femmes, les Michel chez les hommes.

4. On doit se poser la question de la nécessité de mettre en place plus de contrôle antidopage face aux nombreux contrôles positifs dans certains sports.

■ comparatif et superlatif

118 **Est-ce vrai ou faux pour vous ? Échangez entre vous.**

1. Je suis plus grand(e)…
- que mes parents.
- le matin que le soir.
- que la plupart des gens.
- maintenant qu'il y a dix ans.

2. Je cours plus vite…
- que beaucoup de gens.
- pieds nus qu'en chaussures.
- dans le sable que sur une route.
- après un repas qu'avant un repas.

3. Je travaille mieux…
- le matin que le soir.
- seul qu'en équipe.
- en musique que dans le silence.
- quand on m'encourage que quand on me critique.

4. J'ai plus d'argent…
- que lorsque j'étais enfant.
- en poche qu'à la banque.
- au début du mois qu'à la fin du mois.
- qu'il ne* m'en faut pour vivre.

5. Je dors plus longtemps…
- en été qu'en hiver.
- que la moyenne des gens.
- en vacances que lorsque je travaille.
- que je ne* le voudrais.

6. Je me sens mieux…
- en ville qu'à la campagne.
- entre amis qu'en famille.
- à l'étranger que dans mon pays.
- que je ne* l'ai jamais été.

> * Dans les subordonnées comparatives en français soutenu, un **« ne » dit explétif (sans valeur négative)** peut précéder le verbe.

 ex 382, 490

119 **Complétez librement.**

J'ai moins… que… →
J'ai moins de défauts que de qualités.
J'ai moins d'énergie en hiver qu'en été.

Je lis autant… que… →
Je lis autant de livres en français qu'en anglais.
Je lis autant le matin que le soir.

1. Je me sens mieux … que … **2.** J'aime tout autant … que … **3.** J'ai plus de raisons de … que de … **4.** J'ai tout autant de plaisir à … qu'à … **5.** J'écoute aussi volontiers … que … **6.** Je passe autant de temps à … qu'à … **7.** Je vais plus volontiers … que … **8.** Je me passe plus facilement de … que de … **9.** Je me rends moins souvent chez … que chez …

120 **Écoutez et répétez les phrases. Puis retrouvez-les de mémoire.**

Ils sont arrivés plus tôt *qu'ils ne le prévoyaient.*

1. Ce chien aboie plus qu'il ………… **2.** Cet homme a bu plus qu'il ………… **3.** Elle est plus jeune qu'elle ………… **4.** Il est plus âgé qu'il ………… **5.** C'est beaucoup moins difficile que tu ………… **6.** Maintenant qu'elle travaille, elle est moins insouciante qu'elle ………… **7.** Depuis qu'il a eu un accident de voiture, il roule moins vite qu'il ………… **8.** Elle se rétablit bien plus vite de son opération qu'on ………… **9.** Le prix était beaucoup moins élevé qu'on ………… **10.** Il a trouvé du travail beaucoup plus rapidement qu'il ………… **11.** Je lis beaucoup moins que je ………… **12.** Elle écrit le français mieux qu'elle …………

121 Lisez cet extrait d'une lettre de la Marquise de Sévigné, célèbre épistolière française qui écrit le 15 décembre 1670, à un parent et ami, M. de Coulanges, pour lui annoncer un mariage qui surprend la haute société.

> « Je m'en vais vous mander* la chose la plus éton-nante, la plus surprenante, la plus merveilleuse, la plus miraculeuse, la plus triomphante, la plus étourdissante, la plus inouïe, la plus singulière, la plus extraordinaire, la plus incroyable, la plus imprévue »

*mander : (vieux français) faire savoir par lettre

Et vous ? pourriez-vous faire une énumération de ce type à propos d'un film, d'un concert, d'une soirée, d'un voyage ou d'un autre événement ?

122 Posez-vous les questions suivantes et répondez-y. Puis écrivez une réponse à deux d'entre elles.

ex 331 et s.

1 Quel est le prénom ou le nom de famille le plus porté dans votre pays ?

2 Quel est votre plus ancien souvenir ? votre pire ou votre meilleur souvenir ?

3 Quelle est votre plus grande qualité ? Votre défaut le plus séduisant ?

4 Quel est le plat que vous réussissez le mieux ?

5 Quel est à votre avis le pire défaut ?

6 Où vit-on le mieux dans votre pays ?

7 À quel moment de la journée êtes-vous le plus efficace ?

8 Quels sont les meilleurs exercices pour renforcer ses abdominaux ?

9 Comment se fait-on le plus d'amis possible sur Facebook ?

10 Quel est le moyen de transport que vous utilisez le plus souvent ?

11 Quel est le sport que vous trouvez le plus brutal ? Le plus élégant ?

12 Quelle est la pire bêtise que vous ayez faite ? La pire erreur que vous ayez commise ?

13 Quelle est la personne la plus aimable que vous connaissiez ?

14 Quelle est la saison où vous vous sentez le mieux ?

15 Quel est le professeur qui vous a le plus marqué ?

16 Êtes-vous plus souvent de bonne humeur que de mauvaise humeur ?

17 Comment dépenser le moins d'argent possible en vacances ?

◾ corrélation

123 **a) Complétez librement en vous inspirant des suggestions ci-dessous.**

…plus/moins on dort …mieux ça vaut …moins/plus on a de certitudes …moins/plus on paie …moins/plus on souffre …plus/moins on a envie d'apprendre …plus/moins on est fatigué …plus/moins on a envie de le faire …mieux/moins bien on se porte … moins/plus il est excitant …moins/plus vous dépenserez.

Plus on vieillit… → Plus on vieillit, moins on dort. Plus on vieillit, plus on est sage.

Plus on apprend… → ....

Moins on parle… → ....

Plus on court… → ....

Moins on a de connaissances… → ....

Mieux on trie les déchets… → ....

Plus on aime… → ....

Plus tôt vous achèterez votre billet de train… → ....

Plus un thé infuse… → ....

123 **b) Écoutez et dites si vous êtes d'accord avec les commentaires.**

124 **Trouvez un air ou un rythme pour cet extrait de chanson de Lio.**

Plus je t'embrasse Plus j'aime t'embrasser!

Plus je t'enlace Plus j'aime t'enlacer!

■ gradation

125 Reformulez les phrases oralement en utilisant « de plus en plus... »,
« de moins en moins... », « de mieux en mieux ».

La contestation étudiante faiblit. → *La contestation des étudiants est de plus en plus faible.*
→ *De moins en moins d'étudiants contestent.*

1. Le nombre de donneurs d'organes progresse. **2.** Le nombre de mariages recule. **3.** L'état du malade s'améliore. **4.** Le vent perd de sa force, la pluie diminue. **5.** Le chômage a augmenté.
6. Ce bijou a perdu de son brillant. **7.** La pièce se réchauffe progressivement. **8.** Le prix des loyers flambe. **9.** Le rythme des réformes s'accélère. **10.** La qualité de l'air se dégrade.
11. La campagne se désertifie. **12.** La température chute. **13.** L'État réduit ses dépenses.
14. Dans de nombreux pays, la natalité recule. **15.** Notre charge de travail s'allégera dans les mois qui suivent.

126 Proposez des phrases sur les sujets suivants. Utilisez « de plus en plus... »,
« de moins en moins... », « de mieux en mieux ». Puis comparez vos productions.

ACHATS	*De moins en moins de gens se rendent sur les marchés.*
Consommation	*Les consommateurs sont de mieux en mieux informés.*
ALIMENTATION/NOURRITURE	....
Éducation/école	....
ENVIRONNEMENT/NATURE	....
Famille	....
INTERNET	....
Jeunesse	....
MÉDECINE/SANTÉ	....
Mode	....
MUSIQUE	....
Sciences	....
SPORT	....
TRADITIONS	....
Ville/campagne	....

127 Écoutez et écrivez.

■ autres moyens de comparaison

128 **a) Lisez puis faites le portrait d'un père et d'un fils illustrant l'adage « Tel père, tel fils ».**

Le fils se comporte/réagit comme le père. Le fils est semblable/comparable au père. Le père et le fils se ressemblent comme deux gouttes d'eau. Le fils ressemble physiquement et moralement au père. Le fils et le père ont le même ....
la même ....
les mêmes ....
les mêmes ....
Le fils comme le père ....
Ils sont aussi .... l'un que l'autre.
Ils sont aussi peu .... l'un que l'autre.
Ils .... autant de .... l'un que l'autre.
Ils aiment autant l'un que l'autre ....
L'un comme l'autre ....

128 **b) Vous pouvez aussi illustrer « Telle mère, telle fille » « Tel frère, telle sœur… » ou faire des portraits montrant des différences.**

> Pour exprimer les différences, vous pouvez utiliser la structure :
> A est **aussi + adjectif que** B est **+ adjectif contraire**.
> *Le fils est aussi aimable que le père est bougon.*
> *La sœur aînée est aussi fine que la sœur cadette est ronde.*
>
> Ou utiliser **alors que**, **tandis que**, **en revanche**, **par contre**.
> *Barbara est très réservée alors que sa mère est extravertie.*

ex 473 et s.

129 **32** **Écoutez, répétez et écrivez les phrases entières de mémoire.**

Y a-t-il une différence entre les Français *tels que vous les voyez* et les Français *tels qu'ils se voient* ?

1. Entrez vos noms et prénoms… **2.** Consultez notre site pour voir la voûte céleste… **3.** Voici les propos du président… **4.** Vous trouverez dans le n° 4 de notre revue une étude détaillée de la mode… **5.** Ce n'est pas demain qu'on assistera à la disparition de la télévision… **6.** Dans la revue *Il était une Science*, partez à la découverte des grands chercheurs et des grandes découvertes qui ont fait la science… **7.** Le rôle de l'artiste est-il de représenter la réalité… **8.** De nombreux politologues, universitaires, et journalistes animent un colloque intitulé « l'avenir de la politique… »

> Dans ces phrases, « tel que » est synonyme de « comme ».

Les secrets de la mémoire

Pourquoi certains ont-ils une mémoire plus performante que d'autres ?

Il est probable que l'inégalité devant la mémoire a des fondements génétiques. Dans certaines familles, on retrouve plus fréquemment des individus disposant d'une bonne capacité de mémorisation. Mais, pour l'instant, rien n'a été démontré scientifiquement.

Les émotions perturbent-elles le processus de mémorisation ?

On constate que le contexte émotionnel permet généralement un meilleur encodage de l'information. Lorsqu'un test de mémoire comporte un mélange de mots à caractère neutre (table, porte ?) et des termes chargés de sentiments (joie, douleur ?), les derniers sont plus facilement retenus. Autre exemple : la mémoire auditive résiste en général mieux que la mémoire lexicale, car le phénomène sonore (voix d'un proche, mélodie ?) est souvent associé à une émotion (plaisante ou non). Cela contribue à consolider le souvenir.

Y a-t-il une différence entre l'homme et la femme ?

Du point de vue anatomique, les cerveaux masculin et féminin ne se distinguent guère. [...] Lorsqu'il faut mémoriser un texte court ou une liste de mots, les femmes, le plus souvent, s'en souviennent mieux. Elles retiennent également plus facilement les patronymes et les visages de leurs anciens camarades de classe. En revanche, les hommes préservent davantage leurs connaissances en algèbre et apprennent plus vite un itinéraire, grâce à sa géométrie.

À quel âge obtient-on le rendement maximal ?

Jusqu'à 30 ans environ, on peut faire preuve de capacités de mémorisation exceptionnelles. Il est plus facile de se concentrer et l'apprentissage est plus rapide. Cependant, avec l'âge, rien n'est insurmontable. Il faut simplement un peu plus de temps pour parvenir à un résultat comparable. Mobiliser ses ressources cérébrales exige davantage d'efforts. Un lycéen peut réviser ses leçons en écoutant de la musique, tandis qu'une personne de 40 ans a besoin de calme pour apprendre. En vieillissant, il est plus difficile d'effectuer plusieurs activités simultanément.

Les souvenirs sont-ils fidèles ?

Nos souvenirs ne sont jamais strictement identiques à ceux que nous avons enregistrés à l'origine.

Jean-Marc Biais, chercheur en neurosciences.

130 b) Vous allez interroger seul ou à plusieurs un spécialiste de la mémoire. Préparez vos questions. Chacune devra comporter une structure ou un terme de comparaison.

Évaluation

131 **Faites des comparaisons.**

1. consommation	→ nouvelles/anciennes voitures
2. quantité de nourriture	→ le soir/à midi
3. pluie	→ France du nord/France du sud
4. consommation de pain	→ aujourd'hui/au XIXᵉ siècle
5. préférence des enfants	→ frites/épinards
6. taux d'alcool	→ vin/bière
7. rues piétonnes et pistes cyclables	→ maintenant/avant
8. triage et recyclage des déchets	→ maintenant/il y a vingt ans

132 **Préparez un questionnaire à partir des affirmations suivantes. Chaque phrase contiendra une formulation superlative.**

On fait des séjours à l'étranger plus ou moins longs.
– Quel a été votre voyage le plus long ?

1. On prépare plus ou moins, et plus ou moins bien un voyage.
– Quel est le voyage .... ?

2. Il y a des voyages plus ou moins aventureux.
– Quel a été votre voyage .... ?

3. Les voyages marquent plus ou moins.
– Quel est le voyage .... ?

4. On ne garde pas d'aussi bons souvenirs de tous les lieux où l'on loge en voyage.
– De quel lieu de séjour .... ?

5. On ne trouve pas toutes les peuples également hospitaliers.
– Quels sont les peuples .... ?

6. Selon les pays où l'on voyage, on a plus ou moins de problèmes pratiques ou administratifs.
– Dans quel pays .... ?

7. Les voyages sont plus ou moins coûteux ou économiques.
– Quel est le voyage .... ?

8. On revient de voyage plus ou moins chargé de photos ou de souvenirs.
– De quel voyage .... ?

Chapitre 6

L'interrogation

Structures interrogatives

Interrogation totale

« Est-ce que » ou intonation montante	Inversion du sujet
(Est-ce que) vous aimez voyager ?	Aimez-vous voyager ?
Est-ce qu'il y a des destinations qui ne vous attirent pas ? Il y a des destinations qui ne vous attirent pas ?	Y a-t-il des destinations qui ne vous attirent pas ?

Interrogation partielle

Avec ou sans « est-ce que »	Mot interrogatif postposé	Inversion du sujet
Quels pays **(est-ce que)** vous avez visités ?	Vous avez visité **quels pays ?**	**Quels pays** avez-vous visités ?
Lesquels vous ont enchantés ?		
Quelles destinations vous attirent ?		
Qui (est-ce qui) prépare vos voyages ?		
Par qui (est-ce que) vos voyages sont préparés ?	Vos voyages sont préparés **par qui** ?	**Par qui** vos voyages sont-ils préparés ?
Qui (est-ce que) vous rencontrez lors de vos voyages ?	Vous rencontrez **qui** ?	**Qui** rencontrez-vous ?
Qu'est-ce que vous rapportez de vos voyages ?	Vous rapportez **quoi** de vos voyages ?	**Que** rapportez-vous de vos voyages ?
Pourquoi (est-ce que) vous voyagez ?	Vous voyagez **pourquoi** ?	**Pourquoi** voyagez-vous ?
Où (est-ce que) vous logez ?	Vous logez **où** ?	**Où** logez-vous ?
Quand (est-ce que) vous partez ?	Vous partez **quand** ?	**Quand** partez-vous ?
Comment (est-ce que) vous voyagez ?	Vous voyagez **comment** ?	**Comment** voyagez-vous ?
Combien de pays **(est-ce que)** vous avez déjà visités ?	Vous avez déjà visité **combien de** pays ?	**Combien de** pays avez-vous déjà visités ?

 ex 337, 339  ex 436 et s. ex 445

133 **a) Prenez connaissance de ces questions. Échangez entre vous ou simulez une interview.**

1 Pourquoi lisez-vous ? Que demandez-vous à un livre ?

2 Lisez-vous par plaisir ou seulement quand cela vous est imposé ?

3 Que lisez-vous ? des livres, des journaux quotidiens, hebdomadaires, des publicités ?

4 Quel genre de livres lisez-vous ? romans, romans policiers, romans historiques, théâtre, poésie ?

5 Quand lisez-vous ? le matin, le soir, le week-end ? tous les jours ? rarement ? en vacances ?

6 Où lisez-vous ? au lit ? dans un café ? dans les transports en commun ?

7 Empruntez-vous les livres à la bibliothèque ou préférez-vous acheter des livres pour votre bibliothèque personnelle ?

La Liseuse de Jean-Honoré Nicolas Fragonard (1732-1806), un des principaux peintres français du XVIIIe siècle.

8 Demandez-vous conseil à votre libraire pour acheter un livre ? pour en offrir ?

9 Annotez-vous vos livres dans la marge ?
En recopiez-vous certaines phrases que vous appréciez particulièrement ?

10 Avez-vous des auteurs préférés ? Achetez-vous systématiquement leurs nouveaux livres ?

11 Lisez-vous la quatrième de couverture avant d'acheter un livre ?

12 Êtes-vous influencé par la couverture du livre ? par le fait qu'il ait obtenu un prix ?

13 Lisez-vous les critiques ? Regardez-vous les émissions littéraires à la télévision ou à la radio ?

14 Lisez-vous dans plusieurs langues ?

15 Conseillez-vous des livres à vos amis ?

16 Écoutez-vous des livres enregistrés ?

17 Avez-vous une liseuse électronique ?

33
133 **b) Écoutez les réponses d'une personne interrogée sur ses habitudes de lecteur. Comparez-les aux réponses que vous avez faites.**

◾ interrogation directe

134 Reformulez les questions suivantes dans un langage plus formel puis échangez entre vous.

Nécessité de toujours dire la vérité aux enfants? → Est-il nécessaire selon vous de toujours dire la vérité aux enfants? → Faut-il toujours dire la vérité aux enfants? → À votre avis, faut-il toujours dire la vérité aux enfants?

1 Avantages et inconvénients de l'interdiction de la circulation automobile dans les centres-villes?

....

2 Résolution des problèmes de l'humanité par le progrès scientifique?

....

3 Manipulation de l'opinion par les médias?

....

4 Nécessité d'interdire les sectes?

....

5 Acquisition de la sagesse avec l'âge?

....

6 L'enfance : une période toujours heureuse?

....

7 Importance de l'entraînement de la mémoire?

....

8 Universalité des tabous?

....

9 (In)utilité de la haute couture?

....

10 Être enfant unique : chance ou handicap?

....

135 Passez d'un registre formel à un registre familier. Échangez entre vous.

Cela vous intéresserait-il de recevoir une revue en français?
→ Ça vous/t'intéresserait de recevoir une revue en français?

1 Cela vous plaît-il d'apprendre une langue étrangère? **2** Cela vous pose-t-il un problème de conduire de nuit? **3** Cela vous serait-il utile d'avoir une camionnette? **4** Cela vous dirait-il de jouer dans un orchestre? **5** Cela vous ferait-il plaisir de faire un voyage en montgolfière? **6** Cela vous dérangerait-il de vivre en communauté? **7** Cela vous poserait-il problème d'adopter un enfant? **8** Cela vous a-t-il pris longtemps d'apprendre à lire? **9** Cela vous est-il déjà arrivé de refuser une invitation? **10** Cela vous intimiderait-il d'être reçu à l'Élysée?

Pour interroger sur

l'usage, l'utilité, la fonction	À quoi sert… À quoi servent…? Quelle est l'utilité / la fonction de…?
le nombre, la quantité	Combien y a-t-il de …? Combien compte-t-on de …?
la cause, la raison, l'origine, l'explication	À qui doit-on…? À quoi est dû / sont dus…? D'où vient / viennent…? D'où provient / proviennent…? Comment explique-t-on…? Comment s'explique…? Comment expliquer…
le fonctionnement	Comment fonctionne / marche…?
la date, l'époque	De quand date(nt)…? À quand remonte(nt)…?
la composition, la matière	De quoi se compose / est composé…? En quoi / en quelle matière est …? De quel matériau est fait…? Quelle est la composition de…?
les bienfaits et les dangers	En quoi telle ou telle chose est-elle dangereuse / utile / bonne, nocive, toxique…? En quoi telle ou telle chose nuit / améliore…?
le sens	Que signifie…? Que veut dire…? Comment définir? Comment définissez-vous…? Qu'est-ce qu'on entend par…?
les conséquences	Quels sont les effets…? Quelles sont les conséquences…? En quoi telle chose influe sur…?

136 **Reformulez ces questions. Aidez-vous des formulations ci-dessus.**

Quel est l'inventeur du téléphone ?　　→ *Qui a inventé le téléphone ?*
　　　　　　　　　　　　　　　　　　→ *À qui doit-on l'invention du téléphone ?*

1. Quelle est l'utilité du GPS ? →
2. Quelle est la fonction des rêves ? →
3. Quelle est la composition de l'air ? →
4. Quelle est l'origine des ronflements ? →
5. Quelle est la date du premier ordinateur ? →
6. Quelle est la définition du mot « culture » ? →
7. Quel est le nombre d'étoiles dans l'univers ? →
8. Quels sont les dangers de l'énergie nucléaire ? →
9. Quel est le mode d'emploi de cette machine ? →
10. Quels sont les effets du temps sur notre humeur ? →
11. Quelles sont les causes des tremblements de terre ? →
12. Quels sont les bienfaits de la méditation ? →

137 **Préparez d'autres questions que vous vous poserez entre vous
ou sous forme de quiz.**

138 **Préparez des questions pour interroger quelqu'un sur son pays.**

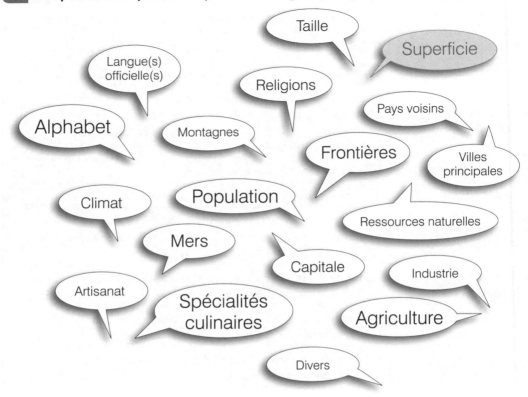

Quelle est la superficie de votre pays ?

139 **a) Choisissez un sujet, un thème et faites un inventaire de questions que vous et/ou votre groupe aimeriez poser sur ce thème.**

Voici des exemples de questions posées par des enfants sur le site de l'Élysée dans la rubrique « Foire aux questions ».

● Est-ce que le Président est obligé d'habiter à l'Élysée ? ● Paye-t-il des impôts ? ● A-t-il des vacances ? ● Est-ce qu'il écrit tous ses discours ? ● Est-ce qu'il surfe sur Internet ? ● Le Président peut-il avoir des animaux familiers ? ● Peut-il engager les personnes qu'il veut pour l'aider dans son travail ? ● Le Président peut-il demander son dessert préféré ? ● Pourquoi l'appelle-t-on toujours Président même quand il n'est plus en fonction ? ● Y a-t-il des critères de religion, de parti politique ou encore physiques pour devenir Président ? ● Y aura-t-il un jour un Président universel ?

139 **b) Auriez-vous d'autres questions à ajouter ? Pouvez-vous répondre à certaines questions ?**

140 **Écoutez et écrivez ces paragraphes. Puis lisez-les à voix haute en même temps que les locutrices.**

■ interrogation indirecte

ex 263, 264, 274

141 **a)** Observez les formulations indirectes de questionnement.
À quelles questions directes correspondent-elles ?

Demande de précisions de la part d'un organisateur de stage

Nous aimerions (bien) savoir
Nous voudrions savoir
Pourriez-vous nous faire savoir
Dites-nous
Pouvez-vous nous dire
Pourriez-vous nous dire
Je vous demande de nous préciser

à qui ce stage est destiné.
quelle est la formation de vos stagiaires.
quelles sont leurs motivations.
s'ils parlent plusieurs langues.
ce qu'ils attendent du stage.
ce que vous attendez exactement de nous.
si le stage doit durer longtemps.
si vous serez nombreux.
quand vous voulez arriver.
combien de temps vous resterez.
où vous voulez loger.
quel est votre budget.

141 **b)** Prolongez la question directe par une question indirecte.
Puis, à partir de ces phrases, imaginez de courts dialogues.

Qui est-ce ? Allez, dis-moi *qui c'est.*
Qu'est-ce que tu m'as demandé ? Répète-moi *ce que tu m'as demandé.*
Tu arrives quand ? À quelle heure ? Rappelle-moi *quand et à quelle heure tu arrives.*

1. Qu'est-ce que c'est que ça ? Tu peux m'expliquer…

2. Pourquoi est-ce que tu ris ? Réponds ! Je te demande…

3. Il est comment ton copain ? Ne fais pas de mystère ! Tu peux bien me dire…

4. Mais qu'avez-vous fait pendant qu'on vous attendait ? Je me demande…

5. Qui vous a dit ça ? Je serais curieux de savoir…

6. Alors ? Tu es amoureux ou non ? Tu ne veux pas nous dire…

7. Pensez-vous revenir, et à quelle heure ? J'aimerais que vous me disiez…

8. Où allez-vous ? Répondez-moi ! Je vous demande…

9. Tu as vu l'heure qu'il est ? D'où viens-tu ? Dis-moi…

10. Qu'est-ce que vous décidez ? On aimerait savoir rapidement…

11. Qu'est-ce qu'il t'a raconté ? Tu peux bien me dire…

12. Qu'est-ce qui te fait dire ça ? Explique-moi…

13. Qu'est-ce qui s'est passé ? Je vous en prie, dites-moi…

14. Est-ce que ça t'a plu ? Pourrais-tu me dire franchement…

142 **a)** Lisez cet extrait de texte.

> [...] Plutôt que de dire d'un homme qu'il est cultivé, je voudrais qu'on me dise : c'est un homme. Et je suis tenté de demander :
> Combien de femmes a-t-il aimées ? Préfère-t-il les femmes rousses ou les femmes brunes ? Que mange-t-il au repas de midi ? Quelles maladies a-t-il eues ? Est-il sujet aux grippes, à l'asthme, aux furoncles, à la constipation ? Quelle est la couleur de ses cheveux ? De sa peau ? Comment marche-t-il ? Se baigne-t-il ou prend-il des douches ? Quels journaux lit-il ? Dort-il facilement ? Est-ce qu'il rêve ? Est-ce qu'il aime les yaourts ? Qui est sa mère ? Dans quelle maison, quel quartier, quelle chambre vit-il ? Aime-t-il avoir un traversin, un oreiller, les deux, ni l'un ni l'autre ? Est-ce qu'il fume ? Comment parle-t-il ? Quelles sont ses manies ? Si on l'insulte comment réagit-il ? Est-ce qu'il aime le soleil ? La mer ? Est-ce qu'il parle seul ? Quels sont ses vices ? ses désirs ? ses opinions politiques ? Aime-t-il voyager ? Si un vendeur de camelote sonne chez lui à l'improviste, que fait-il ? Est-ce qu'il aime le cinéma ? Comment s'habille-t-il ? Quels noms a-t-il donné à ses enfants ? Quelle est sa taille ? Son poids ? Sa tension ? Son groupe sanguin ? Comment se coiffe-t-il ? Combien de temps met-il à se laver le matin ? Est-ce qu'il aime à se regarder dans une glace ? Comment écrit-il les lettres ? Qui sont ses voisins ? ses amis ?
>
> **J.-M. G. Le Clézio**, *L'Extase matérielle* © **Éditions Gallimard**

142 **b)** Inspirez-vous des questions de ce texte et imaginez une interview, un entretien ou un échange. Jouez-le et/ou enregistrez-le.

Exemples

Une journaliste interroge un artiste ; un médecin questionne un patient ; Miss Monde répond à un groupe de jeunes ; deux personnes font une enquête ; un(e) sociologue enquête auprès d'un groupe social ; des ami(e)s bavardent…

> **Quelques formulations**
> J'aimerais te/vous poser quelques questions.
> Accepteriez-vous de répondre à quelques questions (c'est pour une enquête) ?
> Je peux te/vous poser quelques questions (personnelles) ?
> J'aimerais savoir…
> J'ai besoin de savoir…
> Ça me/nous intéresserait de savoir…
> Pouvez-vous me/nous dire…
> Puis-je vous demander…
> Est-ce que je peux me permettre de vous demander…
> Est-il indiscret de vous demander…

ex 224 et s.

Yves Saint Laurent est né le 1er juin 1936 en Algérie à Oran où il passe sa jeunesse. Il arrive à Paris à 18 ans pour travailler chez Christian Dior. Dessinateur doué, son influence grandit dans cette maison dont il prend la direction à la mort du grand couturier. Yves Saint Laurent connaît le succès à l'âge de vingt et un ans dès sa première collection «Trapèze». Quelques années plus tard, il quitte la maison de l'avenue Montaigne pour fonder l'entreprise qui porte son nom. Sa première collection haute couture est présentée en 1962. Toutes ses collections rappellent son goût pour l'art. Il rend hommage à Matisse, Picasso, Van Gogh. Il est le premier à engager pour ses défilés des mannequins d'origine asiatique ou africaine. Très en phase avec le monde moderne, il crée en parallèle à la haute couture aux prix exorbitants, un prêt-à-porter plus accessible. Il a l'idée d'inventer des parfums, des cosmétiques et des accessoires. Yves Saint Laurent, grand couturier connu du monde entier, meurt à Paris en 2008 en laissant un héritage majeur pour la mode féminine.

Imaginez que derrière chaque phrase du texte, il y a une question qui a permis d'obtenir l'information. Écrivez ces questions. Puis, à deux, reconstituez une interview.

Où et quand est né YSL ?	— Yves Saint Laurent est né le 1er juin 1936 en Algérie à Oran.
Il a passé sa jeunesse là-bas ?	— Oui, il y a passé sa jeunesse.
.... ?	— Il arrive à Paris à 18 ans pour travailler chez Christian Dior.
.... ?	— Il a pris la direction de la maison à la mort du grand couturier.
.... ?	— Oui, Yves Saint Laurent connaît le succès à l'âge de vingt et un ans dès sa première collection «Trapèze».
.... ?	— Non, quelques années plus tard, il a quitté la maison Dior pour fonder l'entreprise qui porte son nom.
.... ?	— Sa première collection haute couture a été présentée en 1962.
.... ?	— Toutes ses collections rappelaient son goût pour l'art. Il a rendu par exemple hommage à Matisse, Picasso, Van Gogh.
.... ?	— Il est le premier à engager pour ses défilés des mannequins d'origine asiatique ou africaine.
.... ?	— Oui, il a créé en parallèle à la haute couture aux prix exorbitants, un prêt-à-porter plus accessible.
.... ?	— Non, il a créé aussi des parfums, des cosmétiques et des accessoires.
.... ?	— Yves Saint Laurent est mort à Paris en 2008 en laissant un héritage majeur pour la mode féminine.

(35) **Puis écoutez et comparez vos questions à celles de l'enregistrement.**

Évaluation

144 **Reformulez les questions dans un registre plus formel.**

1. Vous êtes arrivé(e) quand ? Vous restez combien de temps ? Vous logez où ?

2. Il s'appelle comment ? Il a quel âge ? Il habite où ?

3. Nous vous devons combien ? Nous pouvons vous payer par chèque ?

4. Vous allez où ? Vous revenez quand ?

5. Vous faites quoi ce soir ? Vous voulez qu'on aille au restaurant ?

6. Vous aimez les animaux ? Vous en avez ?

7. Vous êtes convaincu(e) ? Vous avez quelque chose à ajouter ?

8. Vous auriez une cigarette ? Vous n'auriez pas aussi du feu ?

145 **Formulez des questions à partir de ces titres de journaux.**

1. Le maquillage et les ados : pour ou contre ?

....

2. Les accidents mortels sur la route

....

3. Guérir sans médicaments

....

4. Vapoter : des avantages et des inconvénients

....

5. Vivre avec 9 milliards d'habitants sur la planète

....

6. Trop d'alpinistes en haute montagne

....

146 **Passez d'un questionnement direct à une formulation indirecte.**

1. Qu'est-ce qui ne va pas ? Je peux savoir...

2. Qu'est-ce que tu n'as pas compris ? Dis-moi ....

3. Tu ne veux pas répondre ? Explique-moi ....

4. Comment les examens se sont-ils passés ? Raconte-moi..

5. Tu as bien compris les consignes ? Je te demande ....

6. À quelle heure as-tu fini ? Je voudrais savoir ....

7. Pourquoi ne s'est-il jamais excusé ? Je voudrais comprendre ....

8. Que pourrions-nous lui dire ? Je ne sais pas ....

La négation

Structures négatives

pas	
● Je **n'**ai **pas** de travail. ● Je **n'**ai **pas** trouvé de travail.	● **Pas** un employé **ne** travaille, c'est un jour de grève.

guère (littéraire)
● Je **n'**ai **guère** de cœur à l'ouvrage. ● Je **ne** suis **guère** intéressé par ce travail.

plus
● Je **ne** travaille **plus** de nuit ; c'est fini. ● Je **n'**ai **plus** travaillé depuis une semaine.

ni… ni	
● Je **ne** prends **ni** congé, **ni** vacances. ● Cette semaine je **n'**ai travaillé **ni** samedi, **ni** lundi.	● **Ni** lui **ni** moi **ne** travaillons le lundi. ● **Ni** la grève, **ni** le mauvais temps **ne** l'ont empêché d'aller travailler.

que
● Je **ne** travaille **que** le matin. ● Je **n'**ai travaillé **que** six mois dans cette entreprise.

personne	
● Je **ne** gêne **personne**. ● Je **n'**ai gêné **personne**.	● **Personne ne** me dérange. ● **Personne ne** m'a dérangé(e).

rien	
● Je **ne** dis **rien**. ● Je **n'**ai **rien** dit.	● **Rien ne** se passe. ● **Rien ne** s'est passé.

aucun(e)	
● Je **ne** fais **aucun** bruit. ● Je **n'**ai fait **aucun** bruit.	● **Aucun** voisin **ne** se plaint. ● **Aucun** voisin **ne** s'est plaint.

nul(le) + nom, nul	
● Vous **n'**avez **nulle** raison d'être inquiet.	● **Nulle** loi **n'**interdit cela.

nulle part (langage courant)	
● Ce **n'**est écrit **nulle part**.	● Ce chemin **ne** mène **nulle part**.

jamais
● Il **ne** reviendra **jamais**. ● Il **n'**est **jamais** revenu.

Dans la conversation courante, « ne » est souvent omis. Cette omission entraîne des modifications phonétiques : *Je ne comprends pas → je comprends pas → j'comprends pas.*

La grammaire des premiers temps B1-B2

147 **a) Lisez ces proverbes. En comprenez-vous le sens ?**

(1)

Il n'y a que les imbéciles
qui ne changent pas d'avis.

(2)

Si vous ne voulez pas qu'on le sache,
mieux vaut encore ne pas le faire.

(3)

Il n'y a pas de fumée
sans feu.

(4)

Un malheur ne vient
jamais seul.

(5)

Il n'y a pas de pire sourd que
celui qui ne veut pas entendre.

(6)

La poule n'a jamais honte
de son poulailler.

(7)

À l'impossible
nul n'est tenu.

(8)

Qui ne tente rien
n'a rien.

(9)

Aucun arbre n'a donné des fruits
sans avoir eu d'abord des fleurs.

(10)

Personne n'aime autant les secrets que ceux
qui n'ont pas l'intention de les garder.

Toutes les négations du tableau y figurent-elles ? Connaissez-vous dans votre langue des proverbes comportant des négations ? Traduisez-les. Échangez entre vous.

147 **b) Écoutez les commentaires. Quels proverbes concernent-ils ?**

ne... pas, ne... plus

37
148 Écoutez et répétez les phrases. Soulignez ce que vous entendez.

Impossibilité *Je ne peux pas... Ça n'est pas possible...* Je n'ai pas le droit / le pouvoir de... Il ne m'est pas permis de... Je ne suis plus autorisé(e) à... *C'est impossible... Ça m'est impossible...*

1. Incapacité Je ne peux pas... Je ne suis pas capable / incapable de...

2. Incompétence Je ne suis pas compétent(e). Je suis incompétent(e). Je ne suis pas qualifié(e)... Je n'y connais rien... Ce n'est pas mon domaine / ma spécialité...

3. Ignorance Je ne sais pas du tout... Je ne sais plus... Je n'en sais rien... Je ne suis pas au courant... Je l'ignore... On ne m'a rien dit...

4. Incertitude, incrédulité Ce n'est pas possible / vrai !...
Je ne te / vous crois pas... Je ne pense pas / je ne suis pas
certain(e)... que ce soit vrai.

5. Incompréhension Je ne comprends pas... Je ne saisis pas... Je ne te suis pas... Ce n'est pas clair... C'est incompréhensible.

6. Désaccord Je ne suis plus du tout d'accord... Je ne suis pas du tout de votre avis... Je ne partage pas votre point de vue... Je n'approuve pas...

149 Formulez des phrases complètes.

ne pas être le problème de qqn – ne pas concerner qqn – ne pas regarder qqn → C'est votre affaire, *ce n'est pas mon problème, ça ne me concerne pas, ça ne me regarde pas.*	
1. ne pas être bien – ne pas être de bonne humeur – ne pas se sentir en forme *présent →* Ça ne va pas, il...	**6.** ne pas s'en faire – ne pas trop s'inquiéter – ne plus avoir peur *impératif →* Ne te tracasse pas, ...
2. ne pas bien se souvenir – ne pas avoir de souvenir précis – ne pas se rappeler *présent →* J'ai oublié, je...	**7.** ne pas hésiter – ne pas avoir peur – ne plus se laisser faire *impératif →* Allez-y ! ...
3. ne pas être la spécialité de qqn – ne pas avoir étudié ça – ne pas savoir quoi répondre. *présent →* Je suis incapable de répondre, ...	**8.** pas rester longtemps – ne pas s'attarder – ne faire que passer *futur →* Je suis de passage, je...
4. ne pas être responsable – n'y être pour rien – ne pas du tout être concerné *présent →* Ce n'est pas de sa faute, il...	**9.** ne pas arriver à se décider – ne pas pouvoir se décider *passé composé →* Je n'ai pas encore choisi, je...
5. ne pas tenter qqn – ne dire rien à qqn – ne pas intéresser qqn *imparfait →* Il ne voulait pas sortir, ça...	**10.** ne pas chercher longtemps – ne pas avoir de mal à trouver *passé composé →* J'ai trouvé facilement, je...

7

Subjonctif, ex 208

ex 482

ce n'est pas...

38

150 Prononcez les phrases avec la négation en fin de phrase. Écoutez pour vérifier l'intonation et répétez.

Ce n'était **pas du tout** prévu à l'ordre du jour! → *Ce n'était pas prévu à l'ordre du jour, pas du tout.*

1. Nous n'avons **presque pas** parlé de cette question. **2.** Ce que vous dites n'est **pas tout à fait** exact. **3.** Je ne comprends **absolument pas** votre refus. **4.** Vous ne serez **certainement pas** d'accord. **5.** On ne peut **vraiment pas** dire le contraire. **6.** Vous n'avez **sans doute pas** tort.

39

151 Répétez en veillant à la prononciation et à l'intonation.

Je n'ai pas dit ça! Ce n'est pas ce que j'ai dit!
Je n'ai pas voulu dire ça! Ce n'est pas ce que j'ai voulu dire!

1. Je ne t'appelle pas pour ça! Ce…
2. Je ne vous ai pas demandé ça! Ce…
3. Il ne faut pas faire comme ça! Ce…

4. On ne doit pas travailler comme ça! Ce…
5. Tu n'y arriveras pas comme ça! Ce…
6. Ça ne se passe pas comme ça! Ce…

7

152 Contredisez les éléments en gras. Utilisez « ce n'est pas… que/qui ».

– Je vais te rendre les **50 euros** que je te dois.
– *Ce n'est pas 50 euros que tu me dois, c'est 500 euros.*

– Je vais **te** rendre les 50 euros que je **te** dois.
– *Ce n'est pas à moi que tu dois 50 euros. C'est à Émile.*

1. À quelle heure ton avion arrive **à Paris**?
– ....

2. À tout à l'heure! Je vous rejoins au café **du Commerce**!
– ....

3. Vous avez rendez-vous à quelle heure avec **le directeur?**
– ....

4. C'est bien lundi que vous partez **au Chili?**
   – On part bien lundi oui, mais ....

5. Ils sont intéressants les cours de **taï-chi** que tu suis?
– ....

6. On mange ensemble **demain** midi comme prévu?
– ....

7. Pourquoi la police **te** convoque?
– ....

8. Tu viens de m'appeler? J'étais sous la douche.
– ....

9. Maxime m'emmène à la gare comme prévu?
– ....

10. Il part deux jours en week-end **avec sa sœur?**
– ....

ex 417, 418, 468

ni... ni...

1 **Faites-vous partie des gens** ● qui ne sont ni bons, ni mauvais en maths? ● qui ne manifestent ni leurs joies, ni leurs peines? ● qui ne craignent ni la chaleur, ni le froid? ● qui ne disent jamais ni oui, ni non? ● qui ne sont ni riches, ni pauvres? ● qui ne veulent ni ordinateur, ni tablette?

2 **Connaissez-vous des gens** ● qui ne ressemblent ni à leur père, ni à leur mère? ● qui ne jouent pas aux cartes, ni aux échecs, ni à aucun jeu? ● qui ne mangent ni viande, ni poisson, ni œufs? ● qui ne savent ni lire, ni écrire? ● qui prennent leur café ou leur thé, sans sucre ni lait? ● qui ne veulent ni s'abstenir, ni voter blanc aux élections? ● qui ne parlent ni anglais, ni espagnol, ni aucune autre langue que leur langue maternelle?

154 **Répondez. Utilisez « ni... ni ».**

Ton prof a l'air strict, autoritaire, sévère. – *Il en a l'air mais il n'est ni strict, ni autoritaire, ni sévère.* Vous reprenez les soldes? Vous les échangez? – *Non, les soldes ne sont ni repris, ni échangés.*

1. Il est sérieux ce journaliste? il est bien documenté? – À mon avis, non, il ....

2. Vos vacances ont été agréables? reposantes? – Malheureusement, elles ....

3. Le film t'a fait rire ou t'a fait pleurer? – Il ....

4. Pas très professionnel ce garçon de café, et pas très aimable! – En effet, il ....

5. Tu parais contrariée ou de mauvaise humeur? – Moi, pas du tout, je ....

6. La situation est catastrophique, désespérée. – Elle n'est pas brillante, mais ....

7. Ton directeur accepte les contradictions? les critiques? – Absolument pas, il ....

8. Vous comprenez ma surprise et mon mécontentement? – Vraiment, non, je ....

9. La pub dit que c'est un produit révolutionnaire, miraculeux! – Je l'ai essayé et vous assure .....

10. Cette opération chirurgicale est coûteuse et exceptionnelle? – Plus maintenant, elle .....

155 **Formulez des phrases négatives avec « ni ».**

Pas tout à fait innocente / pas tout à fait coupable → L'héroïne du film *n'est ni tout à fait innocente, ni tout à fait coupable.*

1. pas pire qu'avant / pas meilleure qu'avant → La situation ....

2. pas d'appels / pas de messages → Mon iPhone ....

3. vue mauvaise de loin / vue mauvaise de près → Il ....

4. ne pas avoir tort / ne pas avoir raison → Vous ....

5. ne pas aimer les acteurs / ne pas aimer la mise en scène → Les critiques sont sévères, ...

6. rendez-vous / pas aujourd'hui / pas demain → Désolé, le médecin est absent deux jours, je ...

7. pas une corvée / pas un moment de pur plaisir → Pour moi, assister à un repas de famille ...

◼ ne... que

ex 380

156 Écoutez et reconstituez de mémoire.

40

Tout les oppose

LUI. – *Je ne suis plus tout jeune.*
ELLE. – *Je n'ai que 20 ans.*
LUI. – Je suis grand, fort et corpulent.
ELLE. – Je ......
LUI. – Je suis un grand buveur. Je ne bois jamais d'eau, excepté quand je suis malade.
ELLE. – Je ......
LUI. – Hormis les bandes dessinées, je ne lis jamais.
ELLE. – Je ......

LUI. – J'aime la charcuterie et les viandes en sauce.
ELLE. – Je ......
LUI. – Je me nourris souvent de conserves.
ELLE. – Je ......
LUI. – Je parle tout le temps, de tout et de rien.
ELLE. – Je ......

157 Complétez librement. Utilisez « ne... que ».

C'était très copieux, nous n'avons pas terminé le plat… *nous n'en avons mangé que la moitié.*
Je n'aborderai pas tous les points… *je n'aborderai que le premier point.*

1. Le peintre a presque fini de repeindre l'appartement ......

2. Je n'ai pas fini le livre que tu m'as prêté ......

3. Je suis loin de connaître toutes les œuvres de ce peintre ......

4. Je ne connais pas tout le texte par cœur ......

5. Nous n'avons pas eu le temps de visiter toute l'Italie ......

6. La famille était presque au complet ......

7. L'huissier a emporté presque tous ses meubles ......

8. Je ne pourrai pas vous rendre la totalité de la somme que vous m'avez prêtée ......

9. Le projet de loi a été adopté tard dans la nuit ; l'hémicycle était presque vide ......

10. Je ne reste pas longtemps ......

158 Écoutez les six dialogues et notez les phrases négatives.

41

GROGNE.

Tu n'avais qu'à faire un peu attention à tes affaires…

1

2 ....

3 ....

4 ....

5 ....

6 ....

7

■ aucun, aucune

159 Répondez négativement en utilisant «aucun(e)» avec ou sans «en». ex 57

– Tu n'as pas d'amis étrangers ?
– Je *n*'en ai *aucun*.
– Et des amies françaises ?
– Je *n*'ai *aucune* amie française *non plus*.

– Il n'a pas eu de problèmes à la frontière ?
– Il *n*'a eu *aucun* problème.
– Les douaniers ne lui ont rien demandé ?
– Il *n*'a vu *aucun* douanier.

1. – Est-ce que vous avez apporté des modifications au projet ?
– Rassurez-vous, ...
– Il n'y a pas eu d'objection ?
– ......

2. – J'ai peut-être commis une erreur ?
– Absolument pas, vous ......

3. – Ce tableau vous inspire quel commentaire ?
– Il ......

4. – J'ai perdu mon trousseau de clés. On ne vous l'a pas rapporté ?
– Non, ...
– Vous n'avez pas une idée de l'endroit où j'aurais pu les mettre ?
– Je ......

5. – Vous savez pour qui vous allez voter ? Vous avez un favori ?
– Pour le moment, ...
– Il n'y a pas un candidat qui vous plaît plus qu'un autre ?
– À vrai dire, ...

6. – Les cambrioleurs n'ont pas laissé d'empreintes ?
– Non, ils ......
– Les inspecteurs ont des pistes de recherche ?
– Non, la police ......
– Quelqu'un vous a posé des questions ?
– Non, ...

7. – Quels sont vos diplômes ?
– Je ......
– Vous avez de l'expérience dans quel domaine ?
– Je ......
– Vous avez fait des stages de formation ?
– Non, je ......
– Est-ce que vous pensez que vous avez des chances d'être embauché ?
– Je ......

160 Qu'en pensez-vous ? Échangez entre vous puis proposez d'autres phrases sur d'autres sujets.

● Aucun oiseau ne parle. ● Aucune enfance ne dure assez longtemps. ● Aucun chat n'aime les chiens. ● Aucun amour ne dure toujours. ● Aucun pays n'est plus grand que le Canada. ● Aucune langue ne s'apprend facilement. ● Aucune banque ne fait crédit sans enquête. ● Aucune machine n'est totalement fiable. ● Aucun animal n'aime vivre en cage. ● Aucune guerre n'est survenue en Europe depuis 1945. ● Aucun homme… ● Aucun étudiant…

42
161 Écoutez et écrivez la fin de cet extrait de roman de J.-P. Toussaint.

> Elle se rendait compte que, même absent, je continuais de vivre dans son esprit et de hanter ses pensées. Où pouvais-je bien être à présent ......

rien, personne, aucun, jamais

162 Répondez négativement à toutes les questions avec « rien » « personne » ou « aucun ». Faites l'exercice à deux sous une forme dialoguée.

1. Vous avez vu quelqu'un ?   — *Non, je n'ai vu personne.*

Vous avez entendu quelque chose ?   —

Quelque chose vous a frappé(e) ? étonné(e) ?   —

Quelque chose a attiré votre attention ?   —

Vous n'avez pas entendu un coup de feu ?   —

Quelque chose d'insolite ? d'inhabituel ?   —

Vous avez quelque chose à rajouter ?   —

2. Vous avez reçu quelque chose ?   —

Vous n'avez pas reçu de convocation ?   —

Vous n'avez pas reçu de texto de rappel ?   —

Quelqu'un a dû vous téléphoner alors ?   —

3. Tu as eu quoi, comme cadeau d'anniversaire ?   —

Quelqu'un t'a bien offert quelque chose ?   —

Qui t'a souhaité ton anniversaire ?   —

Il y a bien quelqu'un qui t'a téléphoné ?   —

163 Transformez les phrases au passé composé. Utilisez « toujours » et « jamais ».

Je dis la vérité, je ne mens pas, je suis comme ça. → *J'ai toujours* dit la vérité, je *n'ai jamais menti, j'ai toujours été* comme ça.

1. Il est honnête, il ne triche pas, il ne vole pas.

2. Il ne travaille pas, il ne fait rien, il est rentier.

3. La viande me dégoûte, je n'en mange pas, je suis végétarienne.

4. Tout lui réussit, il ne rate rien, la vie lui sourit, il a de la chance.

5. Je n'aime pas les cartes, je ne joue pas aux cartes, je n'ai pas un tempérament joueur.

6. Je ne suis pas sportive, je n'aime pas l'effort, je ne fais pas de sport.

7. Elle n'a pas de voiture, elle ne conduit pas ; elle a peur de conduire.

8. Elle ne peut pas rester sans rien faire. Elle est très active.

9. Il ne sait pas contrôler ses émotions, il se met facilement en colère, il est impulsif.

10. Je suis un gros dormeur ; je ne peux pas me passer de dormir, j'ai besoin de beaucoup de sommeil.

11. Elle est athée, elle ne croit pas en Dieu.

12. Je m'intéresse à la politique mais je ne milite pas et je ne suis inscrite à aucun parti.

13. Nous ne sommes pas agressifs, nous n'attaquons jamais personne mais en cas d'agression, nous nous défendons toujours.

◼ plusieurs négations

164 **Complétez les phrases avec les verbes proposés. Utilisez « jamais rien »,
« jamais personne ».**

Remarquer qqch / qqn : *Il est distrait, il ne remarque jamais rien, il ne remarque jamais personne.*

1. Faire qqch, entreprendre qqch : Elle est paresseuse, ……

2. Voir qqn, inviter qqn, parler à qqn : Ils sont très peu sociables, ……

3. Dire qqch, manifester qqch : Elle est introvertie, ……

4. Se plaindre de qqch, demander qqch, exiger qqch : Il n'est pas exigeant, ……

5. Critiquer qqn, juger qqn : Il est bienveillant, ……

6. Prévoir qqch, préparer qqch : Elle est imprévoyante, ……

7. Se refuser qqch, se priver de qqch : Ils sont insouciants et dépensiers, ……

8. Aimer qqn, s'occuper de qqn, faire des cadeaux à qqn : Il est indifférent et égoïste, ……

165 **Complétez la phrase avec au moins deux négations : « plus », « jamais »,
« rien /personne /aucun ».**

Après l'échec de deux romans en librairie, cet écrivain *n'a plus écrit aucune œuvre romanesque /
n'a plus jamais rien écrit.*

1. Après une défaite électorale aux élections municipales, l'ancien maire … **2.** Après ses adieux
à la scène, l'artiste … **3.** Après un échec à un concours difficile, ce jeune homme voué à un
avenir brillant … **4.** Un jour, il a quitté la France et … **5.** Après un mois de prison pour deux
vols à l'étalage quand il était jeune, il …

Plus jamais, plus jamais, plus jamais ça

Un jour au mauvais endroit, Calogero

Combinaison de négations

Il	ne	rit	plus. plus jamais.		n'	a	plus plus jamais	ri.	
Il	n'	invite	personne. plus personne. jamais personne. plus jamais personne.	Il	n'	a	plus plus jamais	invité	personne.
Elle	ne	dit	rien. plus rien. jamais rien. plus jamais rien.	Elle	n'	a	plus rien plus jamais rien	dit	à personne.

43

166 **Écoutez les phrases, répétez-les de mémoire puis écrivez-les.**

Connaissez-vous quelqu'un

qui n'a aucun humour… *qui ne fait rire personne, qui ne dit jamais rien d'humoristique ?*

1. qui n'est pas très sportif…
2. qui n'a jamais su dire non…
3. qui ne fait que travailler…

4. que rien ne choque…
5. qui est végétarien…
6. qui surveille son alimentation…

167 **Insérez les textes ci-dessous dans les phrases 1. à 5. et dites-les à voix haute.**

Rien ne sera plus jamais comme avant.

Il n'y a plus rien nulle part !

Je ne ferai plus jamais confiance à personne !

Je n'ai jamais vécu aucun moment aussi intense dans ma vie.

On ne saura probablement jamais rien sur ce qui s'est passé vraiment.

1. « …………………………………………… » estime notre spécialiste en aéronautique interrogé sur les raisons d'un crash d'avion.

2. « …………………………………………… » a déclaré une dirigeante politique après le premier grand succès de son parti aux élections.

3. « …………………………………………… » vient de nous confier un bijoutier dont l'employé est parti avec la caisse.

4. « …………………………………………… » se désole un touriste, qui, en plein festival d'Avignon, cherche désespérément une chambre.

5. « …………………………………………… » a déclaré aux journalistes le skieur qui venait de gagner la médaille d'or aux Jeux olympiques.

> **11. Discours rapporté**

168 **a) Imaginez ces personnages parlant d'eux-mêmes avec des phrases négatives : un vieux célibataire, un autodidacte, une orpheline, un couple de retraités.**

168 **b) Écoutez et reconstituez de mémoire chaque présentation.**

Évaluation

Dites le contraire.

1. Toutes mes photos sont réussies. Je suis tout à fait satisfait.

2. Le magasin est ouvert **le samedi et le dimanche.**

3. J'ai presque **tout** compris.

4. Elle a cherché **partout**.

5. J'ai **encore** faim !

6. J'ai **déjà** entendu parler de cette affaire !

7. J'ai **quelque chose** à ajouter.

8. J'ai trouvé **toutes** ses idées intéressantes.

9. Je sais **tout**. On m'a **tout** raconté. **Tout le monde** m'en a parlé.

10. Il se tient au courant de **tout**. Il lit **de nombreux** quotidiens.

11. Il viendra **avec** sa femme et ses enfants.

12. Le monde a **beaucoup** changé.

13. J'ai beaucoup aimé mon dernier voyage, j'ai **tout** aimé : le pays, le climat, les gens.

14. Tous les dictateurs ont le sens de l'humour.

15. Il pleut **encore. Tout** pousse dans les jardins.

16. La nouvelle s'est **déjà** répandue. **Tout le monde** est au courant.

17. Il a trouvé **quelqu'un** pour changer la serrure. Il **a pu** rentrer chez lui.

18. Tout fonctionne, **tous les trains** roulent, **tout le monde** peut se rendre à son travail.

19. Ça nous **a passionnés.** Nous avons pris beaucoup de notes.

20. La réunion est **déjà** terminée. **Une décision** a pu être prise.

Complétez en utilisant au moins une négation.

1. Ils n'ont pas froid aux yeux, ... **2.** Ils ne supportent aucune contrainte ...... **3.** Ils n'appartiennent à aucun parti ...... **4.** Aucun membre de la famille ne vote, ... **5.** Ils n'en font qu'à leur tête ...... **6.** Ils n'ont jamais quitté leur village ...... **7.** Ni toi ni moi ne les connaissons ...... **8.** Il est hostile aux nouvelles technologies ......

45

Écoutez deux textes émanant de sites d'achat sur Internet puis, à votre tour, rédigez un texte vantant la sécurité d'un site. Utilisez des négations.

- **Risque de piratage :** aucun
- **Problèmes rencontrés auparavant :** jamais le moindre
- **Accès aux informations de l'internaute :** aucun pirate informatique
- **Traitement des données de l'internaute :** uniquement par personnel habilité
- **Lecture des données personnelles par d'autres :** impossible
- **Transmission des données personnelles :** en aucun cas

Chapitre 8

Les temps du passé

Les temps du passé

Le passé composé	L'imparfait
● Actions, faits accomplis au moment où on parle *– Tu as déjà déjeuné, peut-être?* *– Oui, j'ai déjeuné, j'ai fini de déjeuner, je viens de finir.* ● ou dans le passé *L'année dernière, j'ai déjeuné deux fois à l'Élysée.* *J'ai déjeuné chez mes parents hier soir.*	● Actions, états, faits en cours d'accomplissement dans le passé *– Je te dérange? Tu déjeunais peut-être?* *– Oui, je déjeunais, on était en train de déjeuner.* ● Actions ou états répétitifs dans le passé *Quand j'étais enfant, je déjeunais chez mes grands-parents trois jours par semaine.*

Le passé composé et l'imparfait dans un récit	
● Actions successives de premier plan, progression de l'action *Je suis entré dans un restaurant. Je me suis installé, j'ai commandé, j'ai attendu longtemps, mais on a fini par me servir…*	● Faits d'arrière-plan : situation, circonstances, décor, commentaires *J'avais faim. Le restaurant était plein. Les serveurs couraient dans tous les sens, les clients attendaient plus ou moins patiemment…*

Le plus-que-parfait

Antériorité par rapport à une action ou une situation passée :
– exprimée au passé dans la phrase :
Nous n'avons pas pris cette décision à la va-vite, nous avions beaucoup réfléchi (auparavant).
– ou rendue évidente par le contexte :
Merci de votre explication. Je n'avais pas compris! (avant votre explication)
Ah vous êtes là. Je ne vous avais pas vu! (avant de vous voir, juste maintenant)

Le passé simple

Temps coupé du présent de celui qui parle. Mise à distance des faits racontés. Utilisation fréquente dans les récits littéraires, les écrits historiques, les biographies.

« Je naquis au mois de mars 1936. Ce furent peut-être trois années d'un bonheur relatif que vinrent noircir sans doute les maladies de ma prime enfance. »

G. Perec, *W ou le souvenir d'enfance*

172 Lisez ces textes. Imaginez les scènes décrites. Puis travaillez à deux :
l'un lit progressivement le texte à voix haute, l'autre, sans le voir, le répète.

J'ai acheté
Un paquet de cigarettes
Un journal
Et un rayon de soleil
Et j'ai été m'attabler
À la terrasse
D'un immense café.
J'ai commandé
Un lait
Et j'ai disposé
Mon paquet de cigarettes
Mon journal
Mon rayon de soleil
Et mon verre de lait
En ordre
Je me suis bien calé
Dans mon fauteuil
Et j'ai commencé à lire
Tranquillement
Un instant après
J'ai regardé
Mon paquet de cigarettes
Mon journal
Mon rayon de soleil
Et mon verre de lait
Bien alignés
Et je me suis demandé
Si j'étais révolutionnaire

Rachid Boudjedra, *Anthologie*
de la nouvelle poésie algérienne

J'étais jeune et brun
j'avais des cheveux
et beaucoup de dents
j'étais mince et pâle…
Je suis rouge et blanc
Je suis blanc et rouge
chauve et empâté
ridé, édenté,
Je n'y comprends rien,
Que s'est-il passé ?

Jean Tardieu, *Monsieur, Monsieur*

La dame attendait l'autobus
Le monsieur attendait l'autobus
Passe un chien noir qui boitait
La dame regarde le chien
Le monsieur regarde le chien
et pendant ce temps-là l'autobus passa

Raymond Queneau, *Courir les rues*

J'ai rêvé que j'étais à Londres avec toi.
Nous nous étions perdus en marchant dans les rues.
Je t'ai cherché longtemps et puis découragée
Je me suis réveillée pour te retrouver.

Claude Roy, *À la lisière du temps,*
extrait de « Le rêve d'être perdu dans une ville »

■ passé composé

173 **a) Formulez oralement ces courtes phrases passe-partout.
Utilisez le passé composé.**

Vous (ne pas faire) une erreur ? *Vous n'avez pas fait une erreur ?*

1. J'*(entendre parler)* de ça.

2. Je *(demander la parole)*.

3. Nous *(ne pas avoir le temps)* de finir.

4. Je *(ne pas oublier)*.

5. Je *(ne pas pouvoir)* vous prévenir.

6. Nous *(ne pas réussir)* à les joindre.

7. Je *(ne pas vous faire attendre)* trop longtemps ?

8. Je *(ne pas vouloir)* les déranger.

9. Je *(se faire voler)* mes papiers.

10. Je *(ne s'apercevoir)* de rien.

11. Je *(se tromper)* de numéro.

12. Nous *(se perdre)* dans la ville.

13. Je *(ne pas encore s'en occuper)*.

14. On *(ne pas vous mettre au courant)* ?

15. On *(ne pas les prévenir)* ?

16. Qu'est-ce qui *(se passer)* ?

17. Tout *(bien se passer)* ?

18. Tu *(passer une bonne soirée)* ?

19. Vous *(avoir raison)*, vous *(bien faire)*.

20. Tu *(bientôt terminer)* ?

21. Vous *(ne pas encore finir)* ?

22. Tu *(bien dormir)* ?

23. Vous *(ne pas prendre trop de risques)* ?

24. Ça *(ne servir à rien)*.

25. Ça *(se faire rapidement)*.

26. Ça *(te plaire)* ou ça *(ne pas te plaire)* ?

27. Ça *(me faire plaisir)* de vous voir.

28. Ça *(ne pas marcher)*.

29. Ça *(être facile)* ?

30. Vous m'*(mal comprendre)*.

173 **b) Associez les phrases qui peuvent l'être.**

phrases 9 et 10 : Je *(se faire voler)* mes papiers. Je *(ne s'apercevoir)* de rien.
phrases 18 et 26 : Tu *(passer une bonne soirée)* ? Ça *(te plaire)* ou ça *(ne pas te plaire)* ?

173 **c) Imaginez des dialogues à partir de ces phrases.**

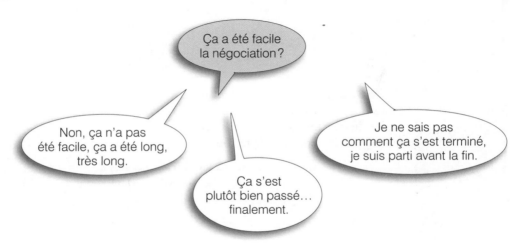

174 **a) Lisez ce programme puis exposez ce qu'ont fait hier les détenus de cette maison d'arrêt.**

Hier, à 7 heures comme tous les jours, une sonnerie a réveillé les détenus, ils…

et/ou rédigez une page du journal d'un détenu qui note précisément ce qui se passe.

Lundi 2 novembre.

La sonnerie a sonné cinq minutes plus tard que d'habitude. J'ai fait mon lit et rangé la cellule. Mon codétenu est parti travailler. Il m'a passé une BD…

> **7 h 00-8 h 00**
> Réveil, petit-déjeuner, toilette, entretien de la cellule
> **8 h 00-11 h 15**
> Travail ou activités
> (sauf le week-end),
> promenade, loisirs
> (sport, bibliothèque, etc.),
> parloirs
> **11 h 30-12 h 15**
> Déjeuner
> **13 h 00-14 h 00**
> Promenade des détenus ayant un travail
> **14 h 00-17 h 00**
> Travail, activités, promenade, loisirs,
> parloirs, douches
> **17 h 00-17 h 45**
> Douches pour les détenus qui travaillent
> **18 h 15-18 h 45**
> Dîner

174 **b) Lisez ce programme d'excursion puis racontez cette journée vue par une personne du groupe. Vous pouvez insérer à votre récit des événements imprévus et des commentaires.**

Le mois dernier, j'ai passé un week-end en Belgique avec… Le groupe avait rendez-vous à 6 h 30 place de l'Opéra…

> **«je», «nous», «on», «ils/elle»**
> «Le/notre groupe», «le/la guide»,
> «une partie du groupe/d'entre nous»,
> «un de nous», «certains», «quelques-
> uns», «plusieurs personnes» «les plus
> indépendants/courageux»

> **Programme du samedi**
> **pour l'excursion à Bruges Belgique**
>
> ● Rendez-vous à 6 h 30 place de l'Opéra Garnier, sur les escaliers de l'Opéra.
> ● Départ en car pour Bruges à 7 h 00.
> ● Arrivée à Bruges vers 11 h 00.
> ● Visite guidée à pied qui nous permettra de découvrir le centre historique de la ville et d'admirer ses curiosités telles que le Béguinage, le lac d'Amour, la Grand Place, l'église Notre-Dame.
> ● Temps libre pour le déjeuner.
> ● Après-midi : promenade en bateau sur les canaux.
> ● 16 h 30 : départ pour Bruxelles.
> ● Dîner libre et soirée conviviale.
> ● Nuit à l'auberge de jeunesse à proximité du centre-ville.

174 **c) Proposez à votre tour un programme pour une autre ville.**

◼ accord du participe passé

Verbes non pronominaux

Auxiliaire être
● **Accord avec le sujet :** *Il est parti. Elle est partie. Ils sont partis. Elles sont parties.*

Auxiliaire avoir
● **Pas d'accord**
– s'il n'y a pas de complément direct : *Il a choisi. Elle a choisi. Ils ont choisi. Elles ont choisi.*
– si un complément direct suit le verbe : *Il a choisi une photo. Elle a choisi ces photos.*
– avec le pronom « en » : *Parmi ces photos, il en a choisi une.*
● **Accord avec un complément direct placé avant le verbe**
Quelle photo a-t-il choisie ? Quelles photos a-t-il choisies ?
Cette photo, il l'a choisie pour toi. Ces photos, il les a choisies une par une.

8

175 Écoutez et écrivez.

Verbes pronominaux non réciproques avec complément

● **Pas d'accord** si un complément suit le verbe		● **Accord** avec le complément placé avant
Il s'est lavé la tête ?	→	*Oui, il se l'est lavée.*
Elle s'est lavé les cheveux ?	→	*Oui, elle se les est lavés.*
Ils se sont lavé les mains ?	→	*Oui, ils se les sont lavées.*

176 Écoutez et écrivez.

Verbes pronominaux réciproques

Accord ou non selon la construction du verbe directe ou indirecte

Se voir, se rencontrer (l'un, l'autre)	se téléphoner, s'écrire (l'un à l'autre)
● **Accord**	● **Pas d'accord**
Ils se sont vus. Elles se sont vues.	*Ils / Elles se sont parlé.*
Ils se sont rencontrés. Elles se sont rencontrées.	*Ils / Elles se sont souri.*

177 Écoutez et écrivez.

108   La grammaire des premiers temps B1-B2

◾ imparfait

178 Mettez les verbes de ces témoignages à l'imparfait. Une de ces croyances enfantines vous rappelle-t-elle quelque chose ? Échangez entre vous.

Quand j'étais petite, je *(croire)* que c'*(être)* les arbres qui *(faire)* du vent. → *Quand j'étais petite, je croyais que c'étaient les arbres qui faisaient du vent.*

1 Quand j'étais petite, je croyais que tout le monde *(penser)* en français, et que les étrangers *(devoir)* ensuite traduire dans leur langue pour se parler.

2 Quand j'étais petite, je croyais que lorsque les gens *(mourir)*, ils *(devenir)* des nuages.

3 Quand j'étais petit, je croyais que si l'on *(agiter)* très longtemps une bouteille d'eau, ça *(faire)* de la limonade.

4 Quand j'étais petit, je croyais qu'il *(falloir)* payer pour travailler.

5 Quand j'étais petite, je croyais qu'en politique, la gauche, c'*(être)* les gentils, et la droite les méchants.

6 Quand j'étais petite, je croyais que le père Noël *(habiter)* dans la lune.

7 Quand j'étais petit, je croyais qu'autrefois, tout *(être)* vraiment en noir et blanc, à cause des vieux films que je *(regarder)*.

8 Quand j'étais petite, je croyais que la lune nous *(suivre)* lorsqu'on *(rouler)* en voiture la nuit.

9 Quand j'étais petite, je croyais que « dos d'âne » *(s'écrire)* « dodane », que ce ne *(être)* qu'un mot, c'est en passant mon code de la route que j'ai compris.

10 Quand j'étais petit, je croyais que les gens qui faisaient du stop *(tenir)* un carton pour nous dire dans quelle ville on *(être)*.

11 Quand j'étais petit, je croyais que les « faits divers » *(être)* des faits qui *(se dérouler)* en hiver.

179 a) Mettez les verbes au présent et à l'imparfait.

Avant je *(détester)* dormir, maintenant j'*(adorer)*. → Avant je *détestais* dormir, maintenant j'*adore*.

1. Quand j'étais enfant, je *(vouloir)* grandir et maintenant que j'ai grandi, je *(ne pas vouloir)* vieillir. **2.** Enfant, je *(construire)* des cabanes, maintenant je *(construire)* des maisons. **3.** Avant j'*(exécuter)* les ordres, maintenant c'est moi qui les *(donne)*. **4.** Quand j'étais enfant, je *(faire)* déjà des colères où je *(casser)* tout. Je suis resté coléreux. **5.** Avant je *(prendre)* mon petit-déjeuner au lit, maintenant je *(préférer)* le prendre sur une table. **6.** Entre dix-huit et vingt ans, je *(sortir)* presque tous les soirs, maintenant que je *(travailler)*, je *(sortir)* moins. **7.** Avant je *(croire)* pouvoir changer le monde, je *(être)* idéaliste, maintenant je *(être)* plus pragmatique. **8.** Il y a une dizaine d'années. je *(avoir)* peur de parler en public, mais depuis que je *(faire)* du théâtre, j'*(avoir)* plus d'assurance. **9.** Quand je *(être)* jeune je *(vouloir)* devenir patineuse artistique. Je *(travailler)* maintenant dans une banque !

179 b) Et vous, que diriez-vous ?

180 Formulez les questions à l'imparfait, puis échangez entre vous.

Souvenirs d'école primaire ou secondaire

1 Moyen de transport pour l'école ? *Comment alliez-vous à l'école ? à pied ? en voiture ?*

2 Accompagnement des parents ? *Vos parents vous accompagnaient à l'école ou vous y alliez seul(e) ?*

3 Distance école-domicile ?

4 École privée ? publique ?

5 Pensionnaire ? externe ?

6 Nombre d'heures de cours ?

7 Nombre d'élèves par classe ?

8 Date du début de l'année scolaire ?

9 Heure du retour à la maison ?

10 Travail à la maison après l'école ?

11 Port de l'uniforme ?

12 Type de jeux à la récréation ?

13 Batailles avec les autres élèves ?

14 Respect envers les professeurs ?

15 Crainte des professeurs ?

16 Punitions (corporelles ou non) ?

17 Récompenses des parents en cas de bons résultats ?

18 Plaisir d'aller à l'école ou non ?

19 Durée des vacances d'été ?

20 Matières préférées ?

21 Cours de religion ?

22 Remise de prix ou de diplômes à la fin de l'année scolaire ?

23 Importance de la réussite scolaire dans votre famille ?

> À l'école, le jour de l'examen
> Tous mes petits camarades avaient peur
> De ne pas réussir !
> Ils se présentaient tout tremblants, à l'examen.
> Moi, j'étais confiant !
> J'étais sûr de rater !
> Et ça ne ratait pas !
> L'examen je le ratais haut la main !
> J'ai toujours réussi à rater tous mes examens.
>
> *Je me suis fait tout seul*, de Raymond Devos.

La grammaire des premiers temps B1-B2

■ passé composé, imparfait

181 **a) Observez.**

Quand le père a éteint la télévision, les enfants **criaient**.	= Les enfants **étaient en train de crier** au moment où le père a éteint la télévision.
Quand le père a éteint la télévision, les enfants **ont crié**.	= Les enfants **se sont mis à crier** au moment où le père a éteint la télévision.

Le passé composé et l'imparfait sont possibles : ils traduisent deux situations différentes.

Quand je l'ai vu, je l'**ai reconnu**.	= Je l'ai reconnu au moment où je l'ai vu.

Seul le passé composé est possible, car il ne pouvait pas reconnaître quelqu'un avant de le voir.

O = the correct phrase

181 **b) Barrez les phrases impossibles.**

1. Après son échec,
il commençait à boire.
(il) a commencé à boire.

2. Quand il m'a frappé,
je l'insultais.
(je l')ai insulté.

3. Quand le garçon a apporté l'addition,
(nous l')appelions.
nous l'avons appelé.

4. Quand j'ai claqué la porte,
je me coinçais le doigt.
(je)me suis coincé le doigt.

5. Quand le contrôleur m'a demandé mon billet,
(je)dormais profondément.
j'ai dormi profondément.

6. Quand le comédien est entré sur scène,
il avait le trac.
(il)a eu le trac.

7. Quand elle est rentrée chez elle
son chat miaulait.
(son)chat a miaulé.

8. Quand nous avons épluché les oignons,
nous pleurions.
(nous)avons pleuré.

9. Quand il a appris qu'il allait être grand-père,
il plantait un arbre.
(il)a planté un arbre.

10. Quand il est entré dans la classe
tout le monde applaudissait.
(tout)le monde l'a applaudi.

11. Quand le concert a commencé,
j'éteignais mon portable.
(j'ai)éteint mon portable.

12. Quand j'ai trouvé une contravention sur mon pare-brise,
je la déchirais.
(je l')ai déchirée.

182 Choisissez le temps qui convient.

Au moment où la bombe a explosé,

● nous *(courir)* pour attraper notre bus.

→ Nous *courions* pour attraper notre bus.

● nous *(courir)* pour chercher du secours.

→ Nous *avons couru* pour chercher du secours.

1. Le jour de son mariage,

● il *(avoir)* une crise cardiaque et on *(devoir)* l'hospitaliser.

● il *(avoir)* la jambe dans le plâtre depuis cinq jours.

2. Quand elle a appris la réussite de son fils,

● elle *(être)* très surprise et *(ne pas y croire)* tout de suite.

● elle *(être)* chez elle et elle *(travailler)*.

3. Quand je suis sorti du cinéma,

● ma voiture n'*(être)* plus là.

● il y *(avoir)* quelqu'un dans ma voiture qui *(essayer)* de la faire démarrer.

4. Quand les joueurs sont entrés sur le terrain,

● tous les spectateurs *(chanter)* et *(hurler)* depuis déjà une demi-heure.

● tous les spectateurs *(entonner)* l'hymne national.

5. Quand Juliette est rentrée à 3 heures du matin,

● ses parents se *(demander)* où elle *(être)* et *(être sur le point de)* téléphoner à la police.

● ses parents lui *(demander)* d'où elle *(venir)*.

6. Quand les policiers sont venus hier soir,

● ils *(devoir)* sonner trois fois, nous *(ne pas entendre)* tout de suite, car nous *(écouter)* de la musique.

● nous *(aller)* partir car nous *(devoir)* aller faire des courses, et nous *(devoir)* rester.

● nous *(être)* très étonnés et nous le leur *(dire)*.

183 Complétez librement.

Aller + infinitif

Situation imminente dans le passé quand quelque chose est survenu.

Elle allait monter dans sa voiture quand *deux hommes masqués ont braqué leur arme sur elle.*

1. J'allais payer la facture, mais …… **2.** J'étais sur le point de poser une question au conférencier mais …… **3.** Les secours allaient abandonner les recherches quand …… **4.** Nous étions sur le point de t'envoyer un mail quand ……

Être en train de + infinitif

Situation en cours dans le passé quand quelque chose est survenu.

Il était en train de traverser lorsque *la voiture l'a renversé.*

1. J'étais en train de t'écrire un courriel quand …… **2.** J'étais en train de payer une commande sur Internet quand …… **3.** Il était en train de feuilleter un livre dans une librairie quand …… **4.** Nous étions en train de dîner lorsque……

Venir de + infinitif

Situation qui vient de se produire quand quelque chose est survenu.

Le train venait de quitter la gare quand *la collision s'est produite.*

1. On venait de rentrer chez nous quand …… **2.** Je venais à peine de m'endormir quand …… **3.** Ils venaient tout juste de se rencontrer quand …… **4.** L'appartement venait juste d'être repeint lorsque …… **5.** Je venais de finir mes valises quand ……

184 Utilisez le temps qui convient dans ces dialogues. Travaillez à deux.

– Excuse-moi, je suis en retard,
  je *(ne pas entendre)* le réveil ce matin. → – *Je n'ai pas entendu* le réveil ce matin.
– Tu *(bien dormir)* → – Tu *as bien dormi* ?
– Oui, très bien et j'en *(avoir besoin)* → – Oui, très bien et j'en *avais besoin*.

1. – Comment ça *(se passer)* ?
  – Ça *(bien se passer)*.
  – Tout *(bien se terminer)* ?
  – Ça *(ne pas pouvoir)* mieux se terminer.
  – Tant mieux !

2. – Je *(se faire voler)* mon portefeuille.
  – Tu *(avoir)* beaucoup d'argent ?
  – Ben oui, pas mal, je *(venir)* d'en retirer.
  – Tu *(porter plainte)* ?
  – Pour quoi faire ? C'est inutile !

3. – Il *(venir)*, le serveur ?
  – Oui, je *(commander)* pour moi.
  – Et pour moi ?
  – Je ne *(savoir)* pas ce que tu *(vouloir)*.
  – Qu'est-ce que tu *(prendre)* ?
  – Un poulet-frites.

4. – Allô, je suis inquiète, Lucie *(ne pas rentrer)*.
  – Elle *(devoir)* rentrer à quelle heure ?
  – Elle *(devoir)* me téléphoner.
  – Elle *(avoir)* certainement un empêchement,
    elle va t'appeler ! Ne t'inquiète pas.

5. – Je *(avoir)* un accrochage.
  – Comment ça t'*(arriver)* ?
  – Il *(pleuvoir)* et la route *(être glissante)*, je
    (freiner) trop tard et je *(rentrer)* dans la
    voiture de devant.
  – Tu *(aller)* vite ?
  – Non, heureusement.

6. – Vous *(ne pas pouvoir)* venir hier ?
  – J'*(avoir)* un empêchement.
  – On vous *(regretter)*.

7. – Je *(vendre)* ma voiture ! Enfin !
  – Tu *(bien la vendre)* ?
  – Non ! Elle *(avoir)* plus de 130 000 km !
  – Mais elle *(marcher)* encore pas mal ! Tu *(s'en
    acheter)* une autre ?
  – Pas encore.

8. – Vous *(être sur le point)* de partir ?
  – Oui, j'*(aller)* partir.
  – Je ne vous retiens pas, je repasserai.
  – Merci, car je suis pressé.

9. – Vous *(toujours habiter)* dans ce quartier ?
  – Non, j'y *(arriver)* il y a deux ans seulement.
  – Vous *(habiter)* où avant ?
  – De l'autre côté de la ville.
  – Pourquoi vous *(changer)* ?
  – J'*(habiter)* chez mes parents, je *(vouloir)*
    être indépendante et j'*(avoir)* une occasion.
    Je ne regrette pas ! J'aime bien ce quartier !

10. – Tu *(ne pas avoir)* rendez-vous avec Barbara ?
  – Si mais elle me *(téléphoner)* qu'elle *(ne
    pas pouvoir venir)*. Elle *(avoir)* une drôle
    de voix !
  – Tu lui *(demander)* pourquoi ?
  – Je *(ne pas avoir)* le temps.
  – Elle *(ne pas te dire)* qu'elle te *(rappeler)* ?
  – Non, elle *(raccrocher)* tout de suite.

11. – Tu connais Olga ?
  – Nous *(faire)* notre scolarité ensemble
    et puis on *(se perdre de vue)* quand elle
    (partir) en Allemagne où elle *(passer)* trois
    ans.
  – Elle *(faire)* ses études en Allemagne ?
  – Non, elle *(ne pas partir)* pour faire des
    études. Elle *(suivre)* quelqu'un là-bas.
  – Ah… Je *(ne pas savoir)*.
  – Tu *(ne pas savoir)* ? Elle *(ne pas te le dire)* ?
  – On *(ne pas avoir l'occasion)* de parler de ça.
  – Elle te racontera elle-même.

12. – Tu *(changer)* d'ordinateur ?
  – Oui, le mien *(être)* vieux, il *(ramer)*.
  – Tu aurais dû me le dire, je te l'aurais
    nettoyé.
  – Je sais, mais j'*(avoir)* envie de changer.
  – Tu le *(payer)* cher ?
  – Ils *(faire)* une promotion sur ce modèle.
    J'en *(profiter)*.
  – Tu *(faire)* un bon choix.

ex 228 et s.

185 **Lisez à haute voix en mettant les verbes à la forme qui convient.**
Puis proposez d'autres inventions ou illustrations

Inventeurs et inventions

Le papier *a fait son apparition* en Europe au XIIIᵉ siècle. Avant, on *écrivait* sur du parchemin.

XIVᵉ siècle

Le verre n'*(apparaître)* aux fenêtres qu'au XIVᵉ siècle ; auparavant, on y *(mettre)* du parchemin huilé.

XVIᵉ siècle

Copernic *(démontrer)* le mouvement des planètes autour du soleil vers 1511 Auparavant, on *(croire)* que c'*(être)* le soleil qui *(tourner)* autour de la terre.

XVIIᵉ siècle

On *(commencer)* à utiliser des bouchons pour fermer les bouteilles à la fin du XVIIᵉ siècle ; jusque-là, on les *(fermer)* avec de la cire à cacheter.

XIXᵉ siècle

En 1828, le mathématicien français Bernard Lassimone *(inventer)* le taille-crayon. Avant on *(affûter)* la mine des crayons avec un couteau ou un canif. Mais ce n'est qu'à partir du XXᵉ siècle que le taille-crayon *(devenir)* un accessoire indispensable de la trousse des écoliers.

XVᵉ siècle

En 1455, Gutenberg *(inventer)* l'imprimerie. Avant, en Europe, tous les livres *(être)* manuscrits.

XVIIᵉ siècle

Jusqu'en 1691, les horloges n'*(avoir)* qu'une aiguille pour les heures. On *(ajouter)* une aiguille pour les minutes cette année-là.

XVIIIᵉ siècle

Le Français Jean Marius en 1705 *(concevoir)* le premier parapluie pliant. Il *(se replier)* en trois parties et *(se ranger)* dans une poche.

XXᵉ siècle

En 1950, un ingénieur suisse *(avoir l'idée)* du velcro en observant une plante qui s'accroche aux vêtements. Depuis, le velcro *(faire)* le tour du monde.

XVᵉ siècle

Christophe Colomb *(découvrir)* l'Amérique en 1492 ; auparavant les Espagnols ne *(savoir)* pas que ce continent *(exister)*.

XVIIᵉ siècle

Jusqu'à la fin du XVIᵉ siècle, les Français n'*(utiliser)* pas de fourchette. C'est à cette époque que la fourchette *(faire son apparition)* à la cour du roi.

XIXᵉ siècle

Vers 1820, Nicéphore Niepce *(inventer)* la photographie. Avant les paysages et les portraits *(être)* immortalisés par la peinture.

XXIᵉ siècle

En mai 2011, Michelin *(présenter)* à Berlin un pneu increvable, qui se répare tout seul en cas de crevaison. Le fabricant français de pneumatiques *(annoncer)* que ce modèle *(marquer)* la fin de la roue de secours.

---

186 **Écoutez et écrivez.**

■ récits

ex 143, 241, 341, 370

187 Lisez le texte sans les phrases à l'imparfait. Puis écoutez et écrivez les phrases manquantes.

Passé composé : séquence d'événements	Imparfait : Arrière-plan, situation, commentaires,
J'ai passé mon enfance dans un village de la frontière espagnole.	*On était cinq enfants, c'était moi l'aînée. Mon père tenait un café-tabac. Les clients étaient toujours les mêmes, des douaniers, des contrebandiers, l'été, quelques touristes* j'...
Une nuit, je suis partie pour Paris dans la voiture d'un client. J'y suis restée un an. Au bout d'un an, j'en ai eu assez de Paris, je suis partie pour Marseille.	J'... ....
J'ai pris une place de barmaid sur un yacht. On a mis le cap sur l'Atlantique. Quelques heures après le départ, le lendemain vers dix heures, un matelot a vu sur la mer un petit point insolite. Le patron a pris des jumelles et il a vu un homme à l'avant d'un canot. On a arrêté les machines, on a abaissé la passerelle, un matelot l'a hissé sur le pont.	Il .... Il ....
Puis il s'est évanoui. On l'a ranimé avec des gifles, du vinaigre, on lui a fait boire de l'alcool. Il a bu, puis il s'est endormi là, sur le pont. Il a dormi huit heures. Je suis passée souvent à côté de lui, souvent.	Il ....
Je l'ai beaucoup regardé.	La peau de sa figure ....
Le soir, je suis allée le retrouver dans sa cabine. J'ai allumé.	Il ....
Il m'a reconnue, il s'est relevé et il m'a demandé si c'était pour qu'il quitte la cabine. Je lui ai dit non. C'est comme ça que cela a commencé.	

M. Duras, *Le Marin de Gibraltar*.

8

188 a) **Lisez et observez l'emploi du passé composé puis de l'imparfait.**

« J' ai commencé des études de droit mais, comme c'était facile à l'époque, on apprenait un aide-mémoire quinze jours avant l'examen, mais on n'allait pas au cours. Je faisais en même temps une licence de philosophie et puis, je me suis aperçu que c'était plutôt vers la philosophie que j'allais. Alors, je suis devenu professeur de philosophie dans un lycée de province à Mont-de-Marsan. J'ai commencé à Mont-de-Marsan le 1er octobre 1932 et j'ai pris ma retraite le 1er octobre 1982, c'est-à-dire jour pour jour cinquante ans après.

Mais, le sentiment que j'allais passer ma vie à répéter un cours n'était pas possible, surtout qu'en même temps j'avais un grand goût de l'aventure ; sous des formes très modestes, mais enfin, dès l'enfance, j'essayais régulièrement de transformer le paysage français urbain ou rural en terre d'aventures. Avec mes camarades quand nous étions au lycée, le jeudi ou le dimanche – le jeudi, c'était le jour de congé à l'époque – on partait de tel endroit de Paris et on marchait tout droit en direction de la banlieue aussi loin que nos jambes pouvaient nous porter. Ça nous emmenait dans des aventures extraordinaires...

Donc, il s'agissait pour moi d'associer une profession qui était celle de professeur de philosophie et le goût de l'aventure.
Alors, j'ai fait savoir à mes maîtres que j'aimerais un poste à l'étranger. Ce n'était pas très recherché à l'époque. Les universitaires n'aimaient pas tellement voyager et, un beau matin, le directeur de l'École normale m'a téléphoné et m'a dit : "Est-ce que vous voulez partir pour le Brésil ?"
Et je suis parti pour le Brésil ! »

D'après une émission d'*Apostrophes* avec Claude Lévi-Strauss, anthropologue renommé (1908-2009)

188 b) **Écrivez les questions avec des inversions du sujet quand cela est possible. Posez-les et répondez-y.**

Par l'étude de quelle discipline Lévi-Strauss *(commencer)* ?
Par l'étude de quelle discipline Lévi-Strauss *a-t-il commencé* ?

1. Les études de droit *(être)* difficiles à l'époque ?
2. Qu'est-ce qui l'*(conduire)* à entreprendre d'autres études ?
3. Finalement, quelle discipline il *(choisir)* d'enseigner ?
4. En quelle année il *(commencer)* à enseigner ?
5. Quand il *(prendre)* sa retraite ?
6. Pour quelles raisons il *(abandonner)* son poste en France ?
7. Il *(avoir)* le goût de l'aventure quand il *(être)* jeune ?
8. Comment *(se manifester)* ce désir d'aventure lorsqu'il *(être)* lycéen ?
9. Quel *(être)* le jour de congé des lycéens à cette époque ?
10. Comment il *(faire)* pour partir à l'étranger ?
11. Avoir un poste à l'étranger *(être)* facile à l'époque ?
12. Qui *(avertir)* Lévi-Strauss qu'il *(pouvoir)* avoir un poste à l'étranger ?
13. Pour quel pays, il *(partir)* ?

189 **a) Écoutez le récit de cette femme. Reprenez ce récit oralement.**

Je *l'ai revu* trois fois cette semaine. Je *ne lui ai pas encore parlé* mais enfin, je *me suis fait remarquer* de lui…

La première fois, c'*(être)* mardi, on *(jouer)* la « Symphonie Fantastique »… J'*(être)* assise juste derrière lui, enfin, un peu à sa droite. À un moment, il *(retirer)* son bonnet. Alors, pendant toute la soirée, j'*(regarder)* ses cheveux et sa nuque. Je *(ne pas pouvoir)* le quitter du regard.

Ce soir-là, j'*(être décidé)* à lui parler et, à la sortie, je *(se faufiler)* pour le rejoindre. Seulement, il *(rencontrer)* un copain, alors je *(les suivre)* cinq minutes… puis je *(rentrer)* me coucher.

La deuxième fois, c'*(être)* jeudi… Je *(arriver)* une demi-heure en avance pour m'asseoir à côté de lui. Il n'y *(avoir)* presque personne quand je *(arriver)*, … alors je *(sortir)* dans le hall fumer une cigarette en attendant que la salle se remplisse.

Quand je *(revenir)*, comme il y *(avoir)* ait pas mal de monde, je *(ne pas le voir)* tout de suite… Il *(être)* de dos en train de parler à un copain derrière lui … Je *(aller)* m'asseoir pas très loin de lui et il *(me faire)* un petit signe comme à quelqu'un qu'on reconnaît vaguement… Seulement manque de pot, il *(aller)* s'asseoir ailleurs dans une rangée où il *(laisser)* son manteau. Je *(ne pas oser)* le rejoindre, ça se serait trop remarqué.

La troisième fois, c'*(être)* euh… attends… c'*(être)* hier. Il *(se balader)* du côté de la mairie des Batignolles avec un filet à provisions. Certainement, il doit habiter mon quartier.

D'après François Truffaut, *L'amour à vingt ans*

189 **b) Si le narrateur est un homme et l'autre personnage une femme, modifiez les pronoms et faites les accords.**

Je l'ai revu<u>e</u> 3 fois cette semaine j'étais assis juste derrière *elle*… je n'ai pas pu *la* quitter des yeux.

190 **a) Lisez les commentaires du photographe Willy Ronis sur une de ses photos prises plus de trente ans auparavant.**

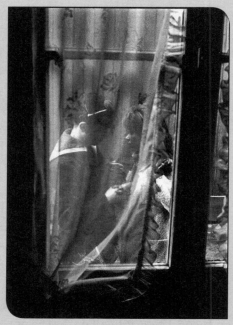

Ce jour-là, j'étais chez moi, dans ce pavillon que nous habitions dans le quatorzième arrondissement. Dans un passage entre la rue Lecourbe et le boulevard Garibaldi. J'étais au rez-de-chaussée à l'intérieur. C'est de là que j'ai fait cette photo. Mon atelier était au premier. C'était un passage très calme et de temps en temps, les gens s'arrêtaient pour bavarder. Je ne sais pas pourquoi exactement ce couple m'a frappé, peut-être parce que j'ai senti que c'était un moment suspendu que vivaient ces deux êtres. Je me suis mis à les regarder, ils ne pouvaient pas me voir puisque j'étais dans l'obscurité. Eux, en revanche, étaient bien éclairés dans le passage. Je me suis dit tiens, ils ne disent rien, ils se tiennent comme ça. Il y a sans doute quelque chose qui se passe. J'ai pensé que c'était la fin d'une permission, que le garçon allait quitter sa copine, ils étaient un peu tristes, mais en même temps ils savaient qu'ils s'aimaient,

Les Adieux du permissionnaire, 1963

ils se le montraient avec pudeur, en se regardant. Alors je l'ai appelée comme ça : *Les Adieux du permissionnaire.* Le garçon a déjà son béret de matelot, il allait probablement retourner à La Rochelle, c'est ce que je me suis dit ou dans une autre ville. L'époque est aussi inscrite dans la coiffure de la jeune fille. Leur rencontre devient très discrète grâce aux plis de mon rideau qui les cache légèrement. Mais enfin, on imagine… C'est toujours le même mécanisme, quelque chose me frappe et je me dis que ça mérite une image. Qui méritera peut-être de rester.

Willy Ronis, *Ce jour-là,* Folio, 2006

190 **b) À votre tour, choisissez une ou plusieurs photos et écrivez un commentaire.**

Quand cette photo a-t-elle été prise ?
À quelle occasion ?
Où ?
Par qui ?
Qui sont les personnages sur la photo ?
Pourquoi ?
Dans quel but ?

Ce jour-là…

Évaluation

191 Mettez les verbes à la forme qui convient.

1. Quand nous avons commencé à travailler, nous *(devoir)* nous occuper d'économie, sujet que nous *(ne pas connaître)*. Donc, nous *(étudier)* l'économie.

2. Quand j'ai commencé à travailler pour une organisation humanitaire, je *(ne pas parler)* anglais. Je *(devoir)* l'apprendre.

3. Du temps de mes grands-parents, c' *(être)* facile de trouver du travail. Il *(suffire)* de postuler.

4. Au début de ma vie professionnelle, je *(travailler)* 50 heures par semaine.

5. Quand j'ai commencé à travailler, je *(arrêter)* le sport.

6. Quand j'ai commencé à travailler comme prof, je *(avoir)* 22 ans. Ça *(ne pas être facile)* au début.

7. Dès qu'il a commencé à gagner un peu d'argent, il *(s'acheter)* un petit bateau.

8. Quand elle a commencé à travailler dans une maison de retraite comme aide-soignante, elle *(avoir)* une peur terrible de la mort. Puis, avec le temps, elle *(apprendre)* à être plus sereine.

192 Rédigez de courts textes sur l'enfance et la jeunesse de ces cinq acteurs à partir des données suivantes.

Omar Sy né en 1978
● Jeunesse : banlieue difficile près de Paris
● Mère : femme de ménage ● Père : ouvrier d'usine ● Brillant à l'école mais dirigé vers filière technique ● Puis rencontres et entrée dans le monde du cinéma

Jean Dujardin né en 1972
● Enfance et adolescence près de Paris dans les Hauts-de-Seine ● Famille unie ● Père entrepreneur ● Enfant rêveur ● Surnom à l'école « Jean de la lune » ● D'abord serrurier dans l'entreprise de son père

Guillaume Canet né en 1973
● Parents éleveurs de chevaux ● Jeunesse à la campagne ● Désir : devenir jockey ● Mais chute de cheval : rêve brisé ● Passionné par le théâtre ● Carrière d'acteur puis de réalisateur

Isabelle Huppert née en 1953
● Enfance : banlieue bourgeoise près de Paris ● Mère : pianiste et professeur d'anglais ● Père dirigeant d'entreprise ● Solide éducation artistique ● Rêve d'enfance : puéricultrice ou patineuse

Marion Cotillard née en 1975
● Fille de comédiens ● Enfance dans le monde du théâtre ● Rôles d'enfant ● Entrée dans le monde du cinéma fin des années 1990 ● Nombreux tournages ● Oscar meilleure actrice interprétation de la chanteuse française Édith Piaf film *La môme*.

● plus-que-parfait

ex 268 b)

193 **Lisez ce fait divers et soulignez les plus-que-parfaits.**

FAIT DIVERS

Une automobiliste qui roulait sur une petite route irlandaise a croisé un homme qui marchait pieds nus. Elle s'est arrêtée et l'a fait monter dans sa voiture. L'homme était maigre et portait une longue barbe sale et ne savait pas où il se trouvait. «Il était très bien élevé, il parlait bien, il était poli et lucide» a précisé l'automobiliste. Interrogé par la police, l'homme a expliqué ce qui lui était arrivé : trois hommes masqués et armés l'avaient kidnappé alors qu'il se trouvait dans le jardin de son manoir et l'avaient séquestré pendant trois semaines. Puis l'avant-veille, ils lui avaient bandé les yeux et l'avaient fait monter dans une voiture. Ils avaient roulé deux heures environ, puis l'avaient relâché sur une route.

---

194 **a) Observez les marques temporelles qui accompagnent le plus-que-parfait.**

Bonne surprise

Samedi dernier, mes amis m'ont fêté mes 30 ans.

Ils s'étaient concertés et s'étaient mis d'accord *une semaine avant.*

Ils étaient tous venus chez moi en mon absence *la veille,* ils avaient tout préparé ; ils avaient poussé les meubles contre les murs, ils avaient décoré la maison, ils avaient préparé un buffet froid.

Nous avons passé une excellente soirée et nous nous sommes couchés vers 3 heures.

Et, quand je me suis levé le lendemain matin vers 11 heures, ils étaient *déjà* tous revenus, ils avaient *déjà* tout nettoyé, ils avaient remis les meubles en place et ils m'avaient préparé un petit-déjeuner royal.

Mauvaise surprise

Nous sommes rentrés de vacances la semaine dernière.

Pendant notre absence, nous avions prêté notre maison à des amis d'amis.

Quand nous sommes revenus chez nous, ils étaient partis comme prévu *la veille de notre arrivée.* Mais ils avaient laissé les fenêtres de l'étage ouvertes en partant, ils avaient vidé ma cave et mon congélateur, ils ne s'étaient pas soucié d'arroser les plantes – qui étaient mortes – et ils n'avaient pas donné à manger au chat – qui était squelettique.

Et, quand je les ai appelés le surlendemain pour leur demander si leur séjour s'était bien passé, ils m'ont dit que la ville leur avait manqué et qu'ils s'étaient ennuyés à la campagne !

194 **b) Reconstituez les récits de la page précédente.**

Bonne surprise

Samedi dernier mes amis /me fêter/ mes 30 ans
- ils /se concerter et se mettre d'accord/ une semaine avant
- ils /venir chez moi/ la veille
- ils /tout préparer/
- ils /pousser/ les meubles
- ils /décorer/ la maison
- ils /préparer/ un buffet froid
- nous /passer une bonne soirée/ et nous /se coucher/ vers 3 heures du matin

et quand
- je /se lever/ le lendemain vers 11 heures,
- ils /tous revenir/ déjà
- ils /tout nettoyer/ déjà
- ils /remettre/ les meubles en place
- et ils /me préparer/ un petit-déjeuner royal

Mauvaise surprise

- Nous /rentrer de vacances/ la semaine dernière
- pendant notre voyage nous /prêter/ notre maison à des amis d'amis
- quand nous /revenir/ chez nous,
- ils /partir/ comme prévu la veille de notre arrivée

mais
- ils /laisser/ les fenêtres de l'étage ouvertes en partant
- ils /vider/ ma cave et mon congélateur
- ils /ne pas se soucier de/ d'arroser les plantes – qui /être/ mortes
- ils /ne pas donner à manger/ au chat – qui /être/ squelettique

et quand
- je le /appeler/ pour leur demander si tout /bien se passer/
- ils m'ont dit que la ville leur /manquer/ et qu'ils /s'ennuyer/ à la campagne

195 **Écoutez, répétez et écrivez de mémoire les phrases entières.**

Avant son élection,… *le candidat avait fait beaucoup de promesses. Mais il n'en a tenu que quelques-unes.*

1. Une heure après la fin de la pluie, la terre était déjà sèche alors que ....
2. Les gardes-chasses ont retrouvé ce matin les braconniers qui, ...
3. La police a arrêté samedi dernier tous les détenus qui ....
4. Deux témoins, qui, dans un premier temps, ...
5. Les mécaniciens connaissaient les problèmes que l'avion ....

196 Écoutez la première phrase et répondez. **54** Écoutez pour vérifier.

Écoutez – Aïe! Je me suis brûlé!
À vous! – Je t'*avais* bien *dit* que c'était très chaud!

1. Écoutez – Je suis amoureux.
À vous! – Je l'*(deviner)*.

2. Écoutez – Ton portable ne répondait pas et je t'ai appelé cinq fois sur ton fixe hier soir. Tu n'étais pas chez toi?
À vous! – Si, mais j'*(débrancher)* le téléphone.

3. Écoutez – Allô! les «Transports rapides»? M. Pic au téléphone. Vous ne m'avez pas livré hier.
À vous! – On s'est aperçu que vous *(ne pas nous donner)* votre adresse. J'allais vous appeler.

4. Écoutez – Comment s'est passé votre entretien d'embauche?
À vous! – Bien, je crois. Je vous remercie car vous m'*(bien préparer)*.

5. Écoutez – J'ai été déçu(e) que tu ne m'attendes pas à la gare hier soir.
À vous! – Mais je *(ne pas te promettre)* de venir te chercher!

6. Écoutez – C'est vrai que tu n'as pas pu rentrer chez toi cette nuit et que tu as dormi dans ta voiture?
À vous! – C'est vrai. J'*(perdre)* mes clés et il était trop tard pour appeler un serrurier.

7. Écoutez – Tu avais l'air fatigué hier et pas de très bonne humeur.
À vous! – J'*(très peu dormir)* la nuit d'avant, les voisins *(faire)* la fête toute la nuit.

8. Écoutez – On vous a attendu hier à la réunion!
À vous! – Oui, on me l'a dit, mais personne ne m'*(avertir)* qu'il y avait une réunion.

9. Écoutez – Zut! Il pleut et il y a du vent.
À vous! – La météo l'*(annoncer)* hier soir!

197 Complétez librement les phrases avec un verbe au plus-que-parfait.

1. Ah tu es encore là! Je pensais que tu ....

2. Tu n'as pas compris? Il me semblait que ....

3. Vous habitez toujours rue de la Poste? Ah bon! Je croyais que vous ....

4. Il est toujours célibataire? J'étais persuadé qu'il ....

5. Vous n'étiez pas au courant? Désolée! Je croyais qu'on ....

6. Le maire ne vous a pas présenté son premier adjoint? Ah! Excusez-moi, je pensais qu'il .
....

198 Expliquez pourquoi le voyage s'est bien passé.

Nous revenons d'un long trekking qui a duré plus de six mois. Il s'est très bien passé car
● acheter des cartes très détaillées → *nous avions acheté des cartes très détaillées.*

● lire plusieurs guides et consulter plusieurs sites → ....

● rencontrer des personnes ayant fait ce voyage → ....

● s'entraîner physiquement → ....

● emporter des médicaments, se faire vacciner → ....

● souscrire une assurance rapatriement → ....

199 Mettez les verbes à la forme qui convient puis imaginez une suite.

> Ils habitaient le même immeuble depuis plusieurs mois et ne s'étaient jamais rencontrés jusqu'au jour où…

…elle a laissé couler l'eau de son bain et a inondé l'appartement du dessous qu'il occupait. Il a téléphoné, elle est descendue constater les dégâts et elle n'est jamais remontée chez elle.

1. Ils *(vivre)* sous le même toit depuis cinq ans et *(ne jamais se disputer)*. Mais, un jour........
....

2. Ils *(s'écrire des mails)* tous les jours mais *(ne jamais se rencontrer)*. Un jour.......................
....

3. Elles *(prendre)* le même ascenseur tous les jours depuis une semaine, *(se sourire)* et *(se saluer)* de la tête mais *(ne jamais s'adresser la parole)* jusqu'au jour où..
....

4. Il *(rêver)* de voir la mer qu'il *(ne jamais voir)*. Un jour..
....

5. Ils *(être)* frères triplés, mais ils *(ne pas se connaître)* ; en effet leur mère les *(abandonner)* à la naissance et on les *(placer)* dans des familles d'accueil différentes dans des régions différentes ; ils *(ne jamais vivre ensemble)*, ils *(ne jamais se rencontrer)* et ne *(savoir)* pas qu'ils *(avoir)* des frères. Mais un jour...
....

Abel, Antoine et Jean

 ex 489   ex 363 et s.

8

200 a) **Lisez le texte, puis amplifiez-le : ajoutez des phrases à l'imparfait, au passé composé et/ou au plus-que-parfait.**

PLACE DU CHÂTELET, elle a voulu prendre le métro. C'était l'heure de pointe. Nous nous tenions serrés près des portières. À chaque station ceux qui descendaient nous poussaient sur le quai. Puis nous remontions dans la voiture avec de nouveaux passagers ; elle m'a dit en souriant que « personne ne pourrait nous retrouver dans cette foule ». À la station Gare du Nord nous avons traversé le hall de la gare et, dans la salle des consignes automatiques, elle a ouvert un casier et en a sorti une valise en cuir noir… La valise pesait assez lourd. Je me suis dit qu'elle contenait autre chose que des vêtements.

Patrick Modiano
Un cirque passe

P. **Modiano**, *Un cirque passe*, **Gallimard**

Place du Châtelet, *elle a changé d'avis*, elle a voulu prendre le métro. *Nous avons renvoyé le taxi.* C'était l'heure de pointe.

200 b) **Il manque des passages à ce récit. Imaginez les parties manquantes […].**

Il était sept heures du soir. Il faisait froid et il pleuvait. Il y avait peu de passants dans la rue. Un homme étrange habillé en noir rôdait autour du bâtiment. Il avait l'air mystérieux. […] Je parlais au concierge quand il est entré […]. Quelques minutes après, j'ai entendu un coup de fusil. Nous sommes montés au premier étage. La lampe éclairait mal. Le couloir était sombre. […] Nous ne savions que faire […].

201 **Représentez-vous les scènes et les personnages de ces récits. Imaginez ce qui s'est passé juste avant ou après la scène. Vous pouvez aussi insérer des conversations.**

1.
Elle s'est assise sur l'un des bancs de la station, à l'écart des autres qui se serraient au bord du quai en attendant la rame. Il n'y avait pas de place libre sur le banc, à côté d'elle, et je me tenais debout, en retrait, appuyée contre un distributeur automatique.

Patrick Modiano, *La petite Bijou*

2.
Deux flics en civil sont entrés pour un contrôle d'identité. Je n'avais pas de papiers et ils ont voulu savoir mon âge. J'ai préféré leur dire la vérité. Ils m'ont fait monter dans le panier à salade avec un grand type blond qui portait une veste en mouton retourné.

Patrick Modiano, *Dans le café de la jeunesse perdue*

3.
Un coup de sonnette. Puis deux. Puis trois. En bas, le chien a aboyé. Dannie était figée et d'une main serrait le rideau. Une voix d'homme : Il y a quelqu'un ? Il y a quelqu'un ? Vous m'entendez ? Une voix forte…

Patrick Modiano, *L'herbe des nuits*

4.
Il s'assit sur un banc et sorti le carnet d'adresses de sa poche. Il s'apprêtait à le déchirer et à en éparpiller les morceaux dans la corbeille de plastique vert à côté du banc mais il hésita.

Patrick Modiano, *Pour que tu ne te perdes pas dans le quartier*

passé simple

Ils se croisèrent
En *Angleterre*
Puis se quittèrent
   Ils se retrouvèrent
   À MADÈRE
   Et s'épousèrent
      Lorsqu'elle partit
      Pour **TAHITI**
      Il la suivit
         Quand elle s'en alla
         À **Cuba**
         Il la quitta
      Puis elle revint
      Un jour de juin
      Il la retint
   Elle repartit
   Un jour de pluie
   Il la maudit
Elle écrivit
De **Namibie**
Il la rejoignit
   À peine revue
   Elle disparut
   Il n'y crut plus
      Il repartit
      Tout amaigri
      Et dépérit
         Elle parcourut
         Honolulu
         Puis reparut
      Il l'ignora,
      Elle pleura
      Il tempêta
      Elle cajola.
   Elle sourit
   Il s'attendrit.
   Il exigea
   Elle accepta,
      Et à midi…
      Elle repartit.

MLC

Formation du passé simple

Le radical est le même pour toutes les personnes.
Les terminaisons sont les suivantes :

-ai, -as, -a, -âmes, -âtes, -èrent → tous les verbes en -er

	je	tu	il / elle	nous	vous	ils / elles
aller	allai	allas	alla	allâmes	allâtes	allèrent
placer	plaçai	plaças	plaça	plaçâmes	plaçâtes	placèrent
payer	payai	payas	paya	payâmes	payâtes	payèrent
appeler	appelai	appelas	appela	appelâmes	appelâtes	appelèrent
manger	mangeai	mangeas	mangea	mangeâmes	mangeâtes	mangèrent

-is, -is, -it, -îmes, -îtes, -irent → tous les verbes en -ir sauf venir, tenir, mourir, courir

partir	partis	partis	partit	partîmes	partîtes	partirent
ouvrir	ouvris	ouvris	ouvrit	ouvrîmes	ouvrîtes	ouvrirent

+ les verbes suivants et leurs composés

● faire ● voir, s'asseoir ● prendre, vendre, rendre, répondre… ● mettre, (se) battre ● suivre ● naître ● (re)joindre	je fis, je vis, je m'assis, je pris, je vendis, je rendis, je répondis, je mis, je (me) battis, je suivis, je naquis, je (re)joignis

-us, -us, -ut, -ûmes, -ûtes, -urent → tous les verbes en -oir(e) sauf voir, s'asseoir

avoir	eus	eus	eut	eûmes	eûtes	eurent
recevoir	reçus	reçus	reçut	reçûmes	reçûtes	reçurent
boire	bus	bus	but	bûmes	bûtes	burent
croire	crus	crus	crut	crûmes	crûtes	crurent

+ les verbes suivants et leurs composés

● être ● vivre ● connaître, paraître ● plaire, se taire ● lire ● mourir, courir.	je fus, je vécus, je connus, je parus, je plus, je me tus, je lus, je mourus, je courus

-ins, -ins, -int, -înmes, -întes, -inrent → venir, tenir et leurs composés

venir	vins	vins	vint	vînmes	vîntes	vinrent
tenir	tins	tins	tint	tînmes	tîntes	tinrent

8

202 Prenez connaissance des plaques commémoratives. Quels personnages et quels événements illustrent-elles ? Relevez les verbes au passé simple.

1.

ICI
LE 26 JANVIER 1947
FUT POSEE
LA PREMIERE PIERRE
DE LA
RECONSTRUCTION
DE SAINT-MALO

S.H.A.SM janv 1997

2.

LES GENS DE QUÉBEC SE SOUVIENNENT

ICI SÉJOURNA
EN 1942 DANS LA FAMILLE DE KONINCK

Antoine de
SAINT-EXUPÉRY
(1900-1944)
AUTEUR DU PETIT PRINCE

Québec

1999

3.

Honneur à la résistance française
et aux vaillants cheminots
qui par leur dévouement et leur courage
s'opposèrent victorieusement
à la dernière déportation des victimes
de l'oppression en août 1944.

Confédération Générale des Anciens Internés
Déportés, Victimes de l'oppression et du Racisme
Fédération Française de l'Union Internationale contre le Racisme

4.

AU 28 GRAND'RUE VECUT
JORGE LUIS BORGES
ECRIVAIN

BUENOS AIRES   GENEVE
1899   —   1986

"DE TOUTES LES VILLES DU MONDE,
DE TOUTES LES PATRIES INTIMES
QU'UN HOMME CHERCHE A MERITER
AU COURS DE SES VOYAGES,
GENEVE ME SEMBLE
LA PLUS PROPICE
AU BONHEUR."

Atlas

5.

ICI
LE
31 JUILLET 1914
JEAN JAURÈS
FUT
ASSASSINÉ

HOMMAGE DE LA LIGUE DES DROITS DE L'HOMME 1923

6.

PIERRE DE COUBERTIN
1863 - 1937
PEDAGOGUE - HISTORIEN - HUMANISTE
RENOVATEUR DES JEUX OLYMPIQUES
FONDATEUR DU C.I.O.
naquit et résida en ces lieux, où il établit en 1894
la première base permanente du
Comité International Olympique

203 **a) Lisez cette biographie d'Alfred Nobel. Soulignez les passés simples.**

> CE BÂTIMENT
> FUT LE LABORATOIRE
> D'ALFRED NOBEL
> DE 1879 À 1889
>
> lfred Nobel, chimiste et industriel suédois, naquit à Stockholm en 1833. Il étudia la chimie aux États-Unis et en France, puis se consacra à l'étude des explosifs. Entrepreneur de génie, il inventa la dynamite et passa sa vie à améliorer et développer ses inventions, pour le meilleur et pour le pire. Il parcourut le monde, vécut plusieurs années à Paris, puis quitta la France en 1890 et s'installa en Italie à San Remo où il mourut en 1896. Par testament, il légua son immense fortune pour la création du prix qui porte son nom.

203 **b) Rédigez une courte biographie d'un personnage réel ou imaginaire. Voici quelques verbes fréquemment utilisés dans les biographies.**

[i] naquit… fit des études… entreprit… écrivit… peignit… se rendit…

[y] vécut… eut… connut… reçut… parcourut… mourut… fut…

[a] étudia… commença… alla… voyagea… s'installa… travailla… inventa… composa… rencontra, épousa…

[ɛ̃] (re)vint… obtint… parvint…

204 **Transformez ces phrases oralement au passé composé.**

Nous fûmes déçus de ce que nous vîmes. → *Nous avons été déçus de ce que nous avons vu.*

1. On nous présenta et nous fîmes connaissance. **2.** Ils furent contraints de faire demi-tour car ils ne purent pas franchir le pont. **3.** Lorsqu'ils se virent, ils se regardèrent et se turent un long moment. **4.** Je pris ma valise et eus à peine le temps de grimper dans le train. **5.** Il mit longtemps à guérir. Il lui fallut beaucoup de patience. **6.** Quelqu'un fit un geste et ce geste fut le signal du départ. **7.** Elle revint et voulut parler mais elle ne put pas articuler un seul mot. **8.** Quand il dut signer, il refusa net. **9.** Ils se mirent à l'abri et attendirent. **10.** Ils lurent le contrat, l'acceptèrent et le signèrent.

55

205 **Lisez ce texte. Écoutez une version orale et répétez-la. Observez les différences.**

> J'étais monté sur le pont des Arts, désert à cette heure, pour regarder le fleuve […]. J'allais allumer une cigarette, la cigarette de la satisfaction, quand, au même moment, un rire éclata derrière moi. Surpris je fis une brusque volte-face : il n'y avait personne. J'allai jusqu'au garde-fou : aucune péniche, aucune barque. Je me retournai […] et, de nouveau, j'entendis le rire dans mon dos, un peu plus lointain comme s'il descendait le fleuve.
>
> **Albert Camus,** *La Chute*

● infinitif passé

206 Reformulez en utilisant un infinitif passé.

Présenter des excuses

● Je vous ai dérangée, excusez-moi → Excusez-moi de *vous avoir dérangée.*

1. Je me suis énervé, pardon. → Pardon de ....

2. Je vous ai fait attendre, désolée. → Je suis désolée de ....

3. Je ne vous ai pas reconnu, je suis confus. → Je suis confus de ....

4. Je n'ai pas répondu à ta lettre, excuse-moi. → Excuse-moi de ....

5. On ne vous a pas prévenus. C'est impardonnable. → Nous sommes impardonnables de ....

Remercier, féliciter

● Merci de votre confiance. → Merci de *nous avoir fait confiance.*

1. Je te remercie pour l'argent que tu m'as prêté. → Merci beaucoup de ....

2. Je vous remercie de votre intervention en ma faveur. → Je vous remercie d'........................

3. Bonne réaction! Bravo! → Bravo! Je vous félicite d'...

4. Merci encore de tes si bons conseils. → Encore merci de m'..

Exprimer des sentiments

● J'ai réussi! Je suis sur un petit nuage! → Je suis folle de joie d'*avoir réussi.*

1. J'ai fait sa connaissance avec un grand plaisir! → Je suis enchanté de ....

2. Je n'ai pas pu joindre Clara. Dommage! → Je suis déçue de ....

3. Je ne me suis pas trompé. C'est étonnant. → Je m'étonne de ....

4. Je suis venue! Aucun regret! → Je ne regrette pas de ....

5. Je me suis trompé d'heure et je suis arrivé trop tard. C'est trop bête! → Je suis furieux de ....

Exprimer la certitude, l'incertitude...

● Je vous ai déjà vue. J'en suis sûr. → Je suis sûr de *vous avoir déjà vue.*

1. Vous ai-je convaincu? J'en doute. → Je ne suis pas sûre de ....

2. Je me suis trompée, c'est certain. → Je suis convaincue de ....

3. J'ai compris, je crois. → Je crois ....

4. Je vous ai déjà rencontrée quelque part, il me semble. → Il me semble ....

207 Que peut à votre avis signifier ce proverbe?

On ne peut pas être et avoir été.

208 Écoutez et donnez la réplique. Utilisez un infinitif passé.

– Vous m'avez bien compris ?
– Oui, je crois *vous avoir bien compris.*

– Nous ne sommes pas déjà passés par là ?
– Si, il me semble… *être déjà passé par là.*

1. – Vous avez convaincu vos partenaires ?
  – Oui, je crois ………

2. – Vous avez participé à la discussion ?
  – Oui et je suis ravi ………

3. – Alors tes examens ? Tu as fini ?
  – Oui, je ne suis pas mécontente ………

4. – Tu m'as bien donné les billets d'avion ?
  – Oui, je suis sûr de ………

5. – Vos propos m'ont blessée.
  – Je suis sincèrement désolé de ………

6. – Tu n'as pas vu mes clés ?
  – Je ne sais pas où je les ai vues, mais je suis sûre de ………

7. – Vous ne vous seriez pas trompé de date ?
  – Je pense en effet ………

8. – Votre père a pris sa retraite très jeune !
  – Et oui… et je crois qu'il regrette déjà de ………

209 a) Écoutez la première phrase de chaque dialogue et répondez en utilisant l'infinitif passé.

– Vous n'étiez pas à la cérémonie ?
– Non et je regrette de *ne pas y être allée.*

– Vous n'avez pas été trop dur dans vos critiques ?
– Non j'espère, j'ai fait attention et je pense *n'avoir blessé personne.*

1. – Mais comment se fait-il que tu ne te sois pas endormi ?
  – En effet, je suis étonné de *(ne pas s'endormir)* comme à mon habitude.

2. – Tout le monde est prévenu ? Vous n'avez oublié personne ?
  – J'espère vraiment *(n'oublier personne).*

3. – Vous n'avez rien entendu ? Vous êtes sûr ?
  – Je suis sûr de *(ne rien entendre).*

4. – Quel dommage que tu n'aies pas accepté ce poste !
  – Oui, je regrette de *(ne pas l'accepter).*

5. – Vous n'êtes pas élue ? Vous êtes déçue ?
  – Si, je suis déçue de *(ne pas élire).* Bien sûr que je suis déçue !

6. – Vous auriez dû vous présenter au poste de directeur. Vous aviez de bonnes chances !
  – J'aurais dû oui ! Je regrette maintenant *(de ne pas s'y présenter).*

209 b) Insérez ces quatre phrases dans un texte de fait divers.

11. Discours rapporté

« On regrette d'avoir tout dépensé et de n'avoir pas mis d'argent de côté. »
→ *Un couple vient d'être expulsé de son logement pour loyer impayé alors qu'il y a dix ans ils avaient gagné 1 million d'euros au Loto. Pendant ces dix années, ils ont dépensé sans compter. « On regrette d'avoir tout dépensé et de n'avoir pas mis d'argent de côté », ont-ils confié à notre journaliste.*

1. Ludovic s'est étonné de ne pas être accueilli par sa chienne.
2. « Vous avez eu de la chance de ne pas vous être fait tirer dessus ».
3. « Il est mort sans avoir revu son pays natal. »
4. Pour avoir conduit en état d'ébriété, le chauffeur a dû payer une lourde amende.

Évaluation

210 Donnez trois suites différentes à ces débuts de phrase. Complétez avec le temps qui convient (passé composé, imparfait ou plus-que-parfait).

1. Quand nous avons pris notre décision,
a. *nous / beaucoup réfléchir*
b. *vous / ne pas être d'accord*
c. *nous / annoncer à la presse*

2. Quand elle a passé son dernier examen de licence,
a. *rendre copie blanche*
b. *penser / ne pas réussir*
c. *ne pas beaucoup réviser*

3. Quand il est parti en solitaire pour la traversée de l'Atlantique,
a. *amis / être sur le quai*
b. *faire son testament*
c. *verser une larme*

4. Quand le jury est entré dans le prétoire pour annoncer le verdict,
a. *salle pleine à craquer*
b. *président / demander silence*
c. *photographes / se masser déjà à l'extérieur*

211 Écrivez le texte ou lisez-le à voix haute avec les formes verbales qui conviennent.

C'*(être)* un 23 décembre.
Au salon, on *(dresser)* un sapin orné de guirlandes, de jouets et de friandises pour moi. On me le fit admirer, mais je ne *(voir)* rien : je *(dormir)* debout. La table *(être)* mise à la cuisine, tout *(être)* clair, chaud et brillant. J'avalai quelques cuillerées de potage, puis je tombai dans un sommeil profond. Quand je me réveillai, j'*(être)* couchée sur un petit divan arrangé en lit, dans la chambre de ma tante. La porte de la salle à manger *(demeurer)* ouverte et je *(voir)* les quatre femmes assises près du feu ; il *(devoir)* être très tard ; elles *(parler)* à voix basse d'abord, sans doute pour ne pas me réveiller, puis elles *(oublier)* ma présence et j'*(entendre)* chaque mot. Ma mère *(raconter)* comment mon père *(s'enfuir)* avec une maîtresse. Ses paroles *(être)* entrecoupées de larmes, de soupirs, d'imprécations.

Irène Nemirovsky, *Les vierges*, Folio

212 Complétez avec un infinitif passé.

1. – Vous avez noté mon numéro de téléphone ?
– Oui, je pense ....

2. – Cher ami, vous nous avez fait attendre.
– Je suis désolé de ....

3. – Tu as refusé de partir ?
– Oui, mais je ne regrette pas de ....

4. – Je suis désolé, j'ai oublié de vous prévenir.
– À l'avenir, nous souhaiterions ....

5. – Tu t'es mis en colère un peu vite hier soir !
– C'est vrai, je suis ridicule ....

6. – Je vous ai déjà raconté cette histoire, non ?
– En effet il me semble ....

213 **a) Un cinéaste français, Louis Malle, raconte à une journaliste, en 1988, le voyage qu'il a préféré.**

Le plus beau voyage de ma vie est sûrement celui que j'ai fait avec mes deux complices et amis, Jean-Claude Laureux, l'ingénieur du son que j'ai retrouvé sur *Au revoir les enfants,* et l'opérateur Étienne Becker. C'était en 1968, nous filmions… Deux mois d'errance dans l'Inde du Sud. Nous nous sommes littéralement perdus. Ce fut plus qu'un voyage dans l'espace et le temps. Ce fut l'abandon de notre culture, de nos certitudes dans un pays de poètes et de légendes, Bangalore, Madras, le Kerala. […]

Nous ne savions jamais où nous allions dormir, on glissait, on perdait pied. Nous avions une lettre d'introduction du minis-tère de l'Information et nous étions la plupart du temps hébergés dans des bungalows appartenant à des fonctionnaires itinérants, inspecteurs des forêts, percepteurs…

Sur notre route, nous rencontrions tous les cinq kilomètres des temples gigantesques et nous ne prenions plus la peine de nous rechausser entre chaque visite. Je me souviens de cette lumière fantastique qui baignait Trivandrum, la capitale du Kerala, du sentiment que nous éprouvions d'avoir atteint un but essentiel.

213 **b) Imaginez à votre tour un autre voyage en conservant la structure du texte de Louis Malle.**

- Le plus beau voyage de ma vie est sûrement celui que j'ai fait …………
- C'était en ………… dans / en / au …………
- Ce fut …………
- Nous ………… nous ………… nous ………… nous …………
- Je me souviens / Je me souviendrai toujours …………

Chapitre 9

Le futur et le conditionnel

Formes

	Futur		**Futur antérieur**	
je	viendrai	aurai pu	serai venu(e)	me serai préparé(e)
tu	viendras	auras pu	seras venu(e)	te seras préparé(e)
il / elle	viendra	aura pu	sera venu(e)	se sera préparé(e)
nous	viendrons	aurons pu	serons venu(e)s	nous serons préparé(e)s
vous	viendrez	aurez pu	serez venu(e)s	vous serez préparé(e)(s)
ils / elles	viendront	auront pu	seront venu(e)s	se seront préparé(e)s

	Conditionnel		**Conditionnel passé**	
je	voudrais	aurais pu	serais venu(e)	me serais trompé(e)
tu	voudrais	aurais pu	serais venu(e)	te serais trompé(e)
il / elle	voudrait	aurait pu	serait venu(e)	se serait trompé(e)
nous	voudrions	aurions pu	serions venu(e)s	nous serions trompé(e)s
vous	voudriez	auriez pu	seriez venu(e)s	vous seriez trompé(e)(s)
ils / elles	voudraient	auraient pu	seraient venu(e)s	se seraient trompé(e)s

Rappel : futur proche = aller + infinitif : je vais partir, tu vas partir, il va partir…

Emploi

Le futur simple* est utilisé pour :

- évoquer ce qui est à venir
- annonce, information : *Je ne viendrai pas.*
- prédiction : *Un jour, vous serez célèbre* !
- prévision : *Il fera beau toute la semaine.*
- promesse, engagement : *Je te rendrai ton livre la semaine prochaine.*
- ordre : *Vous ferez cet exercice pour demain.*

Le futur antérieur est utilisé pour :

- évoquer une action future, antérieure
- à un autre moment du futur :
Dans trois heures, on n'aura pas encore atterri.
Vous aurez fini, demain ?
- à une autre action / fait / état du futur :
Quand vous arriverez, je serai déjà partie.

*Le futur proche remplace de plus en plus souvent ce futur dans le français courant.

Le conditionnel présent est utilisé pour :

- faire des demandes polies ou atténuer un ordre
Je veux vous parler. → *Je voudrais vous parler.*
Taisez-vous ! → *Vous pourriez vous taire ?*
- présenter des faits à venir comme incertains, non confirmés.
Selon les rumeurs, le Premier ministre voudrait donner sa démission.
- exprimer un souhait, un désir, un conseil
J'aimerais bien faire le tour du monde. Ça me plairait beaucoup.

Le conditionnel passé est utilisé pour :

- exprimer poliment une demande, pour atténuer une question
Vous auriez vu un petit chat gris ?
Vous ne vous seriez pas trompé ?
- présenter des faits comme passés mais incertains, non confirmés
Le Premier ministre aurait donné sa démission. Cela reste à confirmer.
- exprimer un regret ou un reproche
J'aurais bien aimé faire le tour du monde. Ça m'aurait plu, mais je n'ai pas pu.

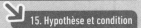 15. Hypothèse et condition

9

214 Lisez ces extraits de chansons à voix haute. Écoutez-les si vous pouvez.
Quelle est votre préférée ?

Ah, tu verras, tu verras
Tout recommencera, tu verras, tu verras
L'amour c'est fait pour ça, tu verras, tu verras…

Tu verras, tu verras, **Claude Nougaro**

J'aurais voulu être un acteur
Pour tous les jours changer de peau
Et pouvoir me trouver beau
Sur un grand écran en couleurs…

Le Blues du businessman, **Charles Dubois**

Tu devrais venir voir
Comme depuis ton départ
J'ai fini par changer
Tu pourrais vivre à mes côtés
Tu devrais venir voir…

Venir voir, **Emmanuel Moire**

Alors il me vient une idée :
Si l'on partait comme deux vieux fous,
Comme deux vieux fous.
On habiterait à l'hôtel.
On prendrait le café au lit.
On choisirait un p'tit hôtel
Dans un joli coin du midi…

Les vieux mariés, **Michel Sardou**

On aurait pu se dire tout ça
Ailleurs qu'au café d'en bas
Que t'allais p'têtre partir
Et p'têtre même pas revenir…

J'te l'dis quand même, **Patrick Bruel**

Demain je chanterai
Je chanterai pour toi
Parce que tu m'auras fait heureux
Je chanterai, je chanterai pour moi
Parce que je t'aurai faite belle
Pour nous deux, pour le ciel
Je chanterai…

Demain je chanterai, **Claude Nougaro**

9

Tous les temps du tableau sont-ils présents dans ces chansons ?

◾ futur

215 En l'an 2000, des journalistes se sont projetés à la fin du XXIᵉ siècle et ont fait les prédictions suivantes. Qu'en pensez-vous ? Que rajouteriez-vous aujourd'hui ?

AUTOMOBILE

Équipée d'un ordinateur qui sera un fidèle copilote, votre voiture roulera presque toute seule. Il vous indiquera la meilleure route à suivre en fonction des critères choisis au départ. En cas de somnolence au volant, une alarme vous rappellera à l'ordre.

INFORMATIQUE ET DOMOTIQUE

Des robots surveilleront les enfants et géreront la maison. Ils parleront, entendront, verront et nous obéiront au doigt et à l'œil.

Roméo 2014

AVIATION

Les appareils offriront 800 places et voleront à 2 000 kilomètres à l'heure.

SANTÉ

Le corps humain deviendra réparable de la tête aux pieds. L'allongement de la vie humaine se poursuivra. La taille des enfants continuera à augmenter aussi. Grâce à une meilleure prévention, les caries disparaîtront et vous n'aurez plus à subir la roulette du dentiste.

CUISINE

Nos petits-enfants passeront encore moins de temps que nous devant les fourneaux et ils pourront dire à leur frigo : « Ce soir, je veux un pot-au-feu. »

MODE

Des tissus intelligents nous assureront confort et température constante.

216 Complétez au futur ou au conditionnel les verbes de cet extrait du discours visionnaire de Victor Hugo sur l'Europe, prononcé le 21 août 1849. Entraînez-vous à le dire à haute voix.

Un jour *viendra* où la guerre vous *(paraître)* aussi absurde et aussi impossible entre Paris et Londres, entre Petersburg et Berlin, entre Vienne et Turin qu'elle *(être)* impossible et *(paraître)* aujourd'hui absurde entre Rouen et Amiens.
Un jour *(venir)* où vous, France, vous Russie, vous Italie, vous Angleterre, vous Allemagne, vous toutes nations du continent, sans perdre vos qualités distinctes et votre glorieuse individualité, vous vous *(fondre)* étroitement dans une unité supérieure et vous *(constituer)* la fraternité européenne. [...] Un jour *(venir)* où les boulets et les bombes *(remplacer)* par les votes.

217 Quelles étaient les promesses du candidat lors de sa campagne ?
Retrouvez-les en lisant le bilan à mi-mandat et rédigez-les.

Les promesses d'un candidat à la présidentielle avant son élection.	Le bilan, après son élection, à mi-mandat.
→ *Nous n'augmenterons pas les impôts* → *Il n'y aura pas de hausse d'impôts.* → *Les impôts ne seront pas augmentés.*	*De nombreux contribuables ont vu malheureusement leurs impôts augmenter.*
1.	Les étrangers n'ont toujours pas le droit de vote aux élections municipales.
2.	Le nombre de chômeurs reste très élevé.
3.	Les directeurs de chaînes d'informations ne sont plus nommés par le Président.
4.	Des appels à projets ont été lancés afin de développer l'énergie hydrolienne.
5.	Le chef de l'État n'est pas intervenu pour donner des instructions aux magistrats.
6.	La parité homme / femme au gouvernement a été globalement respectée.

218 **a) Il manque un début aux phrases suivantes, que proposez-vous ?**

Vous ne sortirez pas d'ici tant que n'aurez pas dit ce que vous savez.
Elle rentrera dans son pays quand elle aura fini ses études.

ex 248

ex 365 et s.

1. Vous mangerez. dès que vous aurez choisi.
2. Ils dormiront quand ils auront fini d'emménager.
3. Vous finirez quand vous aurez rassemblé toutes les pièces du dossier.
4. Je demeurerai dans mon lit tant que l'orage ne se sera pas calmé.
5. Il marchera dès qu'il aura quitté l'hôpital.
6. Vous dormirez quand vous aurez pris votre traitement pendant huit jours.
7. Je ne boirai pas tant que la loi n'aura pas été votée.
8. Je resterai pas dès que je les aurai recopiées.
9. Je mourrai quand nous en aurons parlé.
10. Je deviendrai quand vous vous serez lavé les mains.

Malade

Je mourrai

218 **b) Relisez les phrases en variant la place des propositions.**

Tant que vous n'aurez pas dit ce que vous savez, *vous ne sortirez pas d'ici.*
Quand elle aura fini ses études, *elle rentrera dans son pays.*

NOUS PARLÉS
Nous
hello hello hello hello hello

9. Le futur et le conditionnel

◼ futur antérieur

219 **Lisez ces phrases à voix haute.**

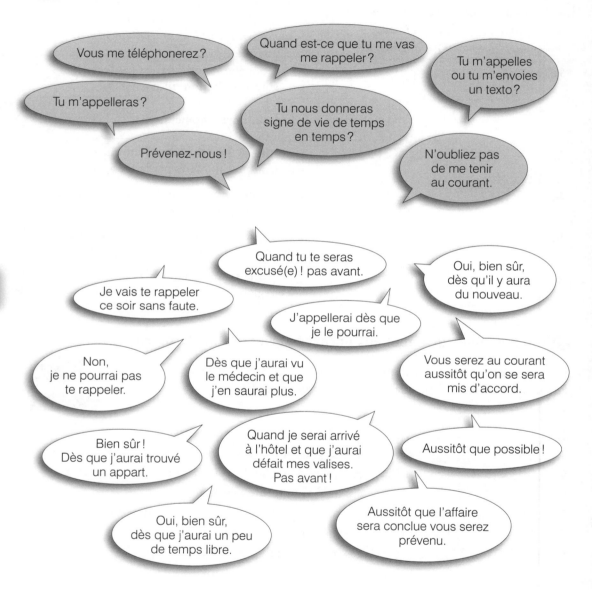

Vous me téléphonerez ?

Quand est-ce que tu me vas me rappeler ?

Tu m'appelles ou tu m'envoies un texto ?

Tu m'appelleras ?

Tu nous donneras signe de vie de temps en temps ?

Prévenez-nous !

N'oubliez pas de me tenir au courant.

Quand tu te seras excusé(e) ! pas avant.

Oui, bien sûr, dès qu'il y aura du nouveau.

Je vais te rappeler ce soir sans faute.

J'appellerai dès que je le pourrai.

Non, je ne pourrai pas te rappeler.

Dès que j'aurai vu le médecin et que j'en saurai plus.

Vous serez au courant aussitôt qu'on se sera mis d'accord.

Bien sûr ! Dès que j'aurai trouvé un appart.

Quand je serai arrivé à l'hôtel et que j'aurai défait mes valises. Pas avant !

Aussitôt que possible !

Oui, bien sûr, dès que j'aurai un peu de temps libre.

Aussitôt que l'affaire sera conclue vous serez prévenu.

Improvisez des dialogues à partir de ces phrases. Travaillez à deux.

— Tu m'appelles ou tu m'envoies un texto quand tu arrives ?
— Je t'appelle dès que je serai arrivé à l'hôtel et que j'aurai défait mes valises. Mais pas avant.

220 **Écoutez et répétez les phrases en léger différé et/ou prenez des notes et reformulez le programme annoncé par l'organisatrice.**

La grammaire des premiers temps B1-B2

221 Entraînez-vous. Mettez les verbes à la forme qui convient.

Je vous *(prévenir)* dès que nous *(se mettre d'accord)*. → Je vous *préviendrai* dès que *nous nous serons mis d'accord*.

1. Je vous *(mettre au courant)* dès qu'on me *(communiquer)* l'information.

2. Je *(prendre)* une décision dès que j'en *(parler)* à mes associés.

3. Nous vous *(communiquer)* notre décision dès que nous *(se décider)*.

4. Dès que nous *(s'expliquer)*, il n'y *(avoir)* plus de malentendu.

5. Quand vous *(avoir)* notre client au téléphone et qu'il vous *(donner)* une réponse définitive, vous me *(prévenir)* immédiatement.

6. Nous vous *(expédier)* la marchandise dès que nous *(recevoir)* votre paiement.

7. Dès que nous *(recevoir)* votre dossier, nous vous *(envoyer)* un accusé de réception.

222 Écoutez la première phrase et répondez. Écoutez pour vérifier.

Écoutez : –
À vous !
– Je te le *(passer)* dès que je *(finir)* de le lire.

– Tu pourras me prêter ce livre que tu trouves si bien ?
– Je te le passerai dès que j'aurai fini de le lire.

1. Écoutez : –
À vous ! – Quand j'*(terminer)* tous mes examens, pas avant.

2. Écoutez : –
À vous ! – Dès que nous l'*(recevoir)*, nous vous *(prévenir)* par courriel.

3. Écoutez : –
À vous ! – Dès que la direction *(donner son accord)*.

4. Écoutez : –
À vous ! – Bien sûr il va s'y habituer, quand il *(parler)* mieux et qu'il *(se faire)* des amis.

5. Écoutez : –
À vous ! – Non, pas tout de suite, on *(s'arrêter)* quand on *(trouver)* une solution.

6. Écoutez : –
À vous ! – Vous allez être soulagée dès que je vous *(arracher)* cette dent.

7. Écoutez : –
À vous ! – Quand la tempête *(être)* calmée, nous *(ne pas pouvoir)* atterrir avant.

8. Écoutez : –
À vous ! – Vous *(pouvoir)* passer à table quand vous *(se laver)* les mains.

223 Écoutez et complétez.

Pour une demande de visa de travail temporaire

Tu ne .... transmettre ta demande de visa qu'une fois que tu .... tous les champs, toutes les cases. Assure-toi que tes réponses te conviennent car, quand tu les ...., elles ne .... plus être modifiées. Ensuite, dès qu'ils .... ta demande, tu .... un accusé de réception.

■ conditionnel

 ex 269

224 **a)** Lisez à voix haute la bande dessinée. Observez les différentes formulations de la même question.

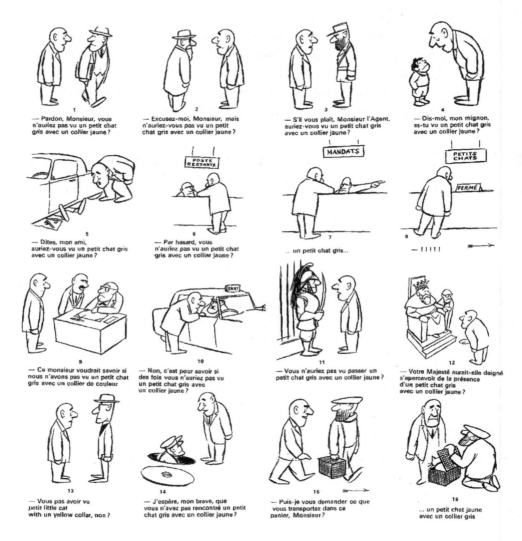

224 **b)** Passez d'une formulation à une autre en utilisant le conditionnel.

Vous n'avez pas vu un petit chat ? → *Vous n'auriez pas vu un petit chat ?*

1. Vous n'avez pas trouvé un portefeuille ? **2.** Vous n'avez pas vu passer un individu étrange ? **3.** Ce n'est pas toi qui as laissé la porte de la voiture ouverte ? **4.** Ce n'est pas vous qui avez oublié d'éteindre l'ordinateur ? **5.** Tu ne t'es pas trompé de clés ? Tu n'as pas pris les miennes ? **6.** Vous n'avez pas fait une erreur dans le calcul ? Vous ne vous êtes pas trompé ? **7.** Vous n'avez pas pris mon stylo par mégarde, je ne le retrouve plus ?

225 **a)** Formulez d'abord les phrases oralement avec un conditionnel présent puis écrivez le verbe.

Demande courtoise

(*pouvoir*)-vous m'aider, s'il vous plaît? → *Pourriez-vous m'aider, s'il vous plaît?*

1. Tu (*avoir*) 50 euros à me prêter? → ....
2. Vous (*avoir*) l'heure s'il vous plaît? → ....
3. Vous (*être*)-il possible de passer me chercher? → ....
4. Est-ce que quelqu'un (*savoir*) où a lieu la réunion? → ....
5. Qui (*être*) assez aimable pour me raccompagner? → ....
6. (*accepter*)-vous que j'enregistre votre cours? → ....
7. Ça te (*déranger*) si on changeait de place? → ....
8. (*avoir*)-vous la gentillesse de fermer la fenêtre? → ....

Ordre atténué

1. (*vouloir*)-vous vous taire! → ....
2. Est-ce que tu (*pouvoir*) me répondre quand je te parle! → ....
3. Ça te (*ennuyer*) de retirer tes pieds de la table? → ....
4. Vous (*être*) bien aimable de faire un peu moins de bruit! → ....

Conseil

1. Tu (*devoir*) faire un sport d'équipe. → ....
2. Vous (*ne pas devoir*) vous coucher aussi tard. → ....
3. Il (*valoir*) mieux prendre l'auto route! Cela va plus vite! → ....
4. Tu (*faire*) mieux de changer de travail! → ....

Suggestion, proposition

1. Nous (*pouvoir*) peut-être nous revoir? → ....
2. Ça te (*plaire*) que je t'emmène à Venise? → ....
3. Vous (*ne pas avoir envie de*) jouer aux cartes? → ....
4. On (*pouvoir*) se dire «tu»? → ....
5. On ne (*aller*) pas marcher un peu? Ça nous (*faire*) du bien! → ....
6. On ne lui (*faire*) pas une surprise pour son anniversaire? → ....

225 **b)** Improvisez de courts dialogues à partir de ces phrases.

● – *Pourriez-vous m'aider, s'il vous plaît?*
   – *Bien volontiers? En quoi puis-je vous aider?*

● – *Tu pourrais m'aider, s'il te plaît?*
   – *Excusez-moi mais on m'attend et je suis déjà en retard.*
   – *Ça ne fait rien, je vais me débrouiller.*

> Un conseil, une suggestion peuvent être aussi formulés avec «si + imparfait»: *Si tu faisais un sport d'équipe, ... Si tu te couchais un peu plus tôt... Si on se tutoyait...*

226 **a) Lisez les questions. Échangez entre vous.**

1 Vous aimeriez être immortel ?

2 Vous trouveriez plus commode de marcher à quatre pattes ?

3 Ça vous plairait d'avoir beaucoup de gens à votre service ?

4 Ça vous tenterait d'avoir quelques années de plus ou de moins ?

5 Vous aimeriez vivre quelque temps dans un monastère ? Combien de temps ?

6 Ça vous intéresserait de suivre le tournage d'un film ?

7 Ça vous tenterait de pouvoir vous passer de dormir ou de manger ?

8 Vous aimeriez être polyglotte ?

9 Vous seriez tenté par la traversée de l'Atlantique à la voile en solitaire ?

10 Ça vous plairait d'être surdoué ?

11 Ça vous dirait de devenir célèbre ?

12 Aimeriez-vous n'avoir aucune contrainte ?

13 Ça vous conviendrait de ne pas être obligé de gagner votre vie ?

14 Vous aimeriez aller au paradis ?

15 Ça vous plairait d'être un élément de la nature ?

16 Vous accepteriez de participer à un voyage expérimental dans l'espace ?

17 Vous aimeriez être ailleurs en ce moment ? Où ?

ex 135

226 **b) Écoutez des réponses à ces questions :** (**62**) **interview 1** (**63**) **interview 2.**
Certaines de ces réponses auraient-elles pu être les vôtres ?

> **Souvenez-vous
> de ces formulations.**
>
> - Vous aimeriez… ?
> - Vous voudriez… ?
> - Vous souhaiteriez… ?
> - Vous accepteriez de … ?
> - Vous seriez d'accord pour… ?
> - Vous auriez envie de… ?
> - Vous trouveriez intéressant de ?
> - Ça vous amuserait de… ?
> - Ça vous conviendrait de… ?
> - Ça vous ferait plaisir de… ?
> - Ça vous intéresserait de… ?
> - Ça vous plairait de… ?
> - Ça vous tenterait de… ?
> - Ça vous dirait de… ?

227 **a) Lisez ces annonces. Soulignez les conditionnels passés.**

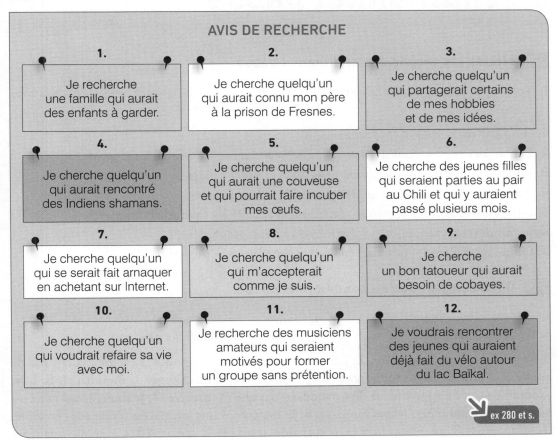

AVIS DE RECHERCHE

1.
Je recherche
une famille qui aurait
des enfants à garder.

2.
Je cherche quelqu'un
qui aurait connu mon père
à la prison de Fresnes.

3.
Je cherche quelqu'un
qui partagerait certains
de mes hobbies
et de mes idées.

4.
Je cherche quelqu'un
qui aurait rencontré
des Indiens shamans.

5.
Je cherche quelqu'un
qui aurait une couveuse
et qui pourrait faire incuber
mes œufs.

6.
Je cherche des jeunes filles
qui seraient parties au pair
au Chili et qui y auraient
passé plusieurs mois.

7.
Je cherche quelqu'un
qui se serait fait arnaquer
en achetant sur Internet.

8.
Je cherche quelqu'un
qui m'accepterait
comme je suis.

9.
Je cherche
un bon tatoueur qui aurait
besoin de cobayes.

10.
Je cherche quelqu'un
qui voudrait refaire sa vie
avec moi.

11.
Je recherche des musiciens
amateurs qui seraient
motivés pour former
un groupe sans prétention.

12.
Je voudrais rencontrer
des jeunes qui auraient
déjà fait du vélo autour
du lac Baïkal.

ex 280 et s.

227 **b) Proposez une suite à deux annonces. Comparez vos propositions.**

Je cherche une famille qui aurait des enfants à garder
et qui me paierait, bien sûr, pour le faire.
et qui n'aurait rien contre le fait qu'ils soient gardés par un garçon.
et qui n'aurait encore trouvé personne pour les garder.
et qui pourrait héberger une étudiante au pair.

Le conditionnel, dans ce type d'annonce, souligne l'éventualité. Comparez :
Je voudrais rencontrer une fille
● qui a le même âge que moi. (*Pour le locuteur, cette fille existe certainement*)
● qui aurait exactement le même âge que moi et les mêmes goûts. (*Pour le locuteur, l'existence d'une telle fille est plus aléatoire*)

9

9. Le futur et le conditionnel

143

◼ conditionnel passé

228 **Mettez les verbes au conditionnel passé.**

Je ne suis pas parti avec eux mais je *(aimer)* partir. → Je ne suis pas parti avec eux mais *j'aurais aimé* partir.

1. Il n'a pas réussi mais il *(pouvoir)* réussir.

2. Il a fait des études de droit mais ça le *(intéresser)* davantage de faire médecine.

3. Nous ne lui avons pas téléphoné mais nous *(devoir)* le faire.

4. Pourquoi ne pas avoir retenu des places. Il *(falloir)* réserver !

5. Elle a oublié notre rendez-vous. Je *(devoir)* l'appeler hier pour le lui rappeler.

6. Je suis devenu cuisiner mais je *(aimer)* être photographe.

7. On ne nous a pas invités mais ça nous *(faire plaisir)* d'être invités.

229 **Dites ces phrases au conditionnel passé.**

Je devrais lui téléphoner.   → *J'aurais dû lui téléphoner.*
Je ne devrais pas lui dire ça.   → *Je n'aurais pas dû lui dire ça.*

1. Je ferais mieux de me taire. **2.** J'aimerais bien être pompier. **3.** Ça ne me plairait pas de passer mes journées dans un bureau. **4.** Ça me serait égal de changer de nationalité. **5.** Il ne faudrait pas qu'il l'apprenne. **6.** Je ne voudrais pas que ça m'arrive. **7.** Je souhaiterais la revoir avant qu'elle (ne) reparte dans son pays. **8.** Je préférerais une autre date si cela était possible. **9.** Je ne pourrais pas répondre à cette question si on me la posait. **10.** Ça ne me ferait pas plaisir qu'on me traite ainsi.

230 **Ces phrases pourraient s'arrêter là. Elles peuvent aussi être explicitées. Prolongez-les librement.**

Leurs routes n'auraient pas dû se croiser *mais ils se sont rencontrés de façon rocambolesque mais le destin en a décidé autrement.*

1. Ça n'aurait pas dû arriver ....

2. Les élections auraient dû avoir lieu dans un mois, ...

3. Ce n'est pas ce film qui aurait ait dû remporter la palme d'or ....

4. Mon arrière-grand-mère aurait eu cent ans cette année ....

5. Je n'aurais pas dû regarder ce documentaire sur la guerre ....

6. Il aurait fallu que je sois folle pour accepter sa proposition ....

7. On aurait mieux fait de prendre le tram. ....

8. Il aurait fallu que tu me le dises plus tôt. ....

9. Tu aurais mieux fait de te taire ....

231 **a) Écoutez et écrivez.**

Une avocate à son client :
« Vous n'auriez pas dû insulter les policiers. »

1. Un médecin à son patient :

....

2. Une sœur à sa sœur :

....

3. Un inspecteur des impôts à un contribuable :

....

4. Des habitants à leur maire après une terrible inondation :

....

5. Un client au détective qu'il a embauché pour suivre quelqu'un :

....

6. Un entraîneur à ses joueurs après une défaite :

....

231 **b) Improvisez des dialogues à partir des phrases de ces six personnes.**

L'avocate : – Vous n'auriez pas dû insulter les policiers.
Le client : – *Oui, je sais, j'aurais pas dû mais j'avais un peu bu.*
L'avocate : – *Cela va aggraver votre cas.*

9

232 **Imaginez des reproches à des professionnels : architecte, chef d'orchestre, policier, professeur, chirurgien, cuisinier, lutteur sumo...**

Vous auriez dû Vous n'auriez pas dû Vous auriez mieux fait de	+ infinitif	Il aurait fallu Il n'aurait pas fallu Il aurait mieux valu N'aurait-il pas mieux valu	+ infinitif + que + subjonctif

ex 315 et s.

Reproches à un architecte :

Vous auriez dû prévoir une meilleure isolation phonique.
Il aurait fallu que vous teniez compte de nos attentes. Vous n'auriez pas dû nous imposer vos idées.
Vous auriez dû surveiller de plus près l'exécution de votre projet.

À partir des reproches que vous aurez imaginés, écrivez ou improvisez des dialogues.

233 **a) Soulignez les conditionnels dans ces textes. Pourquoi les journalistes utilisent-ils ces formes?**

46 000 ans

Un arbuste découvert sur l'île de Tasmanie serait la plus vieille plante vivante du monde. Ce spécimen unique de Lomatia Tasmanica qui vit dans le lit d'une rivière et fleurit rouge en été aurait, selon les spécialistes, 46 000 ans.

COCAÏNE INSECTICIDE

En vaporisant un nuage de cocaïne sur une culture, on éliminerait en deux jours tous les insectes qui envahissent la plante. Cette découverte pourrait relancer la culture du coca dans de nouvelles perspectives.

Origine des langues

Il y a cinq mille ans, nos ancêtres utilisaient peut-être tous le même langage. Telle est l'hypothèse d'un linguiste américain, Meritt Ruhlen (*L'origine des langues*, 1997). Selon lui, les cinq à six mille langues répertoriées dans le monde dériveraient d'un idiome préhistorique unique.

ZÈBRES

Selon une théorie récente, les rayures du zèbre seraient un moyen de se reconnaître entre eux. Chaque zèbre porterait des rayures permettant aux autres membres du troupeau de l'identifier.

Victimes civiles

Les mines antipersonnel auraient déjà blessé ou tué plus d'un million de civils dans le monde.

MYTHOLOGIE

Selon une légende, les perles seraient des gouttes de rosée ou de pluie gobées par des poissons qui les métamorphoseraient.

L'apparition de la vie sur terre

Si beaucoup d'efforts sont déployés actuellement pour tenter de découvrir une forme de vie sur d'autres planètes, les scientifiques continuent de mener l'enquête sur les origines de la vie sur notre Terre, avec une découverte qui remet en cause les théories actuellement adoptées. Une nouvelle étude publiée en 2013 par l'Université de Washington remet en cause la théorie selon laquelle la vie sur terre se serait développée il y a 2 milliards d'années. Selon les recherches menées, la vie serait ainsi apparue sur Terre 1,2 milliard d'années plus tôt encore.

UN TRÉSOR DE 2 000 PIÈCES D'OR

En explorant les fonds marins du port de Césarée, des plongeurs ont découvert par hasard un trésor constitué de quelque 2000 pièces d'or. Il semble que ces pièces, datant vraisemblablement d'un millier d'années, aient été frappées en Égypte et en Afrique du Nord, durant les règnes du calife Al-Hakim et de son fils entre 996 et 1036 de notre ère. Selon le communiqué publié par l'autorité nationale des antiquités d'Israël, cette découverte aurait été permise grâce aux récentes tempêtes qui ont remué les fonds marins.

233 **b) Cherchez dans la presse ou sur Internet des informations non confirmées et mettez-les en commun.**

> **Remarquez les formulations**: selon les spécialistes… selon une légende … Telle est l'hypothèse…, selon lui…, selon une théorie récente…

9

234 Lisez à haute voix ces deux extraits littéraires. Observez l'usage du conditionnel.

Le père de la petite Emma qui vient de naître se projette dans l'avenir et imagine. Cela se passe dans la campagne normande.

Il la voyait déjà revenant de l'école, à la tombée du jour, toute rieuse, avec sa brassière tachée d'encre, et portant au bras son panier ; puis il faudrait la mettre en pension, cela coûterait beaucoup ; comment faire ? Alors il réfléchissait […].
Ah ! qu'elle serait jolie plus tard, à quinze ans, quand, ressemblant à sa mère, elle porterait, comme elle, dans l'été, de grands chapeaux de paille. On les prendrait de loin pour les deux sœurs. Il se figurait travaillant le soir auprès d'eux, sous la lumière de la lampe ; elle lui broderait des pantoufles ; elle s'occuperait du ménage, elle emplirait toute la maison de sa gentillesse et de sa gaieté.

Gustave Flaubert, *Emma Bovary*, 1856

Berthe Morisot, *Le berceau*

Dans ce texte, Georges Perec rêve une enfance qu'il n'a pas eue.

Moi, j'aurais aimé aider ma mère à débarrasser la table de la cuisine après le dîner. Sur la table, il y aurait eu une toile cirée à petits carreaux bleus ; au-dessus il y aurait eu une suspension avec un abat-jour presque en forme d'assiette, en porcelaine blanche ou en tôle émaillée, et un système de poulies avec un contrepoids en forme de poire. Puis je serais allé chercher mon cartable, j'aurais sorti mon livre, mes cahiers et mon plumier de bois, je les aurais posés sur la table et j'aurais fait mes devoirs. C'est comme ça que ça se passait dans mes livres de classe.

Georges Perec, *W ou le souvenir d'enfance*, 1975

Pierre Bonnard, *L'enfant à la lampe*

Évaluation

235 **Mettez les verbes au futur ou au futur antérieur.**

1. Quand vous *(finir)*, vous *(venir)* me voir. **2.** Les enfants, quand vous *(descendre)* de l'arbre, vous *(aller)* faire vos devoirs. **3.** J'*(avoir)* l'esprit tranquille quand je *(se débarrasser)* du travail en retard. **4.** Vous *(recevoir)* un cadeau de bienvenue dès que vous *(s'abonner)* à notre revue. **5.** Tout *(se passer)* bien quand tu *(s'adapter)* à notre manière de vivre. **6.** Dès que le dernier conférencier *(arrêter)* de parler, nous *(sortir)* discrètement de la salle. **7.** La jeune fille au pair nous *(rejoindre)* dès qu'elle *(s'occuper)* des petits et qu'ils *(dormir)*. **8.** Dites fermement à votre chien de s'asseoir et chaque fois qu'il *(obéir)*, donnez-lui une récompense. **9.** Quand il *(se trouver)* un remplaçant, le chef des services secrets *(quitter)* ses fonctions. **10.** « Quand ils *(couper)* le dernier arbre, *(polluer)* la dernière rivière et *(manger)* le dernier poisson, ils *(s'apercevoir)* que l'argent ne se mange pas » **Sitting Bull, chef de tribu indienne.**

236 **Ces phrases présenteront une information non confirmée quand vous aurez mis le verbe au conditionnel.**

1. Un chanteur est mort hier soir sur la scène de l'Olympia. Il *(succomber)* à une crise cardiaque.

2. On a parlé d'abord de trente morts mais le bilan *(s'alourdir)*. Il y *(avoir)* plus de cent morts.

3. Sur la planète, il *(exister)* encore à découvrir plus d'un million d'espèces.

4. Une Maison des Jeunes a entièrement brûlé hier pendant la nuit. L'incendie *(être)* d'origine criminelle.

5. Selon des sources diplomatiques, un accord *(intervenir)* entre les deux pays en guerre.

6. On craint de nouveau dans le Pacifique un cyclone qui *(dévaster)* tout sur son passage.

237 **Complétez avec les verbes proposés au conditionnel présent ou passé.**

1. *(ne pas devoir rouler)*
Avant l'accident – Attention ! Tu roules trop vite ! ....
Après l'accident – Tu roulais trop vite, ...

2. *(ne pas devoir boire)*
Au début de la fête – Il boit trop, ce n'est pas raisonnable, il ....
À la fin de la fête – Il a beaucoup trop bu, il ....

3. *(faire mieux d'aller à la pêche)*
Avant une réunion – Une réunion de plus qui ne servira à rien, nous ....
Après la réunion – Encore une réunion inutile ; nous ....

4. *(falloir réserver)*
L'avant-veille d'un concert – Il n'y a peut-être plus beaucoup de place, il ....
Le jour du concert – Il n'y a plus aucune place, il ....

Chapitre 10

L'actif et le passif

Voix active ? Voix passive ?

Un même fait peut s'exprimer à la voix active ou à la voix passive selon que l'on veut mettre au premier plan :
– l'auteur, le responsable d'une action, d'un fait : *Le jury du festival de Cannes 2013 a remis la Palme d'or à un jeune cinéaste canadien.*
– l'objet d'une action, d'un fait. *La palme d'or a été remise à un jeune cinéaste canadien par le jury du festival de Cannes 2013.*

La voix passive permet de ne pas mentionner l'auteur :
● *Le projet de loi sera débattu à l'Assemblée nationale. (par les députés, bien sûr)* ● *Les résultats vont être affichés dans une heure. (peu importe par qui !)* ● *Mon appartement a été fouillé. (identité des fouilleurs inconnue, tue ou non mentionnée)*

Les constructions de la voix passive

❶ Formes verbales passives : le complément direct de la forme active devient le sujet grammatical de la forme passive. L'auteur, le responsable de l'action, du fait est introduit par « par »
Un voleur a abattu un bijoutier. →← *Un bijoutier a été abattu (par un voleur).*
Le vent a chassé les nuages. →← *Les nuages ont été chassés par le vent.*

❷ Constructions pronominales à valeur passive
– Sujets généralement non animés/non humains
● *Ces vins se boivent jeunes.* ● *Son livre se vendra bien.* ● *Ton point de vue se comprend.*
– Sujets généralement animés/humains : se faire, se laisser, se voir, + infinitif
● *Le chauffard s'est fait arrêter (par un motard.)* ● *Ils se sont laissé séduire (par un escroc habile, par la publicité).* ● *Un groupe de jeunes s'est vu refuser l'entrée du club (par les videurs/par la police).*

❸ Construction impersonnelle
● *Il a été décidé que le budget de l'armée serait augmenté.* ● *Il a été prouvé que ce médicament n'avait aucun effet secondaire.* ● *Il avait été dit et redit que l'entreprise ne licencierait pas. Hélas !*

Formes verbales passives

Infinitif présent	être informé(e) par	**Infinitif passé**	avoir été payé(e)par
Présent	je suis payé(e) par	**Passé composé**	j'ai été payé(e) par
Imparfait	j'étais payé(e) par	**Plus-que-parfait**	j'avais été payé(e) par
Futur	je serai payé(e) par	**Futur antérieur**	j'aurai été payé(e) par
Conditionnel présent	je serais payé(e) par	**Conditionnel passé**	j'aurais été payé(e) par
Subjonctif présent	je sois payé(e) par		
Participe/Gérondif	(en)étant payé(e) par	**Participe/Gérondif**	(en) ayant été payé(e) par

238 **a)** Lisez à voix haute en alternant les voix. Illustrez quelques phrases.

Aujourd'hui, dans une grande ville, quelque part dans le monde,

Une employée municipale a trouvé un nouveau-né dans un jardin public.

Un autre nouveau-né a été trouvé dans une église.

Un ministre a battu sa femme et un autre ministre a été battu par la sienne.

Une voiture de pompiers a été incendiée.

La fille d'un riche banquier a été enlevée.

Deux bébés sont nés dans un taxi.

Deux piétons ont glissé sur une feuille de salade.

Un lion, deux girafes et trois hippopotames se sont échappés d'un zoo.

Trois nouveaux bâtiments ont été inaugurés par le maire de la ville.

Quatre hommes masqués ont attaqué une banque.

Quelques personnes ont été agressées.

Douze enfants se sont perdus et onze ont été rapidement retrouvés.

Les quinze voitures d'un cortège officiel ont traversé la ville.

Vingt-deux personnes ont été interpellées par la police.

Une trentaine d'arbres ont été plantés et une centaine arrachés.

Des dizaines d'amoureux ont échangé des serments d'amours.

Une centaine de personnes ont voyagé en bus sans ticket.

Plusieurs centaines de sandwichs ont été vendus et mangés.

Des quantités de publicités ont été envoyées.

Des millions de mots ont été échangés.

Les jours précédents déjà,

Des centaines de personnes avaient voyagé sans ticket, plusieurs centaines
de sandwichs avaient été vendus, des quantités de publicités avaient été distribuées
et des millions de mots échangés et quelques-uns tagués sur les murs.

Et demain, comme aujourd'hui dans cette même ville,

Une armée de facteurs distribueront des quantités
de publicités dont la plupart seront jetées
par leurs destinataires et quelques-unes découpées
par des enfants.

Des milliers de gens prononceront des millions
de mots, dont de nombreux serments d'amour,
mais tous ne seront pas entendus.

238 **b)** Soulignez les constructions passives.

■ passé composé passif

239 **a) Échangez entre vous à partir des questions suivantes.**

Avez-vous déjà

1 été arrêté(e) ou interrogé(e) par la police?

2 été cambriolé(e) ou dévalisé(e)?

3 été chargé(e) d'affaires importantes ou de missions délicates?

4 été confronté(e) à un échec?

5 été contacté(e) par des «chasseurs de têtes»?

6 été élu(e) délégué(e) de classe pendant votre scolarité?

7 été ému(e) aux larmes par la beauté d'une personne ou d'un paysage?

8 été exclu(e) momentanément d'un cours?

9 été félicité(e) pour quelque chose d'important?

10 été flashé(e) en voiture?

11 été hospitalisé(e) et opéré(e)?

12 été immatriculé(e) à la sécurité sociale française?

13 été inscrit(e) comme demandeur d'emploi?

14 été photographié(e) à votre insu?

15 été piqué(e) par des insectes ou mordu(e) par des animaux?

16 été renversé(e) ou heurté(e) par un véhicule?

17 été sévèrement puni(e) par vos parents ou vos professeurs?

18 été scandalisé(e) par quelque chose ou quelqu'un?

19 été sollicité(e) par des œuvres ou organismes humanitaires?

239 **b) Écoutez les réponses à ces questions.**

240 **Passez d'une formulation active à une formulation passive.**

On m'a convoqué et on m'a interrogé. → *J'ai été* convoqué et *j'ai été* interrogé.

1. Qui t'a prévenue? → Tu ....

2. Le public ne l'a pas applaudi. → Il ....

3. Tous ses amis l'ont félicitée. → Elle ....

4. On ne nous a pas bien renseignées. → Nous ....

5. On vous a cambriolés? → Vous ....

6. On m'a piraté le code de ma carte bleue. → Le code de ma carte ....

7. La banque ne les a pas remboursés. → Ils ....

8. On les a invitées à l'Élysée. → Elles ....

9. Le médecin a vacciné tous les enfants. → Tous les enfants ....

10. On a arrêté les voleurs. → Les voleurs ....

10

241 Écoutez les questions et répondez-y. Puis écoutez les dialogues en entier pour vérifier.

Exemple : – Vous avez les larmes aux yeux…
– Oui, je *(émouvoir)* par votre récit.
→ *J'ai été émue* par votre récit.

1. – Du champagne ! Qu'est-ce qu'on fête ?
– Je *(promouvoir)* à un poste plus important !

2. – Tu es sûr que personne ne t'a suivi jusqu'ici ?
– Sûr et certain ! Je *(ne pas suivre)* par personne.

3. – Vos adversaires ont gagné haut la main ?
– Eh oui ! Malheureusement nous *(battre)* sévèrement.

4. – Les actionnaires ont accepté la proposition du Conseil d'administration ?
– Oui, ils *(convaincre)* par les arguments avancés.

5. – Les détenus ont accepté de réintégrer leurs cellules ?
– Ils y *(contraindre)*.

6. – Le dernier prix Goncourt a du succès à l'étranger ?
– Beaucoup de succès. Il *(traduire)* déjà en plusieurs langues.

7. – Qu'est-ce que c'est que cette blessure ?
– Je *(mordre)* par un chien.

8. – Bravo pour votre élection !
– Merci, ça n'a pas été facile, je *(élire)* de justesse.

9. – Tu arrives bien tard !
– Désolée, je *(retenir)*.

10. – Les secours sont arrivés rapidement ?
– Oui, nous *(secourir)* très vite !

11. – Alors ce nouveau restaurant ?
– Tous les convives *(conquérir)* par la qualité de la cuisine et la chaleur de l'accueil.

12. – Vous avez vérifié le niveau d'huile et la pression des pneus ?
– Tout *(vérifier)*. Vous pouvez partir tranquille.

10

242 Formulez des questions avec inversion du sujet, et répondez-y.

Rétablissement des Jeux olympiques
● par P. de Coubertin
● en 1896
Par qui et en quelle année les Jeux olympiques ont-ils été rétablis ?

1. Fondation de l'Académie française ?
● sous Louis XIII
● en 1635
● pour contrôler et normaliser la langue française.

2. Fondation de la Croix-Rouge en 1864 ?
● grâce à Henri Dunant, banquier suisse
● pour faciliter les soins aux blessés sur les champs de bataille.

3. Construction du canal de Suez ?
● à la fin du XIXᵉ siècle
● pour faciliter les échanges maritimes entre l'Europe et l'Asie.

4. Création de l'Organisation des Nations unies ?
● après la Seconde Guerre mondiale
● pour préserver la paix dans le monde.

5. Création de la Communauté européenne ?
● en 1957
● par 6 pays
● pour développer les échanges économiques entre pays.

ex 432

● plus-que-parfait passif

243 **a)** Lisez ces faits divers. Soulignez les plus-que-parfaits passifs et encadrez les passé composés passifs.

Évasion en direct

Un cameraman danois qui avait été averti d'une évasion par un coup de téléphone anonyme s'est rendu à l'adresse indiquée, une prison de Copenhague. En direct, devant l'objectif de sa caméra, un bulldozer a démoli le mur d'enceinte de la prison, permettant à douze dangereux détenus de s'évader. Le cameraman imprudent a été inculpé de complicité d'évasion.

Disparition

Un enfant de 12 ans qui avait disparu du domicile familial depuis six jours a été retrouvé à Disneyland. Il avait «emprunté» une somme coquette dans la caisse de ses parents et avait réservé une chambre à Disneyland pour dix jours. Son trésor avait déjà été bien entamé lorsqu'il a été retrouvé. L'histoire ne dit pas comment le fugitif a été accueilli à son retour.

243 **b)** Mettez les verbes à la forme qui convient : active ou passive.

Sauvetage réussi

Hier à midi, trois spéléologues grenoblois qui *(perdre)* leur carte topographique et *(s'égarer)* la veille dans un réseau de 52 kilomètres de galeries souterraines, *(retrouver)* sains et saufs par les sauveteurs.

La police britannique a la dent dure

Une dentiste britannique qui *(surprendre)* en train de se brosser les dents alors qu'elle *(rouler)* à plus de 110 km/heure *(condamner)* à payer une amende de 500 livres.

Une tortue géante s'échoue en Bretagne

Une tortue géante de 250 kg et de 2 mètres de long *(retrouver)* morte dimanche sur une plage bretonne. Elle *(s'échouer)* la veille sur une plage voisine, mais *(ne pas remettre)* à l'eau.

244 Utilisez le plus-que-parfait et le passé composé passif.

Résultats annoncés, puis confirmés → Les résultats qui *avaient été annoncés officieusement, ont été confirmés officiellement.*

1. Mesures décidées mais jamais appliquées **2.** Consignes de vote données et suivies par les militants. **3.** Matériel commandé et livré en temps voulu **4.** Voiture légèrement accidentée et réparée rapidement **5.** Bijoux volés jamais retrouvés **6.** Immeuble insalubre détruit mais jamais reconstruit **7.** Boîte de nuit fermée pour tapage nocturne, puis rouverte, puis fermée définitivement

■ futur et infinitif passé passif

245 Lisez le texte à haute voix et soulignez les formes passives.

> Madame,
> Voici le programme de votre séjour pour notre séminaire.
> À votre arrivée, vous <u>serez accueillie</u> à l'aéroport par un membre du département de fran-
> çais et <u>conduite</u> à votre hôtel. Vous êtes attendue le lendemain à 9 heures pour l'ouverture
> officielle du séminaire en présence du président de l'université. Cette ouverture sera suivie
> d'une conférence inaugurale. Les ateliers commenceront à 10 heures Un déjeuner sera
> servi à 13 heures à la cafétéria de l'université. À 18 heures, tous les participants se réuniront
> pour la séance de synthèse et le thème du prochain séminaire sera choisi. Le soir, tous les
> participants sont conviés à un spectacle de danse traditionnelle.
> Le lendemain matin, un chauffeur viendra vous chercher à votre hôtel et vous serez rac-
> compagnée à l'aéroport.
> Avec nos salutations les plus cordiales,
> La secrétaire du département de français

246 Passez d'une formulation active à une formulation passive.

On connaîtra les résultats dans un mois. → *Les résultats seront connus dans un mois.*

1. On fera ça. On finira le travail à temps. **2.** Quelqu'un vous préviendra. **3.** Nous vous
proposerons une solution. **4.** Nous vous dédommagerons. **5.** On vous livrera rapidement.
6. Personne n'ébruitera l'affaire. **7.** On gardera bien le secret. **8.** Ils publieront les résultats ce
soir. **9.** On respectera ses dernières volontés.

247 Utilisez le verbe « devoir » au futur suivi d'un infinitif passé passif.
Puis prononcez les quatre phrases à la suite.

Devoir / communiquer à la presse → Aucune information *ne devra être communiquée à la presse.*

1. Devoir / suivre à la lettre → Les ordres… **2.** Devoir / exécuter promptement → Ils…
3. Devoir / négliger → Aucune précaution… **4.** Devoir / mener rapidement → L'opération…
5. Devoir / laisser au hasard → Rien…

248 Transformez la partie en italique en utilisant « quand » ou « dès que ».

Le médicament sera mis en vente *après les tests.* → *quand il aura été testé.*

1. Nous reprendrons contact avec vous *après examen de votre candidature.* **2.** La loi entrera
en vigueur *après ratification par les différents États.* **3.** Vos papiers vous seront rendus *après
vérification.* **4.** Vous pourrez quitter les urgences de l'hôpital *après la pose de votre plâtre.*
5. Nous allons pouvoir goûter le beaujolais nouveau *après ouverture du tonneau.* **6.** Le nouvel
académicien donnera une interview *après l'annonce de sa nomination.*

◼ divers temps

249 Mettez les verbes au passif. N'oubliez pas d'accorder le participe passé au sujet.

Langage administratif

Le dépôt de votre dossier doit *(effectuer)* en ligne. → *être effectué*

1. Le renouvellement de votre carte de séjour *(accepter)*. Veuillez vous rendre à la préfecture.

2. Votre candidature *(examiner soigneusement)*. Nous vous contacterons dans les meilleurs délais.

3. Votre demande *(traiter)* dans les meilleurs délais.

4. Votre demande *(bien enregistrer)* par nos services. Vous recevrez une réponse par courrier dans les huit jours.

5. Votre demande de création de compte *(rejeter)*. Veuillez réessayer ultérieurement.

6. Votre demande pour le délai de paiement n'a pas pu *(satisfaire)*.

7. Votre demande de désabonnement *(bien prendre en compte)*. À partir de maintenant, vous ne recevrez plus de messages de notre part.

8. Votre demande de virement *(refuser)* par votre établissement bancaire.

9. Votre dossier *(transmettre)* au service concerné. Il est en cours de traitement.

10. Votre dossier qui était incomplet n'a pas pu *(enregistrer)*. Veuillez nous le renvoyer après l'avoir complété.

11. Votre identifiant et votre mot de passe vont vous *(envoyer)* par e-mail.

12. Votre formulaire ne peut pas *(valider)* : deux champs obligatoires *(ne pas remplir)*.

13. Votre plainte *(enregistrer)*. Elle *(traiter)* dans les plus brefs délais.

250 Écoutez chaque dialogue en entier (68,70). Puis prenez le rôle de l'employé dans le deuxième enregistrement (69,71).

Au téléphone

– Je voudrais savoir où en est la demande de carte de séjour de Madame Pasternak. C'est le dossier P2345.
À vous ! – ....

– Vous pensez que sa demande a des chances d'être satisfaite ?
À vous ! – ....

– Quand pensez-vous que son dossier pourrait être traité ?
À vous ! – ....
– Je vous remercie.

Dans une administration

– Je ne comprends pas. Mon dossier vient de m'être renvoyé.
À vous ! – ....

– Ah oui, en effet je vois, mais il m'a été renvoyé sans la moindre explication.
À vous ! – ....

– Bon. Je vais compléter le dossier sur place et je peux vous le laisser ?
À vous ! – ....

– D'accord, *(soupir)* je vais vous le renvoyer par courrier.
À vous ! – ....

251 **a)** Mettez les verbes à la forme qui convient.

La marchandise vous *(livrer)* dans les prochains jours, dès que nous-mêmes, nous *(livrer)*.

→ La marchandise vous *sera livrée* dans les prochains jours, dès que nous-mêmes, nous *aurons été livrés*.

1. De nombreuses villes qui *(détruire)* pendant la Seconde Guerre mondiale *(reconstruire)* dans les années qui ont suivi.

2. L'année prochaine, de nombreux vieux immeubles *(démolir)* pour *(remplacer)* par de nouveaux bâtiments.

3. Les passagers devront *(informer)* qu'aucun repas ne pourra *(servir)* dans le train.

4. Après *(séquestrer)* quelques heures par des ouvriers en grève, le directeur *(libérer)*.

5. Une tortue qui s'était prise dans un filet de pêche *(relâcher)* après *(soigner)*.

6. Ce candidat s'est beaucoup battu pour *(élire)*, mais il *(battre)* de peu par son adversaire.

7. Le résultat des recherches *(ne pas connaître)* avant plusieurs mois, car l'équipe de chercheurs *(retarder)* dans ses travaux.

8. Le détenu *(ne pas condamner)*, car aucune preuve de sa culpabilité n'a pu *(apporter)*.

9. La loi, qui *(soumettre)* aux députés la semaine prochaine, a de grandes chances *(voter)*.

10. La réunion de mercredi prochain devra peut-être *(reporter)*. Vous *(avertir)* par mail lundi au plus tard.

11. Dans les heures qui viennent, les otages libérés *(transférer)* aux autorités françaises. Ils *(accueillir)* demain à leur descente d'avion par le président de la République.

12. La plainte, qui *(déposer)* par un journaliste avant-hier, *(retirer)* hier.

251 **b) Insérez deux des phrases ci-dessus dans un texte plus long.**

Monsieur,
Nous sommes dans le regret de vous annoncer un léger retard dans la livraison de votre commande, mais, rassurez-vous, la marchandise vous sera livrée dans les prochains jours, dès que nous-mêmes, nous aurons été livrés.

Avec nos excuses renouvelées et nos sincères salutations.

252 **Écoutez l'enregistrement puis dites si les affirmations qui suivent correspondent à ce qu'a déclaré la ministre des Affaires sociales.**

● D'importantes économies en matière de santé ont été réalisées.
Commentaire : Ce n'est pas ce qu'a déclaré la ministre. Elle dit que d'importantes économies sont attendues dans un futur proche, mais il se peut que des économies aient déjà été réalisées.

● Les hôpitaux sont de mieux en mieux gérés.
● Trop de médecins intérimaires coûteux sont employés.
● Les soins ambulatoires devront être développés.
● Une opération sur deux est déjà pratiquée sans séjour à l'hôpital.
● La lutte contre la fraude va être intensifiée. 150 millions, dus à la fraude, ont été perdus pour l'État l'an dernier.

◗ passif, actif, nominalisations

253 Complétez avec les verbes à la forme active ou passive et les noms dérivés de ces verbes.

Inventer
Par qui a été inventée l'imprimerie ? Est-ce Gutenberg qui l'a inventée ? Dans plusieurs pays d'Europe on revendique la paternité de cette invention.

Découvrir
Un os de mammouth âgé d'environ 12 000 ans .... dans le lit d'un canal à Anvers. Cette .... exceptionnelle a été faite il y a deux mois, mais les scientifiques n'ont eu la certitude qu'il s'agissait d'un mammouth il n'y a que quelques jours.

Polluer
Une fois de plus, un pétrolier .... la côte française. Cette .... est la dernière d'une longue série qui ne prendra fin que lorsque les armateurs seront poursuivis et condamnés à de plus lourdes peines.

Utiliser
Dès leur apparition, les fèves de cacao .... par les habitants d'Amérique centrale comme monnaie d'échange et unité de calcul. Leur .... remonte à 1 000 ans av. J.-C.

Introduire
L'............ de la pomme de terre en Europe remonte au début du XVIᵉ siècle. Contrairement aux idées reçues, ce n'est pas Antoine Parmentier qui .... la pomme de terre en France, ce qui est vrai c'est qu'il en a fait la promotion.

Rénover
Si votre habitation doit .... mais se situe à proximité d'une zone classée «Monuments historiques», la .... est soumise à une autorisation préalable.

Interpeller
200 personnes .... pendant la nuit à Marseille dans le cadre d'une affaire de stupéfiants. Jamais la police n'avait procédé à autant de .... à la fois.

Vendre
Une capsule spatiale soviétique .... aux enchères à Bruxelles. C'est la première fois qu'une telle .... a eu lieu en Europe.

Acquitter
Le prévenu .... faute de preuve. Cet .... a provoqué de vives réactions dans l'auditoire.

Interdire
En raison de la sécheresse, le maire .... l'arrosage des pelouses. Le lavage des voitures .... déjà .... Ces .... ont été bien acceptées par les habitants.

Remarquez ce qui précède les nominalisations : cet, ces, cette, leur, une telle, autant de.

254 Trouvez une issue à ces faits divers en vous aidant des questions posées. Puis rédigez entièrement l'un d'entre eux.

Un Britannique a passé plus de vingt-quatre heures coincé sous son piano qui s'était écroulé…

A-t-il été secouru ou non? Par qui? Au bout de combien de temps? Était-il indemne ou blessé? A-t-il été hospitalisé?

Un cambrioleur qui s'était introduit dans un appartement situé au premier étage d'un petit immeuble du centre de Lyon, a été surpris par le retour inopiné du propriétaire.

Le propriétaire a-t-il eu peur? A-t-il été attaqué par le cambrioleur, dépouillé de son argent? Le voleur s'est-il enfui? S'est-il laissé attraper? A-t-il été blessé, tué?

Une vieille dame française a parcouru en voiture plusieurs dizaines de kilomètres à contresens sur l'autoroute.

S'en est-elle aperçue? Comment? A-t-elle été arrêtée par quelqu'un? A-t-elle provoqué des accidents?

255 Imaginez des titres courts, contenant des formes passives et actives et des nominalisations. Mettez-les en page.

Sport	Cinéma	Œuvres d'art	Monuments	Faits divers
Défaite	Critique	Acquisition	Achat	Attaques
Victoire	Doublage	Création	Conception	Blessures
Domination	Lancement	Découverte	Construction	Cambriolages
Exclusion	Montage	Vol	Démolition	Attentats
Félicitations	Projection	Exposition	Destruction	Disparition
Inauguration	Réalisation	Legs	Inauguration	Morsures
Interruption	Tournage	Rénovation	Rénovation	Pertes
Organisation	Remise des	Restauration	Subvention	Viols
Dopage	Oscars	Vente	Vente	Arrestation

73

256 Écoutez et dites si ces informations sont vraisemblables.
Proposez d'autres titres ou d'autres informations pour un 1er avril.

Cambriolage à l'Élysée !

Réduction d'impôts de 50 % pour les couples mariés depuis plus de vingt ans.

ex 365, 366, 433

■ verbes pronominaux et passif

74
257 Écoutez. Écrivez. Ces phrases sont-elles à votre avis vraies ou fausses ?

La confiance *ne s'achète pas.*
Les votes *ne s'achètent pas.*

Un commentaire : « *La confiance, c'est vrai ne s'achète pas mais malheureusement il arrive qu'ici ou là, dans certaines élections, les voix s'achètent.* »

1. Les relations d'amitié ....

2. Les langues étrangères..

3. Le champagne ....

4. Les œufs ....

5. L'Europe ....

6. L'arabe ....

7. Tout ....

8. Un bon polar ....

9. La salade ....

10. Les fourchettes ....

11. Les langues régionales ....

12. Les fruits et légumes ....

13. Le noir..

14. Le favoritisme ....

15. Le bus ....

16. En français, les sujets ....

17. Les huîtres et les escargots ....

18. Les cigarettes ....

19. Un trou noir ....

20. Il y a des mots ....

21. Une cornemuse ....

22. Les grandes douleurs ....

23. Un bon vin ....

À quelle phrase associeriez-vous ces images ?

Choisissez quelques phrases et proposez un montage illustré.

258 **Échangez entre vous. Racontez. Est-ce qu'il vous est arrivé :**

1 de vous faire cambrioler ?

2 de vous faire agresser dans la rue ou les transports en commun ?

3 de vous faire élire à une fonction de quelque importance ?

4 de vous faire inviter chez des gens que vous ne connaissez pas ?

5 de vous faire passer un savon* sans raison ?

6 de vous faire piquer par un insecte ou mordre par un animal ?

7 de vous faire suivre par des inconnus, par un détective ou par la police ?

8 de vous faire rouler* par un commerçant, par un escroc ?

9 de vous faire flasher pour excès de vitesse ?

10 de vous faire avaler votre carte de paiement ?

11 de vous faire opérer sous hypnose ?

12 de vous faire arracher des dents sans anesthésie ?

13 de vous faire prendre en faute

14 de vous faire piquer* votre portable,
votre portefeuille ou votre véhicule ?

15 de vous faire bizuter gentiment au lycée et/ou à l'université ?

16 de vous faire pirater votre compte bancaire ou votre boîte mail ?

17 de vous faire humilier ou ridiculiser devant témoins ?

18 de vous faire insulter dans la rue ?

19 de vous faire licencier ?

20 de vous faire refaire le nez ?

---

*Familier
Se faire passer un savon = *se faire réprimander*
Se faire rouler = *être trompé*
Se faire piquer qqch = *se faire voler qqch*

75

259 **Écoutez puis reconstituez le récit de mémoire.**

Nous ....

Ma femme ....

Bien sûr, on ....

Mais cela ....

C'est décidé, nous ....

Évaluation

260 **Mettez les verbes au passé composé passif.**

Travaux

L'immeuble *(rénover)* entièrement. Les façades *(repeindre)* et mieux *(isoler)*. Les fenêtres *(remplacer)* par de nouvelles fenêtres à double vitrage. Un digicode *(installer)* pour entrer dans l'immeuble. L'ascenseur *(mettre)* aux nouvelles normes de sécurité. Les caves *(débarrasser)* des vieux objets. Des fleurs *(planter)* pour décorer les abords de l'immeuble. Les habitants étaient satisfaits, mais ils se sont plaints de la durée des travaux, car ils *(déranger)* et par le bruit et la poussière pendant plus de six mois!

261 **Développez les phrases. Utilisez le plus-que-parfait, le passé composé et le futur.**

● porte enfoncée   ● provisoirement réparée   ● remplacée ultérieurement
La porte, qui avait été enfoncée, a été provisoirement réparée. Elle sera remplacée ultérieurement.

1. ● élève renvoyé ● pas encore réintégré ● probablement exclu définitivement
L'élève qui ....

2. ● idée lancée ● non retenue ● peut-être reprise
L'idée qui ....

3. ● conférence annoncée ● puis annulée ● sans doute maintenue
La conférence qui ....

4. ● candidats sélectionnés ● auditionnés ● avertis par courrier des résultats un peu plus tard.
Les candidats ....

262 **Rédigez de courtes informations à partir des éléments proposés.**

… a été recruté(e)… par… pour…
Un clown *a été recruté par* une banque britannique *pour* dérider son personnel.
Un professeur d'anglais *a été recruté par* la commune *pour* assurer des cours à l'école primaire.

1. … pourrait être interdit(e)…
2. … sera inauguré(e) … par … en présence de
3. … a été découvert(e)
4. … serait peut-être désigné(e)
5. … ont été détruit(e)s
6. … sera récompensé(e)
7. … qui s'étaient perdu(e)s … ont été retrouvé(e)s
8. … vient d'être annoncé(e)

Chapitre 11

Le discours rapporté

Les structures du discours rapporté

Rapporter	**Demander** si… ce que… ce qui… quel… où… pourquoi… comment… quand… combien… + indicatif	*À la douane, on m'a demandé **si** j'étais étudiant, **ce que** je faisais comme études, **ce qui** me plaisait comme sports, **quel** âge j'avais, **pourquoi je** venais en Europe, **quand** j'étais arrivé, **combien** de temps je restais.*
● des questions		
● des informations	**dire / expliquer / répondre** que + indicatif	*J'ai répondu **que** j'étais étudiant, **que** je venais faire un stage, **que** j'avais 21 ans.*
● des ordres	**dire / demander / ordonner** de + infinitif que + subjonctif	*Un douanier m'a demandé **d'**ouvrir mes bagages et a exigé **que** je sorte le contenu de ma trousse de toilette.*
● des conseils, suggestions, ou propositions	**conseiller / suggérer / proposer** de + infinitif que + subjonctif	*Je voulais des explications mais derrière moi, un voyageur pressé m'a suggéré **de** me dépêcher. J'ai proposé au douanier **qu'il** le fasse passer avant moi, mais il a refusé.*

13. Subjonctif

La concordance des temps

Si le verbe rapporteur est au présent, les formes verbales ne changent pas.

Le père : – Qu'est-ce que tu as fait cet après-midi ? *La fille ne répond pas.*

La mère : – Tu entends ? Ton père te demande ce que ***tu as fait*** cet après-midi.

Si le verbe rapporteur est au passé, certaines formes verbales changent.

Passé composé et plus-que-parfait → **plus-que-parfait.**	« J'ai compris ! » « J'avais compris avant que tu me le dises. »	→	*Il m'a dit qu'**il avait compris** avant que je le lui dise.*
Futur et conditionnel → **conditionnel.**	« Tu seras là ? » « Tu pourrais m'aider ? »	→	*Je lui ai demandé s'**il serait** là et s'**il pourrait** m'aider.*
Futur antérieur et conditionnel passé → **conditionnel passé.**	« On viendra quand on aura fini. » « J'aurais dû partir plus tôt. »	→	*Ils ont dit qu'ils viendraient quand **ils auraient fini**.* *Il m'a dit qu'**il aurait dû** partir plus tôt.*

Les verbes rapporteurs

Le choix du verbe rapporteur dépend du type de propos rapporté, de la situation et du point de vue du locuteur.

« Mon fils ne fait rien ».

→ *Il a dit / expliqué / répété / prétendu que son fils ne faisait rien.*

→ *Il a regretté / déploré / s'est étonné que son fils ne fasse rien.*

ex 167

La grammaire des premiers temps B1-B2

76

263 **a) Après un détournement d'avion qui s'est bien terminé pour l'équipage et les passagers, ceux-ci témoignent, commentent, se souviennent... Dans quel ordre ? Écoutez et numérotez les bulles.**

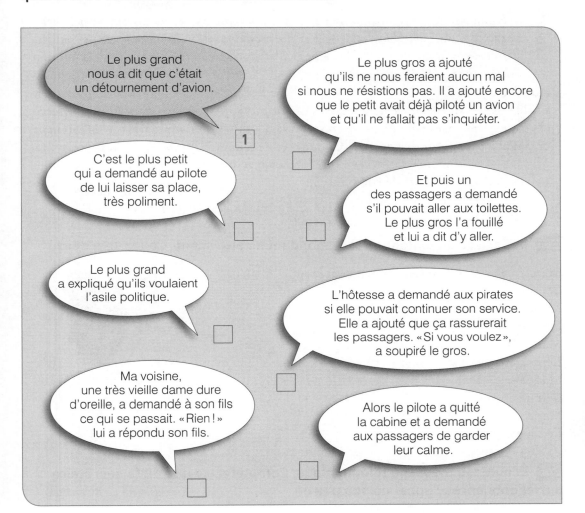

263 **b) Observez le temps des verbes qui suivent les verbes rapporteurs.**

Le plus grand nous <u>a dit</u> que <u>c'était</u> un détournement d'avion. → *Verbe à l'imparfait*

263 **c) Retrouvez les phrases qui ont été prononcées dans l'avion. Puis réécoutez.**

Le plus grand : « *C'est un détournement d'avion.* »

Le plus gros : « .... »	Le pilote : « .... »
Le plus grand : « .... »	Une vieille dame : « .... »
L'hôtesse : « .... »	Son fils : « .... »
Le gros à l'hôtesse : « .... »	Un des passagers : « .... »
Le plus petit au pilote « .... »	Le plus gros au passager : « .... »

264 a) **Lisez cet extrait de *L'Étranger* d'Albert Camus. Soulignez les verbes rapporteurs et observez les formes verbales qui les suivent.**

> Le soir, Marie est venue me chercher et m'*a demandé* si je voulais me marier avec elle. J'ai dit que cela m'était égal et que nous pourrions le faire si elle le voulait. Elle a voulu savoir alors si je l'aimais. J'ai répondu comme je l'avais déjà fait une fois, que cela ne signifiait rien mais que sans doute je ne l'aimais pas. « Pourquoi m'épouser alors ? », a-t-elle dit. Je lui ai expliqué que si elle le désirait, nous pourrions nous marier. D'ailleurs, c'était elle qui le demandait et moi je me contentais de dire oui. Elle a observé alors que le mariage était une chose grave. J'ai répondu : « Non. » Elle s'est tue un moment et elle m'a regardé en silence. [...] Comme je me taisais, n'ayant rien à ajouter, elle m'a pris le bras en souriant et a déclaré qu'elle voulait se marier avec moi. J'ai répondu que nous le ferions dès qu'elle le voudrait.
>
> *Albert Camus*

264 b) **Écrivez un dialogue correspondant à cette scène. Jouez-le à deux.**

Marie : – Est-ce que tu veux te marier avec moi ?
L'étranger : –
Marie : –
L'étranger : –
Marie : –
L'étranger : –
Marie : –
L'étranger : –
Marie : –
L'étranger : –

77
265 **Écoutez le message téléphonique. Complétez ce que dit la secrétaire aux clients après l'appel de son patron.**

Mademoiselle Lupin : « Monsieur Gardin vous demande de l'excuser. Il vient de téléphoner pour dire qu'il .... »

78
266 **Écoutez, dites si c'est vrai.**

Dialogue 1

Son amie lui a dit qu'elle avait bien dormi.	Vrai ☐	Faux ☐
Un collègue lui a demandé de passer le prendre.	Vrai ☐	Faux ☐
Son père lui a dit qu'il viendrait l'aider.	Vrai ☐	Faux ☐

Dialogue 2

Deux collègues lui ont dit qu'elle avait l'air en forme.	Vrai ☐	Faux ☐
Un collègue lui a promis de lui rendre un livre.	Vrai ☐	Faux ☐
Des étudiants lui ont demandé s'ils pourraient s'absenter.	Vrai ☐	Faux ☐

11

267 Observez bien les formes verbales employées. Puis entraînez-vous en cachant la colonne de droite.

« Je donne ma démission. »

« Je vais donner ma démission. »

« Je viens de donner ma démission. »

« J'ai donné ma démission. »

« J'avais donné ma démission

mais je l'ai retirée. »

« Je donnerai ma démission

dans un mois. »

« Je donnerais bien ma démission. »

Il nous a
annoncé

qu'il **donnait** sa démission.

qu'il **allait donner** sa démission.

qu'il **venait de** donner sa démission.

qu'il **avait donné** sa démission.

qu'il **avait donné** sa démission,

mais qu'il l'**avait retiré**e.

qu'il **donnerait** sa démission

dans un mois.

qu'il **donnerait** bien sa démission.

268 Entraînez-vous. Complétez avec les temps indiqués.

a) Présent, imparfait → imparfait

« Je suis désolé, je ne savais pas. » → Il m'a répété dix fois *qu'il était désolé, qu'il ne savait pas.*

1. « Je suis occupé, j'ai du travail. » → Il nous a signalé… **2.** « Excuse-moi, je ne voulais pas te blesser. » → Elle s'est excusée en disant… **3.** « Vous étiez au courant ? Vous saviez ce qui se passait ? » → Les journalistes nous ont demandé… **4.** « Ça ne fait rien, ce n'était pas important. » → Elle m'a assuré… **5.** « Tu ne m'aimes plus ? Tu vas me quitter ? » → Je lui ai demandé… **6.** « Que faites-vous là ? » → Un policier nous a demandé…

b) Passé composé, plus-que-parfait → plus-que-parfait

« J'ai été ravie de vous rencontrer. » → Elle nous a dit *qu'elle avait été ravie de nous rencontrer.*

1. « Ça m'a fait plaisir d'avoir eu de tes nouvelles. » → Il m'a écrit… **2.** « Tu m'as déjà raconté cette histoire plusieurs fois ! » → Je lui ai fait remarquer gentiment… **3.** « Vous n'avez pas eu peur de mon chien ? » → Mon voisin m'a demandé… **4.** « Vous aviez déjà entendu parler de moi ? » → Il m'a demandé… **5.** « J'ai eu tort, je me suis trompée. » → Elle a reconnu… **6.** « Excusez-moi ! Je ne vous avais pas reconnu. » → Il s'est excusé en disant…

269 Complétez avec le temps indiqué.
Futur, conditionnel → conditionnel

« On vous donnera vite une réponse. » → Ils m'ont promis *qu'ils me donneraient vite une réponse.*

1. « Les travaux seront terminés dans une semaine. » → L'entreprise nous a assuré… **2.** « Tu serais fou de ne pas accepter ce travail ! » → Mes amis me disent… **3.** « Nous aimerions aller vivre à la campagne si nous le pouvions. » → Ils prétendent… **4.** « On verra plus tard. On s'en occupera quand on aura le temps. » → Je lui ai répété… **5.** « Qu'est-ce que vous feriez à ma place ? » → Elle a demandé à tous ses proches… **6.** « Nous serions contents de la revoir. » → Ils m'ont dit et redit…

◼ verbes rapporteurs

 p. 313 et s.

V. + qqn + à + infinitif	autoriser, encourager, inviter, exhorter	*Le professeur a autorisé les élèves à sortir.*
V. + qqn + de + infinitif	prier, menacer, supplier	*Le professeur a menacé les élèves d'interrompre le cours.*
V. + à + qqn + de + infinitif	conseiller, demander, (inter)dire, ordonner, permettre, prescrire, prier, rappeler, répéter, suggérer	*Le professeur a suggéré aux élèves de se mettre au travail.*

270 **Formez des phrases à partir des éléments proposés.**

Police   *autoriser* qqn *à…*   automobilistes / passer

→ *La police a autorisé les automobilistes à passer.*

1. Capitaine   *ordonner à* qqn *de…*   troupes / *attaquer*
2. Gardien   *interdire à* qqn *de…*   enfants / *jouer sur la pelouse*
3. Préfet   *autoriser* qqn *à…*   syndicats / *manifester*
4. Propriétaire   *permettre à* qqn *de…*   locataires / *abattre une cloison*
5. Médecin   *prescrire à* qqn *de…*   patient / *prendre du repos*
6. Dentiste   *supplier* qqn *de…*   client / *ne pas crier*
7. Professeur   *prier* qqn *de…*   élèves / *être attentifs*
8. Président   *suggérer à* qqn *de…*   Premier ministre / *démissionner*
9. Hôtesse de l'air   *demander à* qqn *de…*   passagers / *boucler leur ceinture*
10. Supporters   *encourager* qqn *à…*   joueurs / *s'engager dans le match*

271 **Complétez avec les formes verbales qui conviennent.**

« Taisez-vous ! Laissez-moi travailler ! » *(prier – nous)* Il…
Il nous a priés de nous taire et de le laisser travailler.

1. « Suivez la route, puis prenez la première à droite ! » *(dire – moi)* Un policier…
2. « Ne dites rien, ne parlez pas ! » *(conseiller – son client)* L'avocat…
3. « Entrez, installez-vous, mettez-vous à l'aise. » *(inviter – participants)* Un animateur…
4. « Ralentissez ! Ne roulez pas aussi vite ! » *(supplier – chauffeur)* Les passagers…
5. « Ne vous inquiétez pas ! Ne craignez pas l'examen ! » *(dire – ses élèves)* Le prof…
6. « Prévenez tout le monde ! N'oubliez personne ! » *(rappeler – sa secrétaire)* La directrice…
7. « Fais bien attention ! Regarde avant de traverser. » *(répéter – son enfant)* La mère…
8. « Crois-moi, fais-moi confiance ! » *(supplier – son père)* La jeune fille…
9. « Dépêche-toi ! Ne me fais pas attendre ! » *(demander – son adjoint)* Le directeur…
10. « Ne me dérangez pas ! » *(prier – femme de chambre)* Le client de la chambre 5…

11

272 Formez des phrases à l'aide d'un des verbes proposés ci-dessous.

Verbe + que + indicatif	admettre, affirmer, ajouter, annoncer, assurer, avertir, avouer, chuchoter, confirmer, constater, crier, déclarer, dire, expliquer, faire remarquer, indiquer, informer, jurer, murmurer, objecter, préciser, prétendre, prétexter, prévenir, promettre, raconter, reconnaître, répéter, répondre, répliquer, signaler…
Verbe + que + subjonctif	accepter, (dé)conseiller, demander, exiger, insister, interdire, ordonner, proposer, réclamer, recommander, refuser, regretter, souhaiter, suggérer, supplier, se plaindre, s'étonner que… **13. Subjonctif**

« Oui, c'est ma femme qui est à l'origine des rumeurs. » → Un commerçant *a admis/a reconnu que c'était sa femme qui était à l'origine des rumeurs.*

1. « Les impôts ne seront pas augmentés. » → Un des candidats ....

2. « Vos finances ne vous le permettent pas. » → Notre comptable ....

3. « Vous pourrez faire l'exercice avec l'aide d'Internet. » → Le professeur ....

4. « Ma secrétaire va vous donner un autre rendez-vous. » → Le médecin ....

5. « Le portier va aller chercher votre voiture. » → Le réceptionniste ....

6. « Le repas doit être prêt à midi pile. » → L'organisateur ....

7. « Faites entrer l'accusé ! » → Le juge ....

8. « Le livre peut être publié. » → Le comité de lecture ....

273 Imaginez les situations et ce qui a pu être dit. Comparez vos propositions.

La femme a accusé *avec assurance* son voisin d'avoir tué son mari « C'est lui qui l'a tué ! Ça ne fait aucun doute. »

1. Le père, *d'un ton sans réplique*, a *formellement* interdit à son fils de sortir la veille de son examen.

2. La jeune fille a supplié *en pleurant* le policier de ne pas lui retirer son permis et lui a juré qu'elle n'avait pas vu le feu.

3. Il est sorti *en criant haut et fort* que c'était la dernière fois qu'il mettait les pieds ici !

4. Le serveur nous a recommandé *discrètement* de ne pas commander du poisson.

5. Un inconnu s'est approché de nous et, *sans desserrer les dents*, nous a chuchoté de nous méfier.

6. Le cafetier a refusé *sèchement* de nous servir un *simple* verre d'eau.

7. Le contrôleur m'a demandé *avec amabilité* de bien vouloir lui montrer ma carte de réduction et a ajouté *non moins aimablement* que sinon il se verrait dans l'obligation d'infliger une amende.

8. Tous ont *chaleureusement* félicité le joueur de sa victoire et l'ont encouragé à continuer.

9. Mon frère a accepté *sans aucun enthousiasme* de m'aider à vider ma chambre et à la repeindre.

10. Le jeune homme répété *en bégayant* à la jeune fille qu'il était vraiment confus, qu'il s'excusait de lui avoir marché sur les pieds en dansant.

Puis proposez d'autres phrases en utilisant les adverbes ci-dessous.

● sèchement, aimablement, prudemment… ● avec passion / tristesse / fougue… ● sans se presser / hésiter, sans détour / ménagement… ● d'un ton sec, assuré, embarrassé, moqueur, charmeur… ● d'une manière menaçante / convaincante… ● en regardant ailleurs, en souriant, en levant les yeux au ciel…

274 **a) Lisez ce dialogue à deux puis, prenez le rôle d'une femme qui raconterait cette conversation. Écoutez et comparez.**

– Tu m'aimes ?
– Oui, bien sûr que je t'aime.
– Mais est-ce que tu m'aimes vraiment ?
– Oui, je t'aime vraiment.
– Tu m'aimes vraiment, vraiment ?
– Oui, je t'aime vraiment, vraiment.
– Tu es sûr que tu m'aimes ? Tu en es vraiment sûr ? Mais comment peux-tu être vraiment sûr de m'aimer ?
– Je ne sais pas…
– Tu vois, tu ne m'aimes pas.

→ J'ai demandé à Peter…
→ Il m'a répondu…
→ Puis je lui ai demandé…
→ Il m'a répondu que…
→ Puis j'ai insisté ; je lui ai demandé…
→ Il m'a répondu…
→ Et alors, je lui ai demandé…
→ Mais là, il m'a répondu…
→ Alors ! Tu vois ! il ne m'aime pas finalement.

D'après *Le manuel du parfait petit masochiste*, D. Geenburg.

274 **b) Écoutez deux autres récits de cette conversation, celui de Peter et celui d'une passante qui assiste à la scène. Retrouvez-les de mémoire.**

275 **a) Lisez ces deux extraits de film et imaginez la manière dont la secrétaire fait part de ces deux appels à Maître Sureau. Puis écoutez.**

Dialogue 1
SABINE. – Allô ? bonjour, Mademoiselle… Pourrais-je parler à Maître Sureau, s'il vous plaît ?
SECRÉTAIRE. – De la part de qui ?
SABINE. – De Sabine.
SECRÉTAIRE. – Il n'est pas là. Voulez-vous le rappeler la semaine prochaine ?
SABINE. – Voulez-vous lui laisser un message ?
SECRÉTAIRE. – Oui.
SABINE. – Que j'ai téléphoné. C'est Sabine.
SECRÉTAIRE. – Entendu.

Dialogue 2
SABINE. – Allô ? bonjour, Mademoiselle… Je voudrais parler à Maître Sureau, s'il vous plaît…
SECRÉTAIRE. – Il est absent actuellement. Il est au Palais.
SABINE. – Pouvez-vous lui dire de rappeler Sabine ? C'est moi qui ai téléphoné la semaine dernière. Vous lui avez fait la commission ?
SECRÉTAIRE. – Bien sûr, Mademoiselle.
SABINE. – Bon, merci.

Éric Rohmer, *Le beau mariage*, 1982.

275 **b) Imaginez un mail de Sabine commentant ces deux appels.**

276 **a)** À partir de ces photos, demandez-vous, qui sont ces personnages, s'ils se connaissent, ce qu'ils font là, ce qu'ils se disent, se sont dit ou vont se dire. Rédigez un court texte pour chacune d'entre elles puis comparez vos interprétations à celles qui sont proposées dans le livret des corrigés ou à celles des autres apprenants.

Photo 1. Première interprétation : *Une jeune femme s'est arrêtée pour demander en anglais à deux hommes en uniforme si elle ne trompait pas et si Notre-Dame de Paris était bien par là. Les deux hommes, ayant compris ce qu'elle cherchait, lui ont aimablement indiqué la bonne direction. L'un d'eux lui a demandé si Paris lui plaisait et si elle allait y rester longtemps. Mais, comme elle ne comprenait pas le français, elle a fait un signe d'incompréhension et les a quittés en souriant.*

276 **b)** Faites de même avec des photos de votre choix ou celles qui sont proposées dans le livret des *Corrigés*.

Évaluation

277 **a) Rapportez les propos suivants.**

1. « Je ne vous dérange pas ? Je peux vous parler ? » → Un ami m'a demandé…

2. « Ça vous convient ? Ça vous plaît ? » → Le vendeur a voulu savoir…

3. « J'étais malade, hier. » → Il a prétendu…

4. « Je pourrai payer en deux fois ? » → Un client m'a demandé…

5. « Ne sortez pas ! » → La police nous a interdit…

6. « J'ai regretté de ne pas te voir. » → Elle m'a écrit…

7. « Mettez le suspect en prison. » → Le procureur a ordonné…

8. « Est-ce que je ne regretterai pas ma décision ? » → Je me suis demandé…

9. « Je ne suis pas d'accord avec toi, je te le répète. » → Elle m'a répété plusieurs fois…

10. « Je vous avais prévenus que c'était risqué ! » → Il m'a rappelé…

11. « Ça ne te pose pas de problème ? » → Mes collègues m'ont demandé…

12. « Pourrait-on repousser la date de l'examen ? » → Les étudiants ont demandé…

13. « Réfléchis bien et concentre-toi. » → Mon père m'a dit…

14. « Tout le monde a compris ? Qu'est-ce que vous n'avez pas compris ? » → Le professeur a voulu savoir…

277 **b) Rapportez les propos suivants.**

1. « Je ne me souviens plus, j'ai oublié. » → Elle a prétendu…

2. « Je regrette, je ne pourrai pas venir. » → Il m'a dit…

3. « Je n'ai pas compris la question, je ne pourrai pas répondre. » → J'ai expliqué à l'examinateur…

4. « Tu as fini ? Tu seras bientôt prêt ? » → Un collègue lui a téléphoné pour savoir…

5. « Je n'ai jamais fait ça, je veux bien essayer, ça m'amusera. » → Il m'a répondu…

6. « Qu'est-ce que vous savez ? Qu'est-ce que vous avez vu ? » → Un policier leur a demandé…

7. « Qu'en pensez-vous ? Qu'est-ce que vous feriez à ma place ? » → Un collègue nous a demandé…

278 **a) Une candidate, qui a passé son premier entretien d'embauche, fait le récit de cet entretien. Écoutez et écrivez les questions qui ont été posées.**

278 **b) Faites à votre tour le récit écrit ou oral d'un entretien d'embauche au cours duquel ont été posées 8 questions dont des questions surprenantes.**

Questions classiques, banales : études, expérience, qualités-défauts, marié(e)-enfants, sports, projet, prétentions salariales, etc.

Questions plus surprenantes, plus déconcertantes : couleur préférée, signe du zodiaque, qualité du sommeil, nombre de cafés par jour, avis sur le vapotage, etc.

Chapitre 12

Les constructions relatives

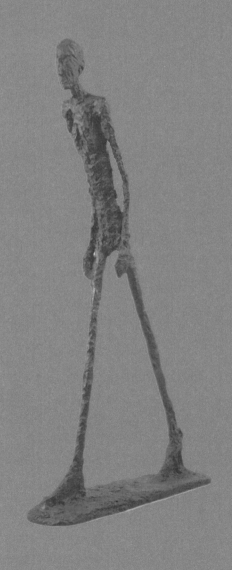

L'homme qui marche,
Alberto Giacometti (1901-1966)

Les propositions relatives permettent d'ajouter dans une même phrase des informations qui complètent un nom ou un pronom.

Les pronoms relatifs

Les formes invariables « qui, que, où, dont » remplacent qqn ou qqch.

● **Une femme** passe.		*qui passe ?*
● Il photographie **la femme**.		*qu'il photographie ?*
● Il cache le visage **de** cette femme.	Connaissez-vous	*dont il cache le visage ?*
● Il parle **d'**une femme.	la femme	*dont il parle ?*
● Il parle **à** une femme.		*à qui il parle ?*
● Il vit **avec** une femme.		*avec qui il vit ?*
● Il veille **sur** une femme.		*sur qui il veille ?*

Je suis abonné à **un journal**.	*Je suis abonné à **un journal***
● **Ce journal** a beaucoup de lecteurs.	*qui a beaucoup de lecteurs.*
● Beaucoup de gens lisent **ce journal**.	*que beaucoup de gens lisent.*
● La renommée **de ce journal** est grande.	*dont la renommée est grande.*
● Tout le monde parle **de ce journal**.	*dont tout le monde parle.*
● **Dans ce journal**, il y a peu de publicité.	*où il y a peu de publicité.*

Les formes variables : « lequel, laquelle, lesquel(le)s. » On les trouve après une préposition (à, avec, dans, sur, par, pour, sans, etc.).

→ **toujours pour remplacer qqch.**   **Attention !** « à + lequel » → auquel

Je suis abonné à **un journal**.	*Je suis abonné à **un journal***
● Il y a peu de publicité <u>dans</u> **ce journal**.	*dans lequel il y a peu de publicité,*
● Toute la presse se réfère <u>à</u> **ce journal**.	*auquel toute la presse se réfère,*
● J'ai travaillé <u>pour</u> **ce journal** autrefois.	*pour lequel j'ai travaillé autrefois,*
● <u>Sans</u> **ce journal**, je me sentirais coupé du monde.	*sans lequel je me sentirais coupé du monde.*

→ **parfois en alternance avec « qui » pour remplacer qqn.**

L'homme à qui / auquel	*L'homme avec qui / avec lequel*
La femme à qui / à laquelle ⎱ *je pense.*	*La femme avec qui / avec laquelle* ⎱ *je vis.*
Les personnes à qui / auxquelles ⎰ *je parle.*	*Les personnes avec qui / avec lesquelles* ⎰ *je travaille.*
Les gens à qui / auxquels	*Les gens avec qui / avec lesquels*

Remarques

C'est le pronom « **où** » qui est utilisé pour indiquer l'insertion dans le temps :

*Vous me remplacerez **le jour / la semaine / le mois où** je serai absent.*

Après un antécédent neutre *(ce, rien, qqch)* et une préposition, la forme utilisée est « **quoi** » :

Il est arrivé <u>quelque chose</u> à quoi personne ne s'attendait. Dites-moi ce à quoi vous croyez.

12

279 **a) Lisez ces annonces. Auriez-vous pu être l'auteur de l'une d'elles avec éventuellement quelques modifications ?**

Salut les grimpeurs ! Je cherche un magasin ou un site internet qui vend du matériel d'escalade pour pas cher !

1. Je cherche à retrouver un homme que j'ai rencontré il y a cinq mois sur un chemin de montagne, dans les Alpes à Sixt. Il s'appelle Eddy.

2. Je recherche un livre dont j'ai oublié à la fois le titre et l'auteur. C'est un roman qui se passe en Grèce et où une femme apprend à jouer aux échecs pour sortir de sa vie ordinaire.

3. Je cherche, aux alentours de Brest, un petit terrain, pas trop loin de la mer, sur lequel je pourrai installer mon mobile-home.

4. Je cherche le nom d'une chanson que j'ai entendue à la radio dimanche et dans laquelle le chanteur dit «Près de toi, près de toi, oh vraiment tout près de toi».

5. Traductrice, je recherche quelqu'un dont l'anglais est la langue maternelle, pour relire mes documents en anglais.

6. Je recherche un emploi dans lequel je pourrai mettre à profit mon sens aigu des responsabilités et mon dynamisme.

7. Je recherche quelqu'un pour qui le fait que je m'occupe de mon fils de 5 ans dans le cadre d'une garde alternée ne soit pas un obstacle.

8. Je m'appelle Sheila. J'ai 20 ans et j'habite l'île Maurice. Je recherche quelqu'un avec qui passer le reste de ma vie.

12

279 **b) Encadrez dans chaque annonce les formes relatives et soulignez les noms qu'elles remplacent.**

qui, que

ex 227

280 Lisez et échangez vos opinions. Pourquoi «qui»? Pourquoi «que»?

● *J'aime, j'aime bien, j'aime beaucoup, j'adore…* ● *Je n'aime pas beaucoup, je n'aime pas tellement, je n'aime pas du tout* ● *Je ne supporte pas, je déteste, j'ai horreur de, j'ai peur de…*

1 les enfants **qui** font du bruit. **2** les fleurs **qui** sentent fort. **3** les épices **qui** piquent. **4** les sujets **qui** provoquent des polémiques. **5** les gens **qui** ronflent. **6** les sports **qui** demandent de l'endurance. **7** les lieux **qui** grouillent de monde. **8** ce **qui** brille. **9** ce **qui** est routinier

10 les objets **que** le temps a usés. **11** la politique **que** mènent nos dirigeants. **12** le temps **qu'**il fait aujourd'hui. **13** les gâteaux **que** fait ma mère. **14** les occasions **qu'**on saisit au passage. **15** les moments **que** l'on passe à ne rien faire. **16** le nom **que** je porte **17** ce **que** je fais en ce moment.

281 **a) Complétez avec «qui» ou «que» et échangez.**

Avez-vous déjà lu un conte, un roman ou une bande dessinée racontant l'histoire : **1** d'une famille *qui* se déchire ? **2** d'une famille *que* la vie sépare ?

3 de quelqu'un … personne n'aime ? **4** de quelqu'un … n'aime personne ? **5** de quelqu'un …… vend son âme au diable ? **6** de quelqu'un …… son propre fils tue ? **7** de quelqu'un …. cherche en vain un trésor ? **8** de quelqu'un …… ses proches dépouillent de ses biens ? **9** d'un roi …… devient fou ? **10** d'un tour du monde …… dure 80 jours ? **11** d'une marionnette …… devient un petit garçon ? **12** d'un enfant … suit un apprentissage dans une école de sorciers et …… deux amis accompagnent dans toutes ses péripéties ? **13** d'une princesse …… son père veut marier à quelqu'un …… elle n'aime pas ? **14** d'une princesse …… la femme de son père veut tuer ? **15** de deux personnes …… la vie réunit après une longue séparation ? **16** d'un enfant …… ses parents abandonnent par amour ? **17** d'un ogre vert … tout le monde trouve très laid et … se marie avec une princesse ? **18** d'une petite fille …… est habillée en rouge et …… le loup voudrait dévorer ? **19** d'un gangster …… un policier veut remettre dans le droit chemin ? **20** d'une ville …… est sauvée par un enfant ? **21** d'un royaume …… est dirigé par un animal ?

281 **b) Recherchez des titres de romans ou d'affiches de films contenant «qui» ou «que».**

282 Entourez les pronoms qui remplacent les mots soulignés,
puis reformulez en utilisant « qui » ou « que »

Je viens de voir entrer un homme. Je ne [l']avais jamais vu. [Il] m'a semblé étrange.
→ Je viens de voir entrer un homme, *que je n'avais jamais vu et qui m'a semblé étrange.*

1. Écoute ce CD ! On vient de me le passer. Je le trouve excellent. **2.** Je peux te donner l'adresse
d'un hôtel. Nous l'avons trouvé par hasard, et il nous a beaucoup plu. **3.** Essaie cette veste.
Je l'ai achetée hier, et elle est finalement trop petite pour moi. **4.** Le gouvernement prépare
une réforme. Elle n'est pas populaire, et il faudra l'imposer. **5.** Merci de vos conseils. Ils nous
seront précieux, et nous les suivrons. **6.** Je viens de voir un film divertissant. Il est très bien
joué, je te le conseille. **7.** Nous avons dîné dans un bon petit restaurant. Il vient d'ouvrir, et
nous voulions le connaître. **8.** Nos voisins ont un chien jaune. On le trouve affreux, et en plus
il mord et il aboie. **9.** Désolé de ce départ précipité. Il n'était pas prévu, et nous le regrettons.
10. Goûte ces chocolats, ils sont délicieux. On ne les trouve qu'en Suisse.

« Je ne peins pas ce que je vois. Je peins ce que je pense. » Picasso

283 Écoutez et écrivez ce poème de Prévert.

284 **a)** Une fois complétées par « ce qui » ou « ce que », réemployez ces phrases
dans de courts dialogues.

– Fais *ce qu'* il faut pour réussir.   – Tu as compris *ce qui* s'est passé ?
– Bien sûr que je ferai *ce qu'* il faut !   – Non, je ne sais pas *ce qui* s'est passé, je viens d'arriver !

1. Choisissez ! Prenez ...... vous voulez. Prenez ...... vous plaît. **2.** Tu dis toujours tout ......
tu ressens, tout ...... te passe par la tête ? **3.** Vous avez gagné ! C'est ...... vous souhaitiez ?
4. Je vous donne tout ...... il y a chez moi, tout ...... j'ai, tout ...... m'appartient. **5.** L'avenir
est incertain. Nous ne savons pas ...... nous attend. **6.** Racontez-moi ...... s'est passé, ...
s'est dit et ...... vous avez fait. **7.** Pouvez-vous m'expliquer ...... le mot « vestibule » signifie ?
8. Dis-moi, ... je peux faire pour toi, ... te serait utile. **9.** Je me demande ...... nous
pouvons faire dans cette situation et ce ...... va se passer.

284 **b)** Lisez les exemples puis complétez librement. Utilisez la structure
de mise en relief : Ce qui / que..., c'est que / c'est de / c'est + nom...

Tu sais **ce qui** me ferait plaisir ? *Ce serait que tu viennes avec moi !* ● **Ce que** j'aimais quand
j'étais enfant, *c'était d'aller jouer dans la rue.* ● Est-ce que **ce qui** retient les gens de voler, *c'est
la peur du gendarme ?*

1. Ce que beaucoup de gens reprochent au capitalisme, ... **2.** Ce qui pourrait m'empêcher
de voter aux prochaines élections, ... **3.** Ce que les élèves demandent à un professeur, ...
4. Ce qui se passe quand des étudiants étrangers viennent en France, ... **5.** Ce qui compte
le plus pour moi actuellement, ce qui est le plus important ...... **6.** Ce qu'il y avait de mieux
(ou de moins bien) du temps de nos arrière-(arrière)-grands-parents ......

12

■ où, dans lequel, sur lequel

285 À votre avis, est-ce vrai ou faux ?

Une salle d'attente est une pièce où l'on fait attendre les gens.	Vrai ☐	Faux ☐
Un parloir est un endroit où l'on se rencontre pour parler.	Vrai ☐	Faux ☐
Un fumoir est une pièce où l'on se réunissait pour fumer.	Vrai ☐	Faux ☐
Un boudoir est un lieu où les gens se retirent pour bouder.	Vrai ☐	Faux ☐
Un chalet est un lieu où se réfugient les chats.	Vrai ☐	Faux ☐
Un cagibi est une cage où l'on enferme les oiseaux de petite taille.	Vrai ☐	Faux ☐
Un portemanteau est un objet sur lequel on pose des vestes et manteaux.	Vrai ☐	Faux ☐
Un dortoir est un lieu dans lequel plusieurs personnes dorment.	Vrai ☐	Faux ☐
Un cellier est un endroit où l'on garde le sel à l'abri de l'humidité.	Vrai ☐	Faux ☐
Une alcôve, c'est l'endroit où l'on boit de l'alcool.	Vrai ☐	Faux ☐
Une porcherie est un bâtiment dans lequel on élève des porcs.	Vrai ☐	Faux ☐
Un grenier est un lieu où l'on conservait le grain.	Vrai ☐	Faux ☐
Une salle de réanimation est une salle où les gens déprimés réapprennent à rire.	Vrai ☐	Faux ☐
Une garçonnière est une chambre où dorment les bébés de sexe masculin.	Vrai ☐	Faux ☐

286 Remplacez la forme simple « où » par une forme composée :
dans, à l'intérieur de, sur + lequel, laquelle.

La chaise où tu es assise n'est pas solide ! → La chaise *sur laquelle tu es assise n'est pas solide.*

1. J'ai perdu la feuille où j'avais noté ton numéro de téléphone. **2.** Cherche dans le tiroir où je range mes papiers ! **3.** Je ne trouve plus le livre où j'avais glissé ta lettre. **4.** Ils ont coupé l'arbre où nous avions gravé nos deux noms. **5.** Nous avons dans le jardin deux cerisiers où il n'y a jamais une seule cerise. **6.** Ferme bien le placard où l'argent est caché ! **7.** J'ai acheté des chaussures où je suis comme dans des chaussons.

287 Que préférez-vous ? Échangez entre vous.

Les lieux où…

1 Les appartements où tout est à sa place ou les appartements où règne un léger désordre ? **2** Les fauteuils où l'on s'enfonce ou bien les fauteuils fermes ? **3** Les bars très fréquentés ou ceux où il n'y a presque personne ? **4** Les villes géométriques ou bien celles où l'on se perd dans des ruelles tortueuses ?

Les moments où…

5 Les repas rapides ou bien ceux où l'on traîne à table ? **6** Les soirées où l'on s'amuse ou bien celles où l'on aborde des sujets sérieux ? **7** Les jours où l'on doit se lever tôt ou bien ceux où l'on peut faire la grasse matinée ? **8** Les cours où tout le monde participe ou bien ceux où seul le professeur parle ?

288 Écoutez, répétez, écrivez.

■ dont : construction verbale et adjectivale

289 **a) Faites une liste des choses, des gens, des événements.**

dont il faut se méfier : ....
dont les enfants ont peur : ....
dont on se lasse vite : ....
dont il est préférable de rire : ....
dont il est difficile de se consoler : ....
dont il ne faut pas trop parler : ....
dont on se souvient toute sa vie : ....
dont beaucoup de gens manquent : ....
dont certaines personnes rêvent : ....

dont personne n'est certain : ....
dont on peut devenir esclave : ....
dont les jeunes ont envie : ....
dont il ne faut pas avoir honte : ....
dont les professeurs se plaignent souvent : ....
dont on se sert plusieurs fois par jour : ....
dont on a le plus besoin quand on voyage : ..
dont vos compatriotes sont fiers : ....
dont vous ne pouvez pas vous passer : ....

Il faut se méfier *des courants d'air*, *des moments de colère*, *de la fatigue au volant*, *des voleurs*, *des flatteurs*, *des clichés*.

p. 384 et s.

289 **b) Notez l'infinitif des verbes et leur construction.**

se méfier *de*…

289 **c) Préparez des questions contenant ces verbes. Échangez entre vous.**

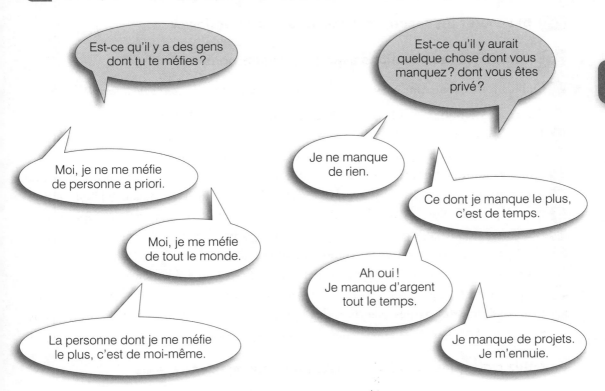

Est-ce qu'il y a des gens dont tu te méfies ?

Est-ce qu'il y aurait quelque chose dont vous manquez ? dont vous êtes privé ?

Moi, je ne me méfie de personne a priori.

Je ne manque de rien.

Ce dont je manque le plus, c'est de temps.

Moi, je me méfie de tout le monde.

Ah oui !
Je manque d'argent tout le temps.

La personne dont je me méfie le plus, c'est de moi-même.

Je manque de projets.
Je m'ennuie.

12

■ dont : construction nominale

290 **a) Lisez. Échangez entre vous.**

Comptez-vous parmi vos amis, connaissances, relations, ou parmi vos proches :

1 une personne dont l'énergie vous surprend ou au contraire dont la lenteur vous agace ?

2 un voisin dont le comportement vous est insupportable ou au contraire un voisin dont le comportement est agréable ?

3 un artiste dont le talent est reconnu ou au contraire méconnu ?

4 une personne dont le principal plaisir est de manger ou au contraire une personne dont la préoccupation principale est de maigrir ?

5 un(e) ami(e) dont la générosité est sans limites ou au contraire une personne dont l'égoïsme est connu ?

6 quelqu'un dont la photo a été mise sur Facebook sans son accord ou au contraire avec son accord ?

7 une personne dont vous aimez beaucoup le prénom ou au contraire une personne dont le prénom vous semble démodé, prétentieux ou ridicule ?

8 une connaissance dont vous appréciez l'humour ou au contraire dont l'humour ne vous fait pas rire ?

9 une vieille personne dont la sagesse et les conseils vous sont précieux ou au contraire dont les conseils vous ennuient et vous sont inutiles ?

85
290 **b) Écoutez les réponses d'une personne interviewée.**

291 **Complétez les questions avec ce qui est proposé.**

1 Oublier le titre **d'**un film → Avez-vous vu cette année un film… *dont vous avez oublié le titre ?*

2 Apprécier ou non particulièrement la cuisine **d'**un pays → Quel est le pays .... ?

3 Détester ou aimer le cri **d'**un animal → Y a-t-il un animal.. ?

4 Aimer ou détester la ligne **d'**une voiture → Quelles sont les voitures............................. ?

5 Trouver l'uniforme **d'**une profession magnifique ou ridicule → Y a-t-il une profession … ?

6 Regarder ou non les émissions **d'**une chaîne de télévision → Y a-t-il une chaîne de télévision … ?

7 Ne pas pouvoir citer la capitale **de** pays européens → Quels sont les pays européens … ?

8 Adorer ou non le goût ou la texture **d'**un aliment → Quels sont les aliments .... ?

9 Trouver positive ou négative la symbolique **d'**un chiffre → Y a-t-il un chiffre................. ?

10 Garder un excellent souvenir **d'**un événement → Y a-t-il un événement .... ?

11 Ne pas pouvoir se passer **d'**une invention du xxe siècle → Y a-t-il une invention .... ?

12 Être passionnée(e) par les aventures **des** héros de séries télévisées → Y a-t-il un héros de séries télévisées .... ?

Rajoutez trois questions à cette liste puis échangez entre vous.

292 Faites des phrases en utilisant un des noms proposés ou d'autres noms de votre choix.

l'équipage, la forme, le prix la conception, la construction… d'un bateau	Elle a fait le tour du monde sur un bateau… *dont l'équipage était exclusivement féminin et dont la construction* avait duré dix ans.
1. le nombre d'habitants, le plan, le maire, l'activité économique… d'une ville	→ J'habite une ville…
2. le visage, le caractère la vie, la personnalité, les aventures… d'une personne	→ Je viens de rencontrer quelqu'un…
3. l'auteur, le style, le sujet, l'originalité, l'action, le héros… d'un roman	→ L'académie Goncourt a couronné un roman…
4. les goûts, les idées, les activités, les habitudes, les principes… de mes amis	→ J'ai des ami(e)s…

293 **a)** Lisez ce texte puis (86) écoutez. Quelles sont les 11 différences entre les deux textes ? Combien de temps vous faudra-t-il pour les repérer ?

Je suis à ma table de travail. Je me trouve dans une pièce dont le plafond est très bas et dont les murs sont peints en blanc. Je suis assis sur une chaise dont le dossier est cassé. J'ai devant moi un ordinateur dont la lettre « e » ne marche plus. Sur le mur en face de moi, trône une horloge ronde dont les aiguilles sont cassées. À ma gauche, sur un canapé dont le dossier vient être refait, somnole un chat noir dont le ronronnement me berce.

Par la fenêtre, on peut voir le ciel dont la couleur est en train de changer, et les arbres dont les feuilles volent au vent.

Je réfléchis. Je suis en train de commencer un roman policier dont l'action se passera en Italie et dont le personnage principal sera un détective amateur d'opéra. Ce roman dont je ne connais encore ni le début, ni la fin m'a été inspiré par une personnalité dont je ne peux dévoiler l'identité.

Texte écrit	**Texte enregistré**
dont le plafond est très *bas*	dont le plafond est très *haut*

293 **b)** Écrivez un autre texte en utilisant au moins trois « dont ».

294 **a) Reformulez en intégrant la deuxième phrase à la première grâce à « dont ».**

L'accident a fait quinze blessés. *Deux de ces blessés sont dans un état grave.*	→ L'accident a fait quinze blessés *dont deux sont dans un état grave.*
Trois cosmonautes sont partis pour la station orbitale. *Il y a un Français parmi eux.*	→ Trois cosmonautes, *dont un Français*, sont partis pour la station orbitale.
Le tribunal correctionnel de Montpellier a condamné un homme pour homicide par imprudence à un an de prison. *Il fera six mois de prison ferme.*	→ Le tribunal correctionnel de Montpellier a condamné un homme pour homicide par imprudence à un an de prison, *dont six mois ferme.*
Il y a environ trois mille espèces de serpents ; *trois cents de ces espèces sont dangereuses pour l'homme.*	**1.** Il y a environ trois mille espèces de serpents…
Un groupe de dix jeunes a été interrogé par la police ; *trois de ces jeunes avaient moins de 15 ans.*	**2.** Un groupe de dix jeunes…
Le mal-être des jeunes de banlieue est dû à plusieurs facteurs. *Le chômage est l'un d'entre eux.*	**3.** Le mal-être des jeunes de banlieue est dû à plusieurs facteurs…
Trois mille trois cents personnes ont été tuées l'année dernière en France dans des accidents de la route. *Un tiers de ces accidents sont dus à l'alcool et au non-respect du Code de la route.*	**4.** Trois mille trois cents personnes ont été tuées l'année dernière en France dans des accidents de la route…
Depuis la loi du 30 septembre 1986, les radios nationales sont obligées de diffuser 40 % de chansons françaises. *Sur ces 40 %, 20 % sont des nouveautés.*	**5.** Les radios nationales françaises sont obligées de diffuser 40 % de chansons françaises…
Le tango argentin attire en Europe un public de plus en plus important. *Dans ce public, il y a de nombreux jeunes.*	**6.** Le tango argentin attire en Europe un public de plus en plus important…

294 **b) Complétez librement.**

1. Le monument a été inauguré en présence d'une centaine de personnes dont ....

2. La ville met à disposition des habitants de nouvelles installations dont ....

3. Le nouveau musée accueille chaque jour plusieurs centaines de visiteurs dont ....

4. Un magazine a publié un palmarès des meilleurs endroits de la planète pour prendre sa retraite. Ce classement tient compte de plusieurs facteurs dont ....

5. L'entreprise a dû licencier une dizaine d'employés pour plusieurs raisons dont ....

295 **Écoutez un serveur qui récapitule la commande d'un groupe de 8 personnes. Répétez en léger décalé.**

12

ce qui, ce que, ce dont, ce à quoi...

88
296 Lisez et écoutez. Soulignez les constructions relatives.

1. Je sais ce qu'il vous faut, <u>ce dont</u> vous avez besoin.

2. Voilà notre objectif. Voilà ce à quoi nous devons arriver.

3. Dites-moi ce sur quoi vous aimeriez être interrogé.

4. Je ferai ce que je pourrai pour vous aider. Je ferai tout ce qui est en mon pouvoir.

5. S'il réussit, ce dont je doute, il sera le premier surpris.

6. Expliquez-moi ce qui se passe, ce pour quoi vous vouliez me voir.

7. Tu sais ce à quoi je pense ? Tu sais ce dont je rêve ?

8. Ce à quoi tu penses ? Ce dont tu rêves ? Je ne sais pas. Comment veux-tu que je le sache ?!

297 Complétez avec « ce qui », « ce que », « ce dont » ou « ce à quoi ».

Qui a compris *ce qu'*il veut dire ?
ce à quoi il a fait allusion ?
ce dont il parlait ?

1. Je sors faire les courses. Fais-moi la liste de tout ...... tu veux que j'achète,
...... tu as besoin,
...... il te faut.

2. J'aimerais que chacun dise
...... il aura le temps de faire,
...... il pourra s'occuper,
...... il veut bien se charger.

3. Est-il indiscret de vous demander
...... vous vous intéressez,
...... vous plaît,
...... vous croyez,
...... vous êtes sensible,
...... vous attendez de la vie ?

4. Dis-moi
...... te ferait plaisir,
...... tu aurais envie.

5. Vous me résumerez
...... il aura été question à cette réunion,
...... vous aurez décidé.

6. J'aimerais savoir
...... vous faites comme études,
...... vous occupez vos loisirs.

7. Dites-nous franchement
...... ne vous plaît pas,
...... vous n'aimez pas.
...... vous êtes mécontent.

8. Les otages libérés ont révélé à la presse
...... on les avait obligés à faire,
...... ils avaient été contraints,
...... on les avait menacés.

12

■ préposition + lequel, laquelle...

298 **Lisez ces définitions et devinez les mots définis. Soulignez les formes relatives et entourez les prépositions qui les précèdent.**

C'est un liquide ⟨sans⟩ lequel nous ne pourrions pas vivre → *L'eau*.

1. C'est un élément de meuble qui entre et sort du meuble et dans lequel on peut ranger des objets.

2. C'est un type d'habitation que l'on trouve surtout dans les jardins et dans laquelle les humains n'entrent pas.

3. C'est un récipient que l'on trouve dans une salle de bains et dans lequel on peut s'allonger.

4. C'est un document officiel sans lequel vous n'avez pas d'existence légale.

5. Ce sont des parties du corps autour desquelles on peut mettre des bijoux.

6. Ce sont des corps célestes auxquels le soleil donne sa lumière.

7. Ce sont des objets grâce auxquels les vêtements peuvent être fermés.

8. C'est une ouverture par laquelle on entre chez soi exceptionnellement.

9. C'est un monument américain que tout le monde connaît et devant lequel on passe quand on arrive à New York en bateau.

10. C'est l'astre qui nous éclaire et autour duquel tourne la terre.

11. C'est un phénomène naturel auquel personne ne peut échapper et dont beaucoup de gens ont peur.

12. C'est un alphabet grâce auquel les aveugles peuvent lire.

13. Ce sont des plaques circulaires sur lesquelles on grave.

14. Ce sont des signes sans lesquels l'alphabet n'existerait pas.

15. Ce sont des organismes microscopiques contre lesquels le corps doit parfois lutter.

16. C'est un appareil grâce auquel on peut s'orienter.

299 **Complétez les définitions. Puis créez-en d'autres.**

Une tasse : c'est un récipient *dans lequel* vous versez du liquide. ■ **Un téléphone :** c'est un appareil .... vous pouvez communiquer à distance. ■ **Une cage :** c'est un espace délimité par des barreaux .... on enferme les oiseaux. ■ **Le chômage :** c'est une situation .... chacun peut être confronté. ■ **La tombe du soldat inconnu :** c'est un monument .... s'incline le président de la République chaque année. ■ **Un livre d'or :** c'est un registre .... on écrit ses impressions. ■ **Des jumelles :** c'est un objet .... vous pouvez voir de loin. ■ **Un devis :** c'est un document écrit .... un artisan propose un prix pour des travaux. ■ **La réincarnation :** c'est une croyance .... l'âme après la mort peut s'incarner dans un autre corps. ■ **Une hypothèse :** c'est une supposition .... on construit un raisonnement. ■ **Un mixeur :** c'est un appareil électrique .... on mélange et on broie les aliments.

300 **Écoutez et écrivez les phrases.**

12

Pierre est quelqu'un d'aimable et souriant :
– il est toujours de bonne humeur,
– son rire est communicatif,
– tout le monde l'aime,
– tout le monde lui parle,
– tout le monde s'entend bien avec lui,
– on peut compter sur lui,
– on peut avoir confiance en lui,
– on peut arriver chez lui à n'importe quelle
  heure.

> *Pierre est quelqu'un d'aimable et souriant*
> → *qui est toujours de bonne humeur,*
> → *dont le rire est communicatif,*
> → *que tout le monde aime,*
> → *à qui tout le monde parle,*
> → *avec qui tout le monde s'entend bien,*
> → *sur qui on peut compter,*
> → *en qui on peut avoir confiance,*
> → *chez qui on peut arriver à n'importe quelle*
>   *heure.*

1. Jérémie est un enfant timide :
– il parle peu,
– les autres lui font peur,
– les relations sont difficiles pour lui,

2. Marie est une petite fille insouciante :
– la vie lui sourit,
– la vie est belle pour elle.

3. Valérie est une jeune femme charmante :
– elle travaille très bien,
– tout le monde sympathise avec elle,
– tout le monde a confiance en elle.

4. Bernard est un homme ouvert :
– il est très autoritaire,
– ses employés l'aiment bien,
– on peut compter sur lui.

5. Marguerite est une femme désagréable :
– elle râle tout le temps,
– tout le monde la fuit,
– personne n'a de sympathie pour elle.

6. Léo est un garçon courageux :
– le sort s'est acharné contre lui,
– mais il ne se laisse pas abattre.

7. Mᵐᵉ D. est une vieille dame étonnante
– elle est toujours vêtue de blanc,
– elle chante à tue-tête chez elle,
– ses voisins la considèrent comme une
  originale.

8. Maurice est un monsieur distingué :
– son langage est très châtié,
– sa culture est immense,
– ses amis ont beaucoup d'admiration pour
  lui.

9. Théo est un bébé difficile :
– il pleure souvent,
– le noir l'effraie.

10. Gabriella et Honoré sont des jumeaux :
– leurs parents sont très connus,
– ils sont nés dans un palais,
– ils sont déjà poursuivis par des paparazzis.

12

Marianne est un prénom composé qui réunit deux prénoms et que les Français aiment bien. Ce prénom, qui était très populaire, a été choisi au XVIIIᵉ siècle pour représenter d'abord le peuple, puis la République. Marianne est devenue une figure allégorique qui incarne la République française avec l'écharpe tricolore bleu, blanc, rouge et le bonnet phrygien et dont le buste se trouve dans toutes les mairies. Depuis le XXᵉ siècle, elle prend les traits d'une femme célèbre : Brigitte Bardot, Catherine Deneuve, Mireille Mathieu…

302 Complétez avec la préposition et le relatif qui conviennent.

Exemple 1 :
saisir *une occasion*
≠ laisser passer *une occasion*
→ Il y a les occasions *que l'*on saisit et celles *qu'*on laisse passer.

Exemple 2 :
se fier *à qqn*
≠ se méfier *de qqn*
→ Il y a les gens *à qui* on peut se fier et ceux *dont* il faut se méfier.

1. se libérer *de qqch*
≠ ne pas échapper *à qqch*
→ Il y a des obligations ...... on peut se libérer et celles ...... on ne peut échapper.

2. prendre garde *à qqch*
≠ ne pas prêter attention *à qqch*
→ Il y a des colères ...... il faut prendre garde et d'autres ...... il ne faut surtout pas prêter attention.

3. franchir *qqch*
≠ se heurter *à qqch*
→ Il y a des obstacles ...... l'on franchit facilement et d'autres ...... on se heurte définitivement.

4. se soumettre *à qqch*
≠ se libérer *de qqch*
→ Il y a des contraintes ...... on doit se soumettre et d'autres ...... on peut se libérer facilement.

5. se battre *contre qqch*
≠ lutter *pour qqch*
→ Il y a les idées ...... les gens se battent et celles ...... ils luttent.

6. réexaminer *qqch*
≠ ne pas revenir *sur qqch*
→ Il y a les décisions ...... l'on réexamine et celles ...... on ne revient pas.

7. cacher *qqch*
≠ dévoiler *qqch*
→ Il y a les secrets ...... l'on cache et ceux ...... on dévoile.

8. prévoir *qqch*
≠ ne pas s'attendre *à qqch*
→ Il y a les difficultés ...... l'on prévoit et celles ...... on ne s'attend pas.

9. mener à bien *qqch*
≠ renoncer *à qqch*
→ Il y a des projets ...... l'on mène à bien et d'autres ...... on renonce.

10. s'attacher *à qqn*
≠ ne pas éprouver d'affection *pour qqn*
→ Il y a des personnes ...... on s'attache rapidement et d'autres ...... on n'éprouve pas d'affection tout de suite.

11. ne pas se disputer *avec qqn* ≠ se heurter *à qqn*
→ Il y a des amis ...... on ne se dispute jamais et ceux ...... on se heurte plus souvent.

12. se sentir bien *dans qqch*
≠ être mal à l'aise *dans qqch*
→ Il y a des maisons ...... on se sent bien tout de suite et d'autres ...... on se sent mal à l'aise.

Proverbe

Il faut se méfier de l'eau qui dort.

Constructions verbales, p. 311

La grammaire des premiers temps B1-B2

303 **a) Complétez les questions au présent puis échangez.**

1 Ne jamais s'habituer à qqch. Quelles sont les choses *auxquelles vous ne vous habituerez jamais/vous ne vous êtes jamais habitué(e)*

2 Avoir de l'influence sur qqn. Quels sont les gens *sur qui/sur lesquels* vous avez de l'influence ?

3 Bénéficier *de qqch*. Quelles sont les réductions ....

4 S'intéresser particulièrement *à qqch*. Quels sont les sujets ....

5 Se documenter fréquemment *sur qqch*. Quelles sont les questions ....

6 Disposer dans quelques années *de qqch*. Quelles sont les ressources financières ....

7 Ne pas avoir d'aptitudes *pour qqch*. Quels sont les sports ....

8 Pouvoir à coup sûr compter *sur qqn*. Avez-vous des amis ....

9 S'entendre bien *avec qqn*. Vos voisins sont-ils des gens ....

10 Penser très souvent *à qqn*. Y a-t-il, parmi vos proches, quelqu'un ....

303 **b) Complétez les questions au passé composé puis échangez.**

1 Participer *à qqch*. Quelle est la dernière manifestation sportive ....

2 Être victime *de qqch*. Quelle est la plus grave injustice ....

3 Assister *à qqch*. Quel est le dernier ou premier concert ....

4 Être témoin *de qqch*. Quelle est la dernière situation comique ....

5 Échapper *à qqch/qqn*. Vous souvenez-vous d'un danger ....

6 Devoir renoncer *à qqch/qqn*. Avez-vous déjà fait des projets ....

7 Dormir *chez qqn*. Vous souvenez-vous de tous les gens ....

8 Voter *pour qqn*. Quel est le dernier candidat ....

9 Se disputer *avec qqn*. Quelle est la dernière personne ....

303 **c) Échangez entre vous ou simulez une interview.**

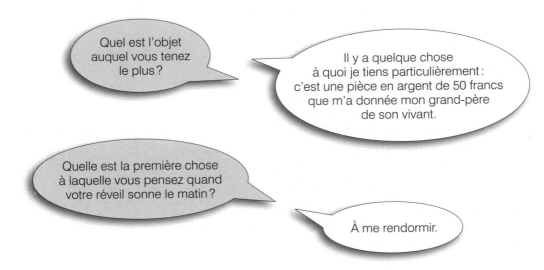

Quel est l'objet auquel vous tenez le plus ?

Il y a quelque chose à quoi je tiens particulièrement : c'est une pièce en argent de 50 francs que m'a donnée mon grand-père de son vivant.

Quelle est la première chose à laquelle vous pensez quand votre réveil sonne le matin ?

À me rendormir.

304 **a) Écoutez les résumés de quatre œuvres littéraires du XXᵉ siècle puis, de mémoire, reprenez-le oralement.**

Désert de Jean-Marie Le Clézio raconte l'histoire d'une jeune femme. Cette jeune femme ne peut oublier la terre de ses ancêtres, le Sahara. La passion du désert la dévore.

En attendant Godot de Samuel Beckett met en scène deux vagabonds. Ils attendent un certain Godot. La venue de ce Godot doit leur apporter du réconfort. Mais Godot ne viendra jamais.

L'Étranger d'Albert Camus raconte le destin d'un homme. Les événements ont peu de prise sur lui. L'annonce de sa condamnation à mort laisse cet homme comme indifférent.

Le Square de Marguerite Duras met en scène un homme et une femme. Le hasard a fait se rencontrer ces deux êtres dans un square. Ils se sépareront à la fin de la pièce.

304 **b) Rédigez le résumé de ces films en une seule phrase.**

La buena vida, un film de Andres Wood
– Ces gens ne se connaissent pas.
– Leurs vies sont reliées les unes aux autres d'une façon étrange.

→ *Ce film raconte la vie de gens qui ne se connaissent pas, mais dont les vies sont reliées les unes aux autres, d'une façon étrange.*

1. Les souvenirs, de Jean-Paul Rouve
– Elle s'enfuit d'une maison de retraite.
– Elle venait d'être placée dans cette maison de retraite.
– Son petit-fils saura la retrouver dans la ville de son enfance.

→ Le film raconte l'histoire d'une grand-mère …

2. La belle vie, de Jean Denizot
– Le père des enfants les a enlevés à leur mère après le divorce.
– Ils vivent avec lui dans la clandestinité sur une île de la Loire.
– Ils se cachent dans cette île.

→ Le film retrace l'histoire de deux enfants …

3. Les Merveilles, d'Alice Rohrwacher
– La famille vit en marge de la société.
– La vie de cette famille va être bouleversée par l'arrivée d'un jeune délinquant et le tournage près de chez eux d'une émission de télévision.

→ Le film raconte l'histoire d'une famille d'apiculteurs …

4. 12 Years a Slave, de Steve McQueen
– Cet esclave traverse de terribles épreuves.
– Au cours de ces épreuves, il se forge une identité.

→ Le film est le récit de la vie d'un esclave …

12

Évaluation

305 **Complétez avec le pronom qui convient. Échangez entre vous.**

Y a-t-il chez vous un objet

1. .... vous ne vous servez jamais ?
2. .... ne vous sert à rien ?
3. .... vous avez emprunté à quelqu'un ?
4. .... vous attachez beaucoup d'importance ?
5. .... vous ne connaissez pas la provenance ?
6. .... vous avez hérité ?
7. .... vous voudriez vous débarrasser ?
8. .... l'on vous envie ?
9. .... vous emportez toujours quand vous sortez ?
10. .... vous venez d'acheter ?
11. .... ne vous appartient pas ?
12. .... vous vous servez plusieurs fois par jour ?
13. .... vous avez fabriqué vous-même ?
14. .... la fonction vous est inconnue ?
15. .... est inusable ?
16. .... on vous a offert, mais .... ne vous plaît pas ?

306 **Imaginez les propos de quelqu'un retrouvant des objets dans un grenier. Caractérisez-les par des phrases relatives.**

12

Ça, c'est le carnet dans lequel *ma mère notait ses dépenses et voilà* le téléphone qui *était dans la chambre de mes grands-parents.*

307 Rassemblez les informations dans une seule phrase.

1. Il s'est passé une chose. Personne ne l'avait prévue. On n'y avait pas pensé. On s'en souviendra longtemps.	→ **Il s'est passé une chose …**
2. Bravo pour ta réussite ! Nous en sommes tous très contents. Tout le monde l'attendait. Personne ne s'en étonne. Tu l'as bien méritée. Nous nous y associons.	→ **Bravo pour ta réussite …**
3. Abordons ce sujet. Tout le monde en parle. Tu t'y intéresses. J'y suis sensible.	→ **Abordons ce sujet …**

308 **a)** Complétez avec les prépositions et les pronoms qui conviennent.

1. Cette femme dirige avec calme et fermeté les collaborateurs

.... elle s'entoure.
.... elle confie des projets.
.... elle embauche.
.... elle s'appuie.

2. Nous avons un nouveau dirigeant

.... nous apprécions.
.... nous sommes satisfaits.
.... nous avons confiance.
.... nous pouvons faire confiance.
.... nous pouvons compter.

308 **b)** Utilisez « ce » suivi d'un relatif (qui, que, à quoi, dont) puis complétez librement les deux dernières phrases.

Dans sa dernière interview, le chef d'orchestre nous a expliqué comment il travaillait, …… il attendait de son orchestre, …… il reprochait parfois à ses musiciens, mais il nous a surtout dit tout …… la musique lui avait apporté. Il nous a aussi confié …… il se consacrait en dehors de la musique, …… il pratiquait régulièrement : la méditation ! …… nous a surpris, c'est qu'il nous a avoué que …… il était le plus fier, ce n'était pas de ses prestations musicales mais ……

309 Amplifiez ces informations parues dans la presse en insérant des propositions relatives.

1. Les quatre journalistes ex-otages ont atterri dimanche dernier à l'aéroport militaire de Villacoublay.
2. Un hélicoptère militaire a été abattu par des opposants au régime.
3. Un Van Gogh a été retrouvé par un agent des impôts dans le coffre-fort d'un contribuable.

12

Chapitre 13

Le subjonctif

L'emploi du subjonctif

L'emploi du subjonctif est conditionné par la syntaxe et le sens. On le trouve :

Dans les propositions subordonnées

● après des verbes et locutions verbales exprimant :

la volonté, le désir, le souhait, la nécessité, l'obligation	*Je veux, je voudrais, je souhaite, j'aimerais… il faut, faudrait, il est indispensable… qu'il soit présent.*
l'appréciation subjective, les sentiments	*Il est normal, il est logique… j'aime, je regrette… qu'il soit présent.*
la possibilité, le doute, l'incertitude	*Il est possible, il n'est pas certain… je doute, je ne suis pas sûr… qu'il soit présent.*

● après certaines conjonctions ou locutions exprimant :

le but, la finalité : • *pour que, afin que, de façon que* • *de peur que, de crainte que*	*Nous ferons tout ce que nous pourrons **pour que** vous soyez satisfaits.* *Ils parlent tout bas **de peur qu'**on (ne) les entende.*
une cause/raison écartée : *non (pas) que*	*Nous aimons ce quartier de la ville, **non (pas) qu'**il soit beau, mais il est tranquille*
la condition : *à condition que, pourvu que*	*J'irai **à condition que** tu viennes avec moi.*
une alternative :	***Que** tu y ailles **ou non**, moi, j'y vais.* [ex 498 et s.]
l'antériorité : *avant que, en attendant que, jusqu'à ce que*	*Finis ton travail **en attendant qu'**il vienne.* [14. Temps]
la concession : *bien que, quoique, quoi que, qui que, où que*	***Bien que** ce projet soit bon, il ne sera pas accepté.* *« **Quoi que** je fasse, **où que** je sois, je pense à toi »* *J.-J. Goldman* [18 .Concession]

Dans des propositions relatives contenant une idée de restriction, d'incertitude, d'éventualité

Je connais quelqu'un qui peut se charger de ce dossier, c'est mon associé. Je ne connais personne d'autre qui puisse faire ce travail. C'est le meilleur spécialiste que je connaisse.

Dans les phrases indépendantes

injonction à la 3ᵉ personne	*Police ! **Que** personne ne sorte !* *Qu'ils ne soient surtout pas en retard !*
expression du souhait	***Que** le meilleur gagne !* ***Pourvu qu'**il réussisse !* *Puisse-t-il réussir !*

310 **a) Écoutez ce dialogue et rejouez-le.**

Thierry : – Ce serait bien qu'il fasse meilleur demain pour la randonnée quand même.

Kevin : – Il fera meilleur, c'est sûr.

Alex : – La météo a prévu qu'il ferait beau ou non ?

Maria : – Il se peut qu'il fasse gris. Le temps n'est pas sûr.

Katell : – Il est possible qu'il pleuve, vous ne croyez pas ?

Aurélie : – De toute façon, on décide qu'on y va, non ?

Thierry : – Il faut que tout le monde soit d'accord !

Aurélie : – Que tout le monde soit d'accord ou pas, moi j'y vais.

Kevin : – Moi aussi !

Alex : – Moi aussi.

Katell : – Moi, s'il pleut, je n'y vais pas.

Thierry : – Ça nous contrarierait que tu ne viennes pas.

Katell : – Bon, je verrai.

Maria : – On pique-niquera ?

Thierry : – Oui, on pique-niquera, à moins qu'il fasse un temps de cochon*.

Katell : – Il n'y a pas une auberge sur le parcours ?

Thierry : – Si, mais ce n'est pas sûr qu'elle soit ouverte.

Kevin : – Croisons les doigts** pour que le temps soit sec.

Maria : – Bon, il est temps qu'on aille dormir, si on se lève à cinq heures du matin.

*un temps de cochon = un très mauvais temps.
**croiser les doigts = couvrir l'index avec le majeur pour conjurer le mauvais sort ou pour formuler un vœu. (Larousse)

310 **b) Entourez les formes verbales au subjonctif. Soulignez ce qui commande le subjonctif.**

Thierry : – Ce <u>serait bien qu'il</u> ⎡fasse⎤ meilleur demain pour la randonnée quand même.

Subjonctif présent

Les bases du subjonctif présent sont celles du présent de l'indicatif excepté pour quelques verbes irréguliers.

Formation régulière

Une base : si, au présent de l'indicatif, la base du « ils » = la base du « nous »

ils **pass**ent	que je	**pass**e	ils **part**ent	que je	**part**e
nous ___ons	que tu	___es	nous ___ons	que tu	___es
	qu'il	___e		qu'il	___e
	que nous	___ions		que nous	___ions
	que vous	___iez		que vous	___iez
	qu'ils	___ent		qu'ils	___ent

Deux bases : si, au présent de l'indicatif, la base du « ils » ≠ la base du « nous »

ils **boiv**ent	que je	**boiv**e	ils **envoi**ent	que j'	**envoi**e
	que tu	___es		que tu	___es
	qu'il	___e		qu'il	___e
	qu'ils	___ent		qu'ils	___ent
nous **buv**ons	que nous	**buv**ions	nous **envoy**ons	que nous	**envoy**ions
	que vous	___iez		que vous	___iez

Formation irrégulière : une dizaine de verbes

Une base

Faire : que je fasse, tu fasses, il fasse, nous fassions, vous fassiez, ils fassent
Pouvoir : que je puisse, tu puisses, il puisse, nous puissions, vous puissiez, ils puissent
Savoir : que je sache, tu saches, il sache, nous sachions, vous sachiez, ils sachent
Falloir : qu'il faille
Pleuvoir : qu'il pleuve

Deux bases

Avoir : que j'aie, tu aies, il ait, nous *ayons,* vous *ayez,* ils aient
Être : que je sois, tu sois, il soit, nous *soyons,* vous *soyez*, ils soient
Aller : que j'aille, tu ailles, il aille, nous *allions,* vous *alliez,* ils aillent
Vouloir : que je veuille, tu veuilles, il veuille, nous *voulions,* vous *vouliez*, ils veuillent
Valoir : que je vaille, tu vailles, il vaille, nous *valions,* vous *valiez,* ils vaillent

Subjonctif passé

que je ou j'	aie pu	sois venu(e)	me sois intéressé(e)
que tu	aies pu	sois venu(e)	te sois intéressé(e)
qu'il / elle	ait pu	soit venu(e)	se soit intéressé(e)
que nous	*ayons* pu	*soyons* venu(e)s	nous *soyons* intéressé(e)s
que vous	*ayez* pu	*soyez* venu(e)(s)	vous *soyez* intéressé(e)(s)
qu'ils / elles	aient pu	soient venu(e)s	se soient intéressé(e)s

La grammaire des premiers temps B1-B2

13

311 **a) Lisez et répondez pour vous. Comparez vos réponses.**
Encadrez les subjonctifs passés et soulignez les subjonctifs présents.

Est-ce qu'il vous est déjà arrivé : **OUI**

1 de ne pas être sûr(e) qu'on vous ait dit la vérité ? ☐

2 de ne pas vouloir que quelqu'un vous voie et vous aborde ? ☐

3 de désirer que le temps passe plus vite ? ☐

4 de demander, au restaurant, qu'on vous serve rapidement ? ☐

5 de trouver agaçant que quelqu'un se soit trompé dans une addition ? ☐

6 d'être surpris que quelqu'un vous ait souri ? ☐

7 de regretter qu'un film se termine ? ☐

8 d'avoir envie que quelqu'un se taise ? ☐

9 de trouver désagréable que quelqu'un se mette à chanter ? ☐

10 de souhaiter que personne ne sache où vous êtes ? ☐

11 de ne pas être certain que quelqu'un vienne à un rendez-vous ? ☐

12 de demander à un inconnu qu'il vous prenne en photo ? ☐

13 de vous étonner que quelqu'un ait l'âge qu'il a ? ☐

14 de vous réjouir qu'on n'ait pas pu vous joindre au téléphone ? ☐

15 de trouver (in)juste que quelqu'un soit puni ? ☐

16 d'être triste que quelqu'un s'en aille ? ☐

17 de regretter qu'il faille dormir ? ☐

18 d'être content qu'il pleuve ? ☐

19 de supplier que l'on vous fasse crédit ? ☐

20 de douter que la vie vaille la peine d'être vécue ? ☐

21 d'interdire qu'on vous dérange ? ☐

22 de rêver* qu'un peintre fasse votre portrait ? ☐

23 de désirer qu'un inconnu vous accoste ? ☐

24 de regretter qu'on vous ait donné certains conseils ? ☐

25 de refuser qu'on vous porte votre valise ? ☐

*rêver + subj. = désirer fortement – rêver + ind. = faire un rêve en dormant

311 **b) Classez les verbes suivis du subjonctif selon leur sens.**

● Expression de la volonté, du désir, du souhait, de la nécessité, de l'obligation	● Expression de l'appréciation subjective, des sentiments	● Expression de la possibilité, de l'incertitude, du doute
vouloir que, désirer que…	*trouver agaçant que…*	*ne pas être sûr que…*

◼ formes verbales

312 Entraînez-vous. Réutilisez le verbe souligné au subjonctif.

Verbes à une seule base au subjonctif.

Pourquoi <u>attendent</u>-ils ? Il ne faut plus qu'ils *attendent*.

1. Je sais qu'il faudrait que j'............, mais je ne l'<u>attends</u> pas.

2. Ne l'<u>attendez</u> pas, il ne veut pas que vous l'............

3. Nous ne <u>lisons</u> pas assez ; il faut que nous .... davantage.

4. Tu ne <u>lis</u> pas du tout, il faudrait que tu .... de temps en temps !

5. Ne nous <u>rendormons</u> surtout pas, il ne faut pas que nous nous ....

6. <u>Dors</u>, il faut que tu ....

7. Elles <u>partent</u> ou pas ? Il faudrait qu'elles .... vite. Et toi aussi, il faut que tu ....

8. Ne <u>partez</u> pas, personne ne veut que vous ....

9. <u>Réponds</u>, <u>dis</u>-moi la vérité ! J'aimerais que tu me .... franchement, que tu me .... la vérité.

10. <u>Écris</u>-lui un mot pour t'<u>excuser</u>, j'aimerais bien que tu lui .... et que tu ....

313 a) Entraînez-vous.

Verbes à deux bases en –yer, –é.er et -e. er + voir, croire.

S'ils ne <u>paient</u> pas leur amende immédiatement, dites-leur qu'il faut absolument qu'ils la *paient* dans les délais. Chez nous, l'administration exige que nous *payions* nos amendes rapidement.

1. Pourquoi ne <u>voyez</u>-vous pas un médecin ? Il faut que vous en .... un et que votre mère en .... un aussi si elle n'en a pas déjà vu un.

2. <u>Essayez</u> de vous souvenir. Il faut vraiment que vous .... de retrouver ce nom.

3. <u>Appuyez</u> fort sur le bouton pour ouvrir. Il est indispensable que vous .... très fort dessus, sinon la porte ne s'ouvre pas.

4. Comment <u>envoie</u>-t-elle ce paquet ? Il vaudrait mieux qu'elle l'......... en recommandé.

5. Tu ne me <u>crois</u> pas ? J'aimerais que tu me .... de temps en temps et aussi que tes amis me ....

6. Pourquoi les enfants n'<u>appellent</u> pas ? J'aimerais bien qu'ils .... S'ils n'appellent pas, il faudra que nous les ....

7. Vous ne <u>répétez</u> pas ? Je voudrais que vous .... cette phrase puis pour que toute la classe la .... après vous.

8. Ne <u>jette</u> pas ça là ! Il faut que tu .... la bouteille dans la poubelle pour verre.

13

La grammaire des premiers temps B1-B2

Récapitulatif de ces verbes à 2 bases.

Payer : que je paie, tu <u>paies</u>, il paie, ils paient, nous <u>payions</u>, vous payiez

Essayer : ....
Envoyer : ....
Voir : ....
Croire : ....
Appeler : ....
Jeter : ....
Répéter : ....

313 **b) Entraînez-vous.**

Verbes à deux bases : venir, tenir, prendre, boire, recevoir et composés.

<u>Souvenez</u>-vous du code de l'interphone, il faut que vous vous en *souveniez* pour entrer.

1. Je <u>reviens</u> quand ? Vous voulez que je .... quand ?
– Je voudrais que vous .... demain.
2. <u>Retenons</u> ce numéro de téléphone. Il faut que je le ...., que vous le .... et que tous le ....
3. Il faudrait <u>boire</u> davantage. Il faut que les personnes âgées .... Il faut que vous .... deux litres d'eau par jour.
4. <u>Apprenez</u> vite les verbes irréguliers ! Il faut que vous les .... tous ! Il faut que tout le monde les .... rapidement.
5. <u>Prenons</u> le temps de réfléchir. Rien ne presse. Il faut qu'on .... notre temps.
6. Il se peut que vous ne .... pas votre convocation à temps, mais que les autres locataires la .... Si vous ne la <u>recevez</u> pas, prévenez le syndic.

314 **Entraînez-vous.**

Verbes avec une ou deux bases irrégulières.

Nous devons <u>faire</u> attention ! Il faut que nous *fassions* très attention.

1. Je ne <u>peux</u> pas m'asseoir, pousse-toi un peu, s'il te plaît, pour que je .... m'asseoir.
2. Comment veux-tu que je .... où elle habite ? Je n'en <u>sais</u> rien.
3. Il ne <u>pleut</u> pas depuis plusieurs mois ; il faudrait qu'il ....
4. Je ne sais pas où <u>aller</u>. Où faut-il que j'............ ?
5. Faisons un détour, si ça en <u>vaut la peine</u> ! Mais il faut vraiment que ça en ....
6. Tu veux que nous .... à Lyon ? Eh bien, <u>allons</u>-y !
7. Tu peux réussir si tu le <u>veux</u> vraiment ! Mais il faut que tu le ....
8. Je te conseille d'<u>être</u> prudent, il faut que tu .... très prudent.
9. <u>Allez-vous-en</u> ! Il faut que vous vous ....
10. J'espère qu'il <u>a</u> une bonne mémoire car il faut qu'un menteur .... une bonne mémoire.

13

▪ introducteurs 1 : expression de la volonté, du souhait, ...

315 a) Mettez les verbes entre parenthèses au subjonctif.

1 Accepter que → Acceptez-vous qu'on vous *(dire)* ce que l'on pense de vous ?

2 Avoir besoin que → Avez-vous besoin qu'on vous *(contraindre)* à travailler ?

3 Avoir envie que → Avez-vous souvent envie qu'on vous *(faire)* rire ?

4 Demander que → En quelles occasions demandez-vous qu'on *(ne pas venir)* vous déranger ?

5 Désirer que → Désireriez-vous que certaines choses *(être)* interdites ?

6 Empêcher que → Est-il possible d'empêcher que les peuples *(se faire)* la guerre ?

7 Éviter que → Que peuvent faire les parents pour éviter que leurs enfants *(se droguer)* ?

8 Supplier que → Avez-vous déjà supplié qu'on vous *(pardonner)* ?

9 Faire en sorte que → Faites-vous en sorte que vos amis *(se sentir)* à l'aise chez vous ?

10 Interdire que → Interdisez-vous parfois qu'on *(franchir)* la porte de votre chambre ?

11 Exiger que → Avez-vous déjà exigé qu'on vous *(faire)* des excuses ?

12 Refuser que → Vous est-il arrivé de refuser que l'on vous *(venir en aide)* ?

13 *Souhaiter que → Souhaiteriez-vous que l'âge de la retraite *(être)* avancé ou retardé ?

14 Tenir à ce que → Tenez-vous à ce que tout le monde vous *(dire bonjour)* le matin ?

15 Demander que → Avez-vous déjà demandé à quelqu'un qu'il *(ralentir)* en voiture ?

16 Veiller à ce que → Veillez-vous, dans une réunion, à ce que chacun *(pouvoir)* s'exprimer ?

17 Être souhaitable → Est-il, à votre avis, souhaitable que l'Europe *(s'étendre)* à d'autres pays ?

18 Falloir → Faut-il, à votre avis, que les professeurs *(interdire)* aux étudiants de parler leur langue maternelle pendant le cours de langue étrangère ?

19 Valoir mieux → Vaut-il mieux que les gens *(agir)* sans réfléchir ou *(réfléchir)* avant d'agir ?

> **Souvenez-vous**
>
> * **souhaiter que** + subjonctif : *Je souhaite que tout aille bien pour vous et que vous réussissiez !*
> **espérer que** + indicatif : *J'espère que tout ira bien pour vous et que vous réussirez.*

---

315 b) Échangez entre vous ou bien simulez une interview ou un entretien où une journaliste, un enfant, un sociologue, un psychologue, un sondeur interroge un inconnu ou une personnalité du monde sportif, politique, artistique, économique, religieux...

13

316 **a) Lisez cet article. Pourquoi un collectif ? Quelles sont ses requêtes ?**

> **À Duclair, un collectif réclame une meilleure sécurisation de la RD 982**
> Faut-il attendre un accident aux conséquences dramatiques pour enfin réagir ? Qui va enfin se décider à agir ? Ce sont les questions soulevées par un collectif d'habitants de Duclair qui vient d'adresser un courrier au préfet pour l'alerter sur les risques d'éboulements de la falaise, qui se produisent en bordure de la route départementale 982, depuis plus de six mois. « *Hormis les panneaux signalant un risque d'éboulement, rien n'est fait pour prendre en compte de façon concrète et durable le problème des chutes de pierres et assurer la sécurité des automobilistes et piétons usagers de cette route* », souligne le collectif qui demande au préfet qu'une étude géologique concernant la falaise soit menée par les pouvoirs publics. Il suggère également que des filets de retenue soient installés sur la falaise pour arrêter la chute des pierres en bord de route. Enfin, les pétitionnaires souhaitent une information régulière et objective sur l'état d'avancement du dossier.

316 **b) Rédigez, un tract, une pétition, une lettre de revendications ou un programme pour un groupe de votre choix :**

étudiants ● ouvriers ● médecins ● détenus ou gardiens de prison ● enfants ● immigrés ● professeurs de français ● chercheurs ● stagiaires non rémunérés ● contrôleurs de la SNCF ● personnel d'une compagnie aérienne ● éboueurs ● occupants d'un immeuble…

Nous réclamons que l'accès aux droits fondamentaux soit assuré pour tous.

Nous réclamons que le droit d'asile redevienne un droit fondamental.

Nous exigeons la régularisation de tous les sans papiers vivant sur notre sol !

Collectif des sans papiers

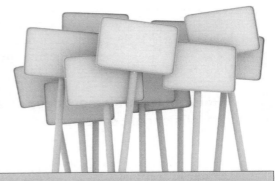

Il faut que nous anticipions les changements et sachions créer les emplois de demain !

Il faut que nous mettions en place un droit à la formation professionnelle tout au long de la vie !

Groupe de réflexion Université-entreprise

13

Souvenez-vous des différentes constructions

Verbe + nom : *Nous réclamons une réévaluation des salaires.*
Verbe + infinitif : *Nous demandons à la direction de réévaluer nos salaires.*
Verbe + subjonctif : *Nous exigeons que nos salaires soient réévalués.*

317 Observez les formulations injonctives. Retrouvez de mémoire
ce que demande, ordonne, interdit, souhaite ce directeur surchargé.

92

318 a) Écoutez différentes reformulations de ce conseil. Répétez-les.

Pour lutter contre l'enfermement	**1.** Je vous conseille de sortir de chez vous de… de… Et puis, je vous recommande aussi de… **2.** Tu ne devrais pas rester enfermé, tu pourrais… Et si tu faisais un sport d'équipe… **3.** Il ne faut absolument pas que… Il faut que… il ne faut pas que…! C'est indispensable que…!
Ne restez pas chez vous, sortez, allez chez vos amis, faites un sport d'équipe…	

93

318 b) Reformulez oralement deux ou trois de ces conseils puis écoutez :
quels conseils ont été développés ?

13

① **Pour lutter contre la nostalgie**
Cessez de regretter le passé, tournez-vous vers l'avenir, faites des projets…

② **Pour combattre votre timidité**
Sortez de votre coquille, faites du théâtre, prenez des responsabilités.

③ **Pour oublier vos chagrins d'amour**
Partez en voyage, sortez, inscrivez-vous à des sites de rencontre, allez danser !

④ **Pour ne pas devenir trop autoritaire**
Écoutez les autres, tenez compte de leur avis…

⑤ **Pour éviter la mauvaise humeur**
Voyez le bon côté des choses développez votre sens de l'humour, riez quelques minutes par jour…

⑥ **Pour éviter des réactions trop impulsives**
Réfléchissez avant d'agir, faites du yoga ou de la méditation.

319 a) Imaginez un nouveau conseil des ministres qui se réunit pour la première fois.

Chacun choisit un ministère. Chaque ministre à son tour présente une direction d'action, une priorité, une proposition ou un projet. Il peut aussi dire ce à quoi il s'opposera, ce qu'il interdira, ce qu'il tentera d'éviter. Chaque ministre pourra donner à sa présentation une tonalité autoritaire ou une tonalité plus nuancée.

> **Le ministre de l'Intérieur**
> « Il faut que la vitesse sur les autoroutes soit immédiatement réduite à 110 km/h.
> Je vais exiger que les feux de signalisation soient équipés de caméras de surveillance. »

> **Le ministre de l'Éducation nationale**
> « Peut-être faudrait-il commencer par réévaluer le salaire des enseignants. Je propose qu'on commence par cela et puis je souhaiterais aussi que le système d'évaluation des enfants soit réexaminé. »

> **Pour vous aider**
>
> **Formulations personnelles**
> - Je souhaite… J'espère…
> - Je veux… J'exige…
> - Je propose… Je suggère…
> - J'aimerais… Je voudrais… Je souhaiterais…
> - Je vais demander… Je vais ordonner… Je vais exiger… Je vais faire en sorte…
> - Je vais interdire… Je vais empêcher… Je ne vais pas autoriser ….
> - Je n'accepterai pas… Je ne tolérerai pas… Je ne permettrai pas…
> - J'interdirai… Je refuserai… Je m'opposerai à (ce que)…
>
> → **Attention : « espérer que » + indicatif**
>
> **Formulations impersonnelles**
> - Il faut… Il importe… Il est temps… Il est urgent… Il est primordial… Il est impératif… Il est indispensable… Il est souhaitable…
> - Il n'est pas question… Il est hors de question…
> - Le plus important, c'est… L'essentiel, c'est…
> - L'idéal serait… Il serait bon… Il serait nécessaire… Il serait utile…
> - Peut-être faudrait-il…

13

319 b) Écoutez et écrivez la fin de l'exposé d'un ministre de la Culture.

94

En tant que ministre de la Culture je voudrais promouvoir l'idée que la culture est un levier exceptionnel de dynamisme pour l'économie et le moral des Français…

■ introducteurs 2 : expression de l'appréciation et des sentiments

320 Imaginez les situations et rejouez les échanges. Repérez les introducteurs au subjonctif.

1. – C'est un honneur, Monsieur le ministre, que vous soyez là.
 – Je suis très touché, Monsieur le préfet, que vous vous intéressiez à mes œuvres.
 – Ah, Chantal ma chère, je suis enchanté que vous ayez pu vous libérer.
 – Chère Madame, quelle heureuse surprise de vous avoir parmi nous !
 – Chantal, j'ai le plaisir de vous présenter à Madame de Valmont.

2. – C'est incroyable que la salle soit pleine !
 – La salle est pleine ? Non !
 – C'est stupéfiant qu'il y ait autant de monde !
 – Comment se fait-il que ce soit plein ?
 – Je ne comprends pas qu'il y ait autant de monde !
 – Pour une surprise, c'est une surprise !

4. – Ça fait plaisir de se retrouver !
 – C'est agréable, ici !
 – C'est pas de veine que Pierrot soit malade.
 – C'est une chance qu'il fasse beau !
 – Quel dommage, vraiment, que Pierrot ne soit pas là !

3. – Ça me fait de la peine qu'elle soit si malheureuse !
 – Malheureusement on ne peut rien ! On ne peut rien !
 – Hélas ! On ne peut pas faire grand-chose.
 – C'est désolant qu'on ne puisse rien faire pour elle.

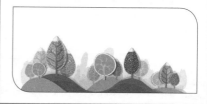

5. – Il faudrait que la direction nous écoute un peu !
 – Oui, il faudrait qu'ils entendent nos revendications.
 – C'est pénible qu'ils n'aient que le mot rentabilité à la bouche !
 – Tu trouves normal que le directeur ne vienne jamais nous saluer ?
 – Ben non, bien sûr !

Je suis	agacé(e), content(e), triste, contrarié(e), déçu(e), désolé(e), ennuyé(e), furieux(se), surpris(e)	de ne rien faire de n'avoir rien fait
Je / J'	admets, accepte, comprends supporte, déteste, regrette…	que tu ne fasses rien que tu n'aies rien fait que rien n'ait été fait
Je me / m'	m'étonne, me désole, me plains, me réjouis…	

Cela me / m' Ça me / m'	agace, amuse, choque, (dé)plaît, est égal, étonne, exaspère, fait peur, fait plaisir, inquiète, irrite, rend triste, révolte, scandalise, stupéfie…	de punir d'être puni(e) que l'on (vous) punisse que l'on vous ait puni(e)(s) que vous soyez puni(e)(s) que vous ayez été puni(e)(s)

Cela se / s' Ça se / s'	comprend, conçoit, explique, justifie…	qu'il veuille des explications qu'il ait voulu des explications que des explications (vous) soient demandées que des explications (lui) aient été demandées

Il est / C'est Il paraît Il (me) semble Je trouve	absurde, (a)normal, bon, choquant, (dé)raisonnable, dommage, étonnant, honteux, (in)intéressant, (in)utile, (il)légitime, (il)logique, naturel, révoltant, scandaleux…	d'aborder ce sujet d'avoir abordé ce sujet que vous abordiez ce sujet que vous ayez abordé ce sujet que ce sujet ait été abordé

13

subjonctif	indicatif
Je trouve + adjectif + que Il (me) semble + adjectif + que Il (me) paraît + adjectif + que	Je trouve que Il me semble que Il me paraît que (littéraire)
Je trouve normal qu'il réagisse ainsi. Je trouve injuste qu'il soit condamné. Il (me) semble important qu'il le sache. Il (me) semble raisonnable que tu partes. Il (me) paraît normal que ça lui plaise.	Je trouve que sa réaction est normale. Je trouve que sa condamnation est injuste. Il me semble qu'il est important qu'il le sache. Il me semble que tu as raison de partir.

**a) Formulez des questions et échangez entre vous.
Puis écrivez vos propres réponses à ces questions.**

On lit par-dessus votre épaule.

Je déteste qu'on lise par-dessus mon épaule ! J'ai horreur de ça !

❶ Ça vous dérange ? Ça ne vous gêne pas ?
Ça ne vous gêne pas qu'on lise par-dessus votre épaule ?

❷ On vous confie des secrets.
Ça vous gêne ? Ça vous plaît ? Ça vous amuse ?

❸ On vous parle de très près.
Ça vous est égal ? Vous n'aimez pas ça ? Vous détestez ça ?

❹ On vous fait attendre.
Ça vous inquiète ? Ça vous irrite ? Ça vous est égal ?

❺ On vous fait des compliments.
Ça vous surprend ? Ça vous paraît naturel ? Vous trouvez ça gênant ?

❻ On ne vous rend pas un objet prêté.
Ça vous est indifférent ? Ça vous contrarie ? Vous n'acceptez pas ça ?

❼ On vous répond brutalement.
Ça vous blesse ? Ça vous fait peur ? Vous ne comprenez pas ça ?

❽ On vous regarde fixement.
Vous trouvez ça naturel ? désagréable ? Ça vous gêne ?

❾ On vous suit dans la rue.
Ça vous fait peur ? Ça vous intrigue ? Ça vous amuse ?

❿ On ne se souvient pas de vous.
Ça vous rend triste ? Ça vous est indifférent ? Ça ne vous étonne pas ?

⓫ On ne comprend pas vos points de vue ou on vous contredit.
Vous trouvez ça normal ? Vous comprenez ça ? Ça vous exaspère ?

⓬ On ne croit pas ce que vous dites.
Ça vous est égal ? Ça vous agace ? Ça vous surprend ?

⓭ On ne vous dit pas bonjour.
Ça vous choque ? Ça vous laisse indifférent(e) ? Vous ne comprenez pas ?

⓮ On vous interrompt alors que vous parlez.
Ça vous agace ? Ça vous rend fou / folle ? Vous vous en fichez ? Ça vous est égal ?

96

321 **b) Écoutez, puis retrouvez de mémoire les questions posées
et les réponses données.**

13

322 Formulez une question complète pour chaque sujet. Puis échangez entre vous et donnez votre opinion sur ces différents sujets.

1 La corruption se répand dans de nombreux milieux. *Normal? Étonnant? Scandaleux?*
Il vous semble normal que la corruption se répande dans de nombreux milieux?
Trouvez-vous étonnant que la corruption se répande dans de nombreux milieux?
Est-il à votre avis scandaleux que la corruption se répande dans de nombreux milieux?

2 La conduite en état d'ivresse est sanctionnée. *Regrettable? Prudent? Indispensable?*

3 L'écologie fait des adeptes. *Étonnant? Important?*

4 Les footballeurs gagnent beaucoup d'argent. *Naturel? Scandaleux? Choquant?*

5 La peine de mort est abolie dans de nombreux pays. *Bon? Dommage? Regrettable?*

6 Les avocats défendent des criminels. *Révoltant? Légitime? Indispensable?*

7 Les écarts entre les salaires sont importants. *Normal? Injuste? Compréhensible?*

8 Les parents donnent de l'argent de poche. *Naturel? Compréhensible? Dangereux?*

9 Beaucoup de gens ne savent pas lire. *Explicable? Inévitable? Inacceptable?*

10 « L'argent ne fait pas le bonheur ». *Heureux? Dommage? Étonnant?*

11 On peut gagner beaucoup d'argent au jeu. *Une chance? Un scandale? Une honte?*

12 Les étudiants bénéficient de nombreuses réductions. *Bien? Compréhensible? Injuste?*

13 Le coût de la santé augmente. *Anormal? Inquiétant? Inévitable?*

14 Les parents ont souvent des projets pour leurs enfants. *Rassurant? Dangereux? Naturel?*

15 La structure familiale évolue. *Nécessaire? Étonnant? Triste?*

323 Complétez librement avec un nom, avec l'infinitif ou avec « que ». Échangez.

Certaines personnes trouvent inquiétant
• *le réchauffement climatique.*
• *de constater que les hommes politiques ne tiennent pas toujours leurs promesses.*
• que *les parents n'aient plus d'autorité sur leurs enfants.*

1 Il y a des gens pour qui il est incompréhensible… **2** Je fais partie de ceux qui trouvent inacceptable… **3** Tout le monde trouve naturel… **4** Selon certaines personnes, il est normal… **5** Un grand nombre d'étudiants se réjouissent… **6** Ça fait plaisir à la plupart des gens… **7** Peu de gens aiment… **8** Aucun humain ne s'étonne…

> « Je trouve tout naturel d'avoir plusieurs
> patries dans le cœur. » Albert Cohen

13

324 **a) Transformez les phrases. Puis utilisez-les dans des dialogues.**

Venez dîner à la maison. → J'aimerais vraiment *que vous veniez dîner.*

Civilités

1. Vous êtes venu. J'en suis enchanté. → Je suis enchanté…

2. Je vais faire sa connaissance. Enfin ! → Je suis ravie…

3. Vous avez pu vous libérer ? Tant mieux ! → Quelle chance…

4. Il me faut vous quitter, malheureusement ! → Je regrette…

5. Tu pars ? Si tôt ! → C'est dommage…

6. Il n'a pas pu venir ? Quel dommage ! → Je regrette…

7. Toi ici ! Quelle bonne surprise ! → Je suis surprise et heureuse…

8. Merci d'avoir pensé à nous. → Nous sommes très touchés…

9. Tous nos vœux de réussite ! → Nous souhaitons…

10. Vous voulez me présenter à la princesse ? → Je suis flatté…

11. Votre père va mieux ? Ah, tant mieux ! → Je me réjouis…

12. Pardon ! Je vous ai dérangé. → Je suis vraiment confuse…

13. Merci de ta lettre. → Ça m'a touché…

14. Tu ne pourras pas venir ? Quel dommage ! → Je suis déçu…

15. Ça vous a plu ? J'en suis ravie. → Je suis contente…

324 **b) Lisez puis, à votre tour, écrivez un mot d'invitation, de remerciement, d'excuse comportant au moins deux subjonctifs.**

Chers amis,
Je suis très touchée que vous soyez tous venus à la petite fête que j'avais organisée pour mon départ. Merci, merci à tous. Il est temps pour moi de partir vers d'autres horizons. Je suis ravie d'avoir pu partager toutes ces années avec vous et très fière que nous ayons réalisé ensemble tant de projets passionnants. Marie

Anton,
Quel dommage que tu ne puisses pas venir au mariage des jumeaux. On se faisait une joie de partager avec toi ce moment inoubliable. On va te regretter. Mais je comprends que tu n'aies pas pu te libérer. On te racontera tout et on t'enverra des photos.
Tout le monde t'embrasse.
Max

Salut les mecs !
Vraiment, c'était vraiment sympa que vous soyez tous venus me voir à l'hôpital pour me réconforter après cet accident. Ça m'a fait super plaisir. Je vous promets qu'on fera une maxi fête dès que je serai guéri ! Vous avez vu mon selfie avec l'infirmière ? !
À plus ! Hervé

13

325 Entraînez-vous à deux. Donnez la réplique oralement en mettant le verbe au subjonctif présent ou passé.

Elle dort encore ?
– C'est tout à fait normal *qu'elle dorme encore.*

1. – Il pleut encore !
  – Peu importe qu'il *(pleuvoir)* ou non !

2. – Je peux prendre une photo de vous ?
  – Je déteste qu'on me *(prendre)* en photo.

3. – Ça y est, j'ai mon examen !
  – Ah ! Quelle bonne nouvelle que tu *(réussir).*

4. – Philippe n'est toujours pas rentré ?
  – Non, je crains qu'il ne* lui *(arriver)* quelque chose.

5. – On se revoit quand ?
  – Il faudrait qu'on *(se revoir)* bientôt.

6. – Je ne sais pas tout. On ne m'a pas tout dit.
  – C'est normal que vous *(ne pas tout savoir).*

7. – Je n'ai pas tout compris.
  – Ça m'étonne que vous *(ne pas tout comprendre).*

8. – Ils ont refusé ma proposition.
  – Je ne comprends pas qu'ils l'*(refuser).*

*Ce « ne » explétif n'a pas de valeur négative.

ex 385

326 Écoutez et donnez la réplique. Écoutez pour vérifier.

– Nous reviendrons bientôt.
– Tout le monde souhaite *que vous reveniez* rapidement.

1. – ....
  – Ah bon, ça me surprend qu'il *(refuser).*

2. – ....
  – Qu'est-ce que tu veux que je te *(dire)* ?

3. – ....
  – Oui, enfin ! Il était temps qu'ils *(partir).*

4. – ....
  – En train ? Comment se fait-il qu'ils *(ne pas partir)* en voiture ?

5. – ....
  – Tant mieux ! Ça me fait vraiment plaisir que vous *(se réconcilier).*

6. – ....
  – Ça ne m'étonne pas. Ça s'explique que vous *(se tromper).* Ce n'est pas facile de trouver.

7. – ....
  – Comment ça ? Je ne comprends pas qu'on *(ne pas vous prévenir).*

8 – ....
  – Ah ! C'est vraiment dommage que vous *(ne pas réussir)* à vous mettre d'accord.

13

introducteurs 3 : expression de la possibilité, de l'incertitude

327 **a) Écoutez, puis jouez cette scène à plusieurs.**

Mesdames, messieurs, votre attention s'il vous plaît ! **Supposons que** les journées de rencontre aient lieu le premier week-end du mois prochain. Est-ce qu'on pourrait faire un tour de table pour savoir qui pourrait être présent le samedi 12 ou le dimanche 13, ou les deux jours ?... **Je ne suis pas sûre** que ce soit la meilleure date, car **il semblerait que** la date ne convienne pas à tout le monde, mais **je suis persuadé que** l'on va trouver une solution. En ce qui me concerne, bien sûr, **il est évident que** je serai présente les deux jours de la rencontre, quelle que soit la date... Je vous laisse la parole.

Moi aussi, **il est évident que** je serai présent les deux jours.

Je crois bien que je suis libre ce week-end-là. Je vais vérifier.

Moi aussi, **il est clair que** je serai là pendant tout le week-end.

Il est probable que je pourrai venir les deux jours, mais je confirmerai.

Il se peut que je puisse venir, oui, **il y a de fortes chances** que je puisse venir.

Je pense que je pourrai me libérer une partie du dimanche, mais **je ne pense pas que** je sois libre toute la journée.

Il est possible que je puisse me libérer tout le week-end. Oui, **ce n'est pas impossible que** je puisse le faire.

Pensez-vous que ma présence soit indispensable ? Car **je ne crois pas que** je puisse venir.

Moi, **je suis certaine que** je ne pourrai pas venir le samedi, mais **il se pourrait que** je vienne le dimanche.

Ça ne me paraît pas si simple. Je vais faire passer un papier sur lequel je vous demande de cocher la date qui vous convient le mieux.

327 **b) Faites un classement de ce qui précède « que... ».**

que + subjonctif	que + indicatif
doute, incertitude, (im)possibilité	certitude, conviction, (im)probabilité
supposons que	*il est évident que ...*

La grammaire des premiers temps B1-B2

100

328 Travaillez les dialogues à plusieurs en mettant les verbes au mode qui convient. Écoutez pour vérifier.

– Alors, vous viendrez?

– Il n'est pas absolument sûr que je *vienne*.

– Il est probable que je *viendrai*, mais il se peut que j'*aie* un empêchement.

– Moi, il y a peu de chances pour que je *vienne*, mais ce n'est pas impossible.

1. – Vous croyez vraiment que ce cadeau lui sera utile?

– Je doute que ça lui *(être)* utile…

– Je crois que ce n'*(être)* pas un appareil indispensable.

– Je ne crois pas qu'il *(s'en servir)* beaucoup.

– Il est même probable qu'il ne *(s'en servir)* jamais.

– Mais si, il se peut que ça lui *(être)* utile un jour ou l'autre…

2. – Comment ça va se passer?

– Il se pourrait qu'il n'y *(avoir)* pas grand monde.

– Il est possible qu'on ne *(faire)* pas salle comble.

– C'est même probable qu'il n'y *(avoir)* pas grand monde.

– Pourquoi vous dites ça? Moi je crois qu'il y *(avoir)* du monde.

– Moi aussi, je ne suis pas sûre que ce *(être)* plein, mais je suis confiant.

3. – Vous pourrez arriver à l'heure?

– Il n'est pas impossible que je *(pouvoir)*. arriver à l'heure, mais je ne te promets rien.

– Nous, il y a de fortes chances pour qu'on *(avoir)* un peu de retard. Un quart d'heure pas plus!

– Moi, je pense que je *(être)* là à l'heure. Je termine tôt ce jour-là.

– Moi aussi, mais il est probable que j'*(avoir)* un peu de retard.

4. – Est-ce qu'elle se remettra rapidement de cette maladie?

– Je doute qu'elle *(être)* sur pied avant longtemps.

– Il se pourrait que la convalescence *(être)* longue.

– En effet, il est même certain que ce *(être)* long.

5. – Il m'a reconnue, tu crois?

– Je suis persuadé qu'il *(te voir)*.

– Moi je crois qu'il *(te voir)*, mais qu'il *(ne pas te reconnaître)*.

– Moi, il me semble qu'il *(me reconnaître)* très bien.

– Oui, et qu'il *(faire)* comme s'il ne te voyait pas!

13

329 a) **Utilisez le mode qui convient.**

Le chanteur est malade. Il est probable que le concert *(ne pas avoir lieu) n'aura pas lieu*.

1. Étant donné le mauvais temps il est possible que l'avion *(ne pas pouvoir)* se poser. Il y a même de fortes chances pour que ce *(être)* le cas.

2. La réunion sera brève. Il est donc peu probable que nous *(avoir le temps)* de régler tous les problèmes aujourd'hui.

3. Il est probable que la boulangerie *(être)* fermée. Il y a peu de chances (pour) que ce *(être)* encore ouvert à 7 heures et demie.

4. Essayons de téléphoner chez Philippe. Il y a des chances pour qu'on *(pouvoir)* le joindre chez lui. Il est possible qu'il *(rentrer)*.

5. Il est vraisemblable qu'aux prochaines élections je *(s'abstenir)* de voter.

6. Nous ne nous sommes pas déjà vus? Il me semble que je vous *(connaître)*. Je suis presque sûre que je vous *(rencontrer)* quelque part.

7. Il n'a pas fait de doute aux jurés que l'inculpé *(être)* complice du meurtre.

8. Il se pourrait qu'un jour ou l'autre la municipalité *(décider)* de rénover le quartier et *(détruire)* les immeubles trop vétustes.

9. Il est peu probable que nous *(vivre)* en France toute notre vie, mais il se peut que nous y *(rester)* quelques années encore.

10. Il n'est pas impossible que Joséphine nous *(faire)* la surprise de nous rejoindre. Il me semble qu'elle en *(parler)*.

11. Il semble que notre politique économique *(ne pas approuver)* par la majorité des Français.

12. Je doute qu'il *(pouvoir)* terminer son rapport dans les temps, mais je ne doute pas qu'il *(faire)* le maximum pour y arriver.

13. Je suis convaincue que les députés *(comprendre)* la nécessité de cette loi.

329 b) **Travaillez les dialogues à deux. Utilisez le mode qui convient.**

– Il viendra ou non, à ton avis?
– Je ne crois pas qu'il *(venir) vienne*.

1. – Tu as l'impression que Georges *(être)* content de son nouveau travail?
– Je crois que ça lui *(plaire)*.

2. – Je crois qu'il *(être)* malade.
– Je ne crois pas qu'il *(être)* malade, mais il me semble en effet qu'il *(être)* fatigué.

3. – Nous voudrions l'addition. Je suppose que vous *(accepter)* les cartes de crédit?
– Je crois que l'appareil *(être)* en panne. Je ne suis pas sûr qu'il *(réparer)*. Je vais voir.

4. – Je doute qu'il *(dire)* toute la vérité.
– Je ne crois pas qu'il *(mentir)*, mais je pense qu'il *(ne pas tout dire)*.

5. – Tu penses qu'on *(avoir)* une réponse quand?
– Je doute qu'on *(avoir)* une réponse avant plusieurs jours.

6. – Je ne suis pas sûr que vous *(pouvoir)* entrer sans invitation.
– Je suis certain que ce n'*(être)* pas possible.

7. – J'ai l'impression que quelqu'un nous *(suivre)*.
– Tu vois bien qu'il n'y *(avoir)* personne.

Puis prolongez chaque dialogue de quelques répliques.

– *Il viendra ou non, à ton avis?*
– *Je ne crois pas qu'il vienne.*
– *Il devrait être déjà là! On attend encore un peu?*
– *Cinq minutes mais pas plus!*

13

330 **Donnez deux avis différents ou contradictoires en réponse
à chacune des questions suivantes.**

1 Pensez-vous que tous les hommes politiques soient / sont corruptibles ?
 ● Il me semble que beaucoup d'hommes politiques sont corruptibles.
 ● Je ne pense pas que la majorité des hommes politiques soient / sont corruptibles.

2 Trouvez-vous que les enfants uniques aient / ont de la chance ?
 ● Il me semble que non, que ....
 ● Je trouve qu'ils ....

3 Croyez-vous que l'on devienne / devient sage en vieillissant ?
 ● Je n'ai pas l'impression ....
 ● C'est clair qu'on ....

4 Pensez-vous que le jeu tienne / tient beaucoup de place dans le développement de
 l'enfant ?
 ● Il ne fait pas de doute que ....
 ● Il semble oui, que ....

5 Pensez-vous que le soleil ait / a des effets bénéfiques sur la santé ?
 ● Ce dont je suis sûr(e), c'est que ....
 ● Je crois que ....

6 Croyez-vous que l'on doive / doit interdire la circulation automobile dans les villes ?
 ● Je pense que oui ....
 ● Il est probable que ....

7 Pensez-vous que l'on puisse / peut rire de tout ?
 ● Je pense que non ....
 ● Je pense que oui ....

8 Vous semble-t-il que les jeunes d'aujourd'hui sont plus fragiles, plus ouverts,
 plus irrespectueux, ou plus anxieux qu'avant ?
 ● La seule chose dont je sois / suis sûr(e), c'est ....
 ● Je crois que ....

9 Pensez-vous que les nouvelles technologies favorisent ou détruisent le lien social ?
 ● Je ne pense pas ....
 ● Mon impression est que ....

10 Pensez-vous que l'on retienne / retient mieux ce qui intéresse ?
 ● Qu'on retienne* mieux ce qui vous intéresse ? ....
 ● Il ne fait pas de doute ....

> *** Lorsqu'il y a antéposition, la proposition est toujours au subjonctif !**
> Il ne fait pas de doute qu'il dit la vérité. → Qu'il dise la vérité, cela ne fait pas de doute.
> Il est probable qu'elle le sait. → Qu'elle le sache ! C'est probable.

◼ subjonctif dans les relatives

331 Lisez ces publicités à haute voix. Observez l'usage du subjonctif. Cherchez d'autres publicités contenant un subjonctif.

C'EST LE MEILLEUR CAFÉ QUE VOUS PUISSIEZ TROUVER !

Venez profiter des soldes les plus exceptionnelles que nous ayons jamais faites !

Cet ordinateur est le plus puissant qui soit au monde.

Le dictionnaire Robert, le premier dictionnaire qui aille aussi loin dans la description du français.

C'est l'unique livre de la rentrée qui soit drôle d'un bout à l'autre.

« le plus », « le moins », « le meilleur », « le pire », « le seul », « l'unique », « le dernier », « le premier », « rien », « personne », « aucun » + un pronom relatif **sont fréquemment suivis du subjonctif.** Le locuteur souligne ainsi le caractère exceptionnel, unique, singulier ou rare de quelque chose ou de quelqu'un.

● *Tu es la seule personne qui m'**ait écrit** à la mort de ma mère.* ● *C'est la plus belle photo qu'il **ait** jamais prise.* ● *Il n'y a aucune explication qui **puisse** justifier un tel comportement.*

---

(101)

332 Écoutez, puis écrivez ces citations.

333 Lisez ces dialogues. Observez l'usage de l'indicatif et du subjonctif. Jouez ces dialogues.

1. – Nous cherchons une maison avec un jardin, mais **dont le loyer soit** abordable.
– J'ai à la vente une maison avec un jardin **dont le loyer est** abordable mais il y a des travaux a faire.

2. – J'ai les pieds sensibles. Auriez-vous des chaussures **qui ne fassent pas** mal aux pieds ?
– Mais, Madame, nous ne vendons que des chaussures **qui ne font pas** mal aux pieds !

3. – Voici Monsieur u**n modèle de voiture qui vient de sortir et qui a** toutes les qualités.
– J'aimerais avant tout une **voiture qui ne soit** pas trop gourmande en carburant.

4. – Auriez-vous, s'il vous plaît, un sirop qui **calme** la toux mais **qui ne m'endorme pas** ?
– Voilà Madame, un **sirop qui calme** la toux et **qui n'endort pas** du tout, je vous le promets !

5. – J'ai un **mode de vie qui me convient** parfaitement.
– Vous avez de la chance, parce qu'à mon âge, je suis encore à la recherche **d'un mode de vie qui me convienne.**

Dans ces phrases, **le subjonctif** est associé à l'idée d'éventualité, d'incertitude quant à l'existence de ce qui est recherché. **L'indicatif** est du domaine de la réalité, de la certitude.

334 **a) Écoutez cet entretien.**

334 **b) Ils cherchent un compagnon, une compagne de vie ou de voyage, un(e) (co)locataire… Comment voient-ils cette personne ? Faites-les parler.**

Étape A

Je voudrais… J'aimerais… J'aimerais bien que… Je souhaiterais que… Ça me plairait (bien) que… Ce qui me plairait c'est quelqu'un qui…

Étape B

Ça m'est (tout à fait) égal que… Ce n'est pas indispensable que… Peu importe que… Je m'en fiche* que… Ce n'est pas très important que…

* familier : ça m'est égal

Étape C

Mais je ne pourrais pas supporter que… Je ne voudrais pas quelqu'un qui… Je n'aimerais pas du tout que… Il y a une chose qui me déplairait, c'est que… Il ne faut surtout pas que…

13

Étape D

En revanche, il faut absolument que… Il est essentiel que… C'est primordial pour moi que… Je tiens à ce que… Ce qui m'importe le plus, c'est que…

334 **c) Et vous, personnellement, que diriez-vous ?**

Évaluation

335 Mettez les verbes à la forme qui convient et ajoutez à cette liste des souhaits et des regrets personnels concernant la planète et l'humanité. Échangez.

Que souhaitez-vous le plus ?

1 que tout le monde *(pouvoir)* trouver du travail, qu'il n'y *(avoir)* plus de chômage ? **2** que tous les pays *(s'entendre)* afin qu'il n'y *(avoir)* plus de guerres ? **3** que la faim *(éliminer)* dans le monde ? **4** que les gens *(être)* plus tolérants et plus ouverts aux autres ? **5** que la peine de mort *(abolir)* dans tous les pays ?

Que déplorez-vous le plus ?

1 que le racisme dans le monde *(être)* si présent ? **2** que beaucoup d'enfants *(ne pas pouvoir)* aller à l'école et *(être obligé)* de travailler ? **3** qu'il y *(avoir)* des catastrophes naturelles ? **4** qu'on *(construire)* encore des centrales nucléaires ? **5** que le terrorisme *(s'étendre)* dans le monde ?

336 Lisez le dialogue à haute voix en mettant les verbes à la forme qui convient.

La rumeur court que quelqu'un du quartier, qui avait été condamné à cinq ans de prison, va être libéré pour bonne conduite et va revenir habiter le quartier. Les commentaires vont bon train au comptoir dans un café d'habitués.

Albert : – Vous vous souvenez du type qui passait ici tous les jours et qui avait été condamné à 5 ans de prison, un petit avec une moustache…

Charly : – Oui, oui, je me souviens qu'un jour on *(ne plus le voir)*.

Dédé : – Et on avait su qu'il *(braquer)* une banque, c'est bien ça ?

Albert : – Oui, et bien j'ai entendu dire qu'il *(aller)* sortir de prison.

Dédé : – C'est vrai qu'il *(être question de)* le relâcher ?

Charly : – Je ne crois pas qu'il *(finir)* de purger sa peine. Ça ne fait pas cinq ans qu'il a été condamné…

Albert : – Je crois que ça *(faire)* à peine trois ans.

Dédé : – À supposer que ce *(être)* vrai, c'est grave.

Albert : – C'est fréquent qu'on *(sortir)* avant la fin de sa peine.

Dédé : – C'est pas étonnant que tout *(aller)* mal !

Albert : – Tu trouves toujours que tout *(aller)* mal, toi, Dédé.

Dédé : – Parce que vous trouvez normal, vous, qu'un type qui a été condamné à 5 ans ne *(faire)* pas ses cinq ans ?

Charly : – Toi, tu voudrais qu'il en *(faire)* dix !

Dédé : – Mais non, tout ce que je demande, c'est que la peine *(exécuter)*.

La serveuse : – Alors Messieurs, qu'est-ce que je vous sers ?

Albert : – La même chose, Madeleine !

La serveuse : – Ça marche !

Chapitre 14

L'expression du temps

Date, durée, fréquence

Interroger sur la date, la période, le moment

quel jour? **quelle date?**	aujourd'hui, (avant)-hier, (après)-demain le premier janvier, le 10 août, le samedi 15 mai…
à quelle heure?	à 15 heures (précises), vers 18 heures, aux environs/autour de midi…
quelle semaine?	cette semaine, la semaine dernière, prochaine…
quel mois?	ce mois-ci, le mois dernier, prochain, en mars, au mois de mars…
(en) quelle saison?	au printemps, en été, en automne, en hiver…
(en) quelle année?	cette année, l'année dernière, l'année prochaine, en 1999…
quel siècle?	au xxᵉ siècle, au siècle dernier…
à quel moment?	pendant la nuit, les vacances…

Interroger sur le moment de début et /ou de fin

à partir de quand?	à partir de 8 heures, dès 8 heures, dès le début de l'hiver…
jusqu'à quand?	jusqu'à 20 heures, jusqu'au soir, jusqu'au mois prochain…
de quand à quand?	de 5 heures à 7 heures, de jeudi à samedi, d'avril à juillet…

Interroger sur la durée

pendant / durant* **combien de temps?**	pendant / durant un mois, cinq jours, (toute) une année…
en combien de temps?	en une minute, en une heure, en deux mois…
depuis combien de temps? **il y a / cela / ça fait combien de temps que… ?**	depuis dix jours, depuis un an, depuis toujours…
	il y a, cela /ça fait une semaine que…
pour combien de temps?	pour une année, pour le week-end…
dans combien de temps?	dans une heure, dans un petit moment…
d'ici combien de temps?	d'ici quelques jours, d'ici un jour ou deux…

* plus soutenu.

Interroger sur la fréquence, la périodicité

tous les combien de temps?	chaque soir, chaque mois, chaque année…
	tous les lundis, toutes les semaines, tous les deux jours…
	le lundi, le mardi…
combien de fois par jour/mois/an…?	un lundi par mois, une fois par jour, plusieurs fois par an…
	un lundi sur trois, une semaine sur deux…

14

337 **a)** Soulignez les marques temporelles et notez si elles indiquent un moment (M), une durée (D) ou une fréquence (F).

*« Nous habitons **depuis plusieurs années** (D) aux États-Unis. Nous avions débarqué **en novembre 2005** (M) en Californie. Nous y sommes restés **jusqu'en août 2009** (M), et depuis nous avons déménagé presque **tous les deux ans** (F). »*

(1)

« Le jour de mes 25 ans, j'ai pris mon sac à dos et j'ai fait le tour du monde en un an et une semaine. »

(2)

« L'année dernière, j'étais partie pour deux mois en Nouvelle-Zélande. J'y suis restée presque un an et j'ai vécu pendant sept mois parmi les aborigènes. Ce fut une expérience inoubliable. »

(3)

« Je suis née en banlieue parisienne, mais mes parents ont déménagé à Bordeaux quand j'avais 11 ans. J'y ai fait toute ma scolarité, puis mes études de pharmacie et c'est au cours de mes études que j'ai rencontré mon mari. »

(4)

Je suis vendeuse à temps partiel dans une boulangerie-pâtisserie artisanale : je travaille une semaine sur deux, du mardi matin au dimanche soir. En principe, à partir de l'année prochaine, je devrais avoir un contrat à plein-temps.

(5)

« J'ai vécu pour la première fois à l'étranger lors d'un échange Erasmus aux Pays-Bas en 2010, puis, comme j'ai adoré cette expérience, j'ai vécu 3 mois à Berlin en 2011 lors d'un stage. Ensuite je suis allée 6 mois en Grande-Bretagne comme fille au pair, et l'année dernière, j'ai passé un an en Allemagne dans une agence de voyages française. Actuellement, je vis à Cracovie, en colocation avec trois étudiants polonais. Je suis partie en Pologne il y a 6 mois, début janvier, car je ne trouvais pas de travail en France. Je compte rester ici au moins jusqu'en décembre pour avoir une expérience professionnelle d'un an. D'ici là d'ailleurs, j'aurai peut-être trouvé du travail. »

(6)

« Pour aller travailler, je prends un bus et un tram le matin et le soir. Comme il y a beaucoup de bouchons, je mets entre 25 et 45 minutes. Je travaille 8 heures par jour, 40 heures par semaine et 2 samedis par mois en moyenne. J'ai 30 minutes de pause pour manger, alors je me prépare quelque chose la veille. Pendant la semaine, j'aime rester chez moi le soir, mais le samedi soir, je sors en boîte avec mon copain. On va plusieurs fois par mois au restaurant. On fait aussi les magasins de temps en temps. »

14

337 **b)** Travaillez à deux à partir des témoignages précédents : l'un pose des questions, l'autre y répond.

– Depuis combien de temps habitez-vous aux États-Unis ?
– Depuis plusieurs années, plus de dix ans.
– Quand avez-vous débarqué à San Francisco ?
– En novembre 2005.
– Vous y êtes restés longtemps ? Jusqu'à quand ?
– Nous y sommes restés jusqu'en août 2009, puis nous avons déménagé.

■ moment, durée, fréquence

338 **a) Cochez ce qui est vrai pour vous et échangez.**

Date, moment, période

☐ Je fais du jogging en hiver, en été, au printemps, en automne, en toutes saisons.

☐ Je déjeune généralement aux alentours de midi.

☐ Cet été j'ai voyagé.

☐ Je n'aurais pas aimé vivre au XIXᵉ siècle.

☐ Le jour de la fête nationale, je mets un drapeau à ma fenêtre.

☐ En l'an 2000, je n'étais pas né.

☐ Je vais déménager dans le courant de l'année prochaine.

☐ Je commence à chanter dès le matin.

☐ Il y a quelque temps, j'ai pris l'habitude de méditer le soir, à la tombée de la nuit.

Durée

☐ Je peux marcher en montagne des heures durant plusieurs jours d'affilée.

☐ Il m'est arrivé de passer des jours et des jours sans parler à personne.

☐ Je ne pourrais pas travailler une journée entière sans m'arrêter.

☐ Je travaille entre quarante à quarante-cinq heures par semaine.

☐ Je dors très peu, trois ou quatre heures seulement.

☐ Je ne mets pas plus de deux minutes à m'habiller.

☐ Je passe presque deux heures par jour dans les transports en commun.

☐ Je peux jouer à des jeux vidéo pendant des heures et des heures.

Fréquence, périodicité

☐ Je lis de temps en temps des bandes dessinées, pas souvent.

☐ Je débouche une bouteille de champagne chaque année, le jour de mon anniversaire.

☐ Je fais la grasse matinée tous les dimanches.

☐ Je danse une fois de temps en temps, tous les deux ou trois mois peut-être.

☐ Je n'ai jamais menti à personne.

☐ Je me mets exceptionnellement en colère.

☐ Je vais au cinéma à peine une fois par an.

☐ J'ai rarement l'occasion de parler français en dehors du cours.

☐ Je m'oblige à faire du sport un jour sur deux.

☐ Je consulte ma messagerie deux fois par jour.

14

338 **b) Réutilisez ces phrases dans des dialogues. Utilisez des expressions de temps.**

– Je fais du jogging en toutes saisons. Et vous ?
– Moi, je cours de temps en temps quand il fait beau, mais pas très souvent.
– Moi, je ne fais jamais de jogging, mais je marche. Je peux marcher des heures durant.

> **Quelques adverbes marquant la périodicité et la fréquence :**
> (ir)régulièrement, habituellement, couramment, souvent, fréquemment, quelquefois, parfois, de temps à autre, (une fois) de temps en temps, épisodiquement, rarement, exceptionnellement, jamais.

339 a) **Enquêtez. Chacun est responsable d'une des questions suivantes.**
Il la pose à différents apprenants, puis présente les résultats.

1 Vous dormez longtemps ? Combien d'heures par nuit ? Vous faites souvent la grasse matinée ? *Les étudiants que j'ai interrogés dorment entre 7 et 10 heures par nuit. La majorité des étudiants aiment faire la grasse matinée dès que c'est possible, mais deux d'entre eux n'aiment pas du tout la faire.*

2 Quand on vit en appartement, il faut sortir un chien combien de fois par jour à votre avis ?

3 En quelle saison êtes-vous né(e) ? Quel jour de la semaine et à quelle heure ?

4 On dit qu'il faudrait rire au moins 5 minutes par jour. C'est le cas pour vous ?

5 À votre avis, jusqu'à quel âge peut-on considérer qu'on est jeune ?

6 À partir de quel âge peut-on commencer le piano ou le violon ?

7 Quelle est la durée légale du travail dans votre pays ? Quelle serait pour vous la durée hebdomadaire de travail idéal ?

8 De quand à quand avez-vous vécu chez vos parents ?

9 Que faites-vous à l'heure du déjeuner entre midi et deux heures ?

10 Combien de fois avez-vous raté un train, un avion ou un bus ?

11 Aimeriez-vous travailler seulement un jour sur deux ou une semaine sur deux ?

12 Faites-vous la sieste ? Et vos compatriotes ? Entre quelle heure et quelle heure ?

13 Est-ce que vous veillez tard le soir ? Jusqu'à quelle heure ?

14 Il vous est parfois arrivé de vous endormir pendant un cours ?

15 Avez-vous quelque chose d'important à faire d'ici (à) ce soir ?

16 À quel moment aimez-vous vous promener dans la nature ? Au petit matin, en pleine journée, à la tombée de la nuit, en pleine nuit ?

339 b) **Soulignez les expressions de temps.**

339 c) **Écoutez les réponses à quelques-unes de ces questions. De quelles réponses vous souvenez-vous ?**
(103)

340 **Notez à quel moment ces personnes sont nées.**
(104)

14

1. Je suis né chez ma grand-mère *à l'aube, le premier jour de l'été.*

2. Moi, c'était à Lausanne, en Suisse, dans une clinique chic, ...

3. Moi, je suis venue au monde dans un taxi, ...

4. Moi, c'était dans un château en Écosse, ...

5. Moi, dans l'abri d'une clinique, à Brest, ...

6. Moi, sur une plage à Tahiti, sous un palmier, ...

7. Moi, c'était au fin fond de la brousse, ...

8. C'était au domicile de mes parents, ...

Et vous, à quel moment êtes-vous né(e) ?

ex 242

■ ce jour-là, cette année-là

105
341 Écoutez et lisez le texte une fois en observant les termes en gras.
Complétez les mots manquants.

Je me suis marié plusieurs fois. La première fois c'était ...... printemps, ... début du printemps, ... 2 avril. C'était ...... 1980. À cette époque, les cérémonies religieuses avaient lieu ...... matin et on se mariait généralement **la veille** à la mairie. Mon premier mariage civil a donc eu lieu ...... 1er avril. Nous sommes partis **le lendemain** du mariage en voyages de noces. Au tout début, ... deux premiers jours, c'était l'idylle, mais la lune de miel s'est terminée brutalement ...... troisième jour, ... matin, ... petit-déjeuner. ...... midi, nous quittions Séville, **le lendemain** nous étions de retour à Paris **et le surlendemain** nous étions chez notre avocat. Oui, ... deux semaines tout était fini.

La deuxième fois, c'était **trois années plus tard**. C'était ...... jeudi, ... jeudi 11 novembre. Il faisait gris et froid déjà depuis plusieurs jours et ...... jour de la cérémonie, il s'est mis à pleuvoir et à venter. « Mariage pluvieux, mariage heureux », dit-on ! Ça n'a pas été le cas puisque **trois mois plus tard**, jour pour jour, un événement que je préfère passer sous silence nous a séparés, ma deuxième épouse et moi.

Les cinq années qui ont suivi, je suis resté célibataire. En fait, non, je suis resté marié jusque ...... 1988 puisque nous n'avions pas divorcé tout de suite, ma deuxième épouse et moi. C'est seulement **cette année-là** que nous avons divorcé, ... fin du printemps.

Le mois suivant mon divorce, j'ai rencontré une charmante personne. Je ne m'étais encore jamais marié ...... été. Je l'ai fait. C'était ...... semaine du 14 juillet. La fête a commencé ...... la tombée du jour et a fini ...... l'aube. Ce fut mon plus beau mariage. Malheureusement ...... mois d'octobre, ma femme m'a révélé une chose qu'elle ne m'avait jamais dite. Je m'en souviens encore, c'était ...... pleine nuit. **Cette nuit-là**, je me suis juré de ne plus jamais me marier.

106
342 Écoutez. Retrouvez de mémoire les conseils donnés et écrivez-les.

14

Référence à un autre moment que le moment où l'on parle (passé, futur)		
l'avant-veille, la veille	ce jour-là	le lendemain, le surlendemain
la semaine précédente/d'avant	cette semaine-là	la semaine suivante/d'après
le mois précédent/d'avant	ce mois-là	le mois suivant/d'après
l'année précédente/d'avant	cette année-là	l'année suivant/d'après

Plus-que-parfait, p. 120

◼ depuis, il y a

343 **Complétez avec « depuis » ou « il y a ».**

Ils sont pacsés *depuis* deux ans.
Ils se sont pacsés *il y a* deux ans.

1. Elle ne fume plus …… presque un an. Elle s'est arrêtée de fumer le jour de son anniversaire, …… plusieurs mois de cela.

2. Ils se sont téléphoné pour la dernière fois …… une semaine. Ils ne se sont pas téléphoné …… une semaine.

3. Il a été élu député …… plus d'un an. Il est député maintenant …… bientôt deux ans.

4. Cette maison n'est plus en vente …… un mois. Elle a été vendue …… un mois.

5. Le malade dort maintenant …… une heure. Il s'est endormi …… une heure.

6. On frappe à ma porte …… deux minutes. Oui, on a commencé à frapper à ma porte…… bien deux minutes. Personne n'avait frappé à ma porte …… longtemps.

7. Je l'ai entendu rentrer chez lui …… une demi-heure. Il n'était pas rentré chez lui…… plusieurs jours.

8. Le règlement, qui n'avait pas été modifié …… bientôt dix ans, a été modifié …… un mois.

344 **Complétez avec « il y a » ou « depuis ».**

1. Il a quitté la France *il y a* trois semaines et, …… trois semaines, il n'a pas téléphoné à sa famille. **2.** …… un mois, nous sommes hébergés par des amis, car …… six mois nous avons décidé de faire des transformations importantes dans notre appartement. **3.** Il vient de raccrocher …… cinq minutes seulement. Il téléphonait …… plus d'une heure ! **4.** Il s'est enfermé dans sa chambre …… maintenant deux jours et, …… deux jours, il n'en est pas sorti une seule fois. **5.** Elle travaillait …… plus de quarante ans dans cette entreprise et elle vient de prendre sa retraite …… juste une semaine. **6.** Elle s'est disputée avec son frère …… un mois lors d'un repas de famille et …… ce jour-là, ils ne se sont plus adressé la parole. **7.** Ce film a obtenu la palme d'or au festival de Cannes …… trois mois et, …… trois mois, il est à l'affiche !

345 **Écoutez deux suites possibles pour chacune de ces phrases, répétez-les. Puis écrivez l'une d'entre elles.**

1. Il a commencé à pleuvoir très fort il y a trois jours…
2. Il a été licencié il y a un an à la suite d'une faute professionnelle…
3. L'employé a déposé une plainte contre la direction pour harcèlement moral il y a quelques semaines…
4. Le prévenu a été incarcéré il y a plusieurs semaines…
5. Docteur, votre premier patient est arrivé il y a près d'une heure…
6. On a piraté mon compte bancaire il y a deux mois…

Puis, à votre tour, faites des phrases sur ce modèle.

■ depuis, dans, il y a

> Que mangeaient nos ancêtres **il y a** 150 ans ? Que mangeront nos descendants **dans** 150 ans ? ● Comment se déplaçait-on **il y a** cent ans ? Comment se déplacera-t-on **dans** cent ans ? ● Quelle taille avaient les hommes **il y a** mille ans ? Quelle taille auront les hommes **dans** mille ans ?

346 **Complétez comme dans l'exemple avec « depuis », « il y a » et « dans ».**

La température a commencé à baisser *il y a* huit jours. Le thermomètre n'a pas dépassé zéro *depuis* huit jours, mais la météo prévoit un radoucissement *dans* quelques jours.

1. Les négociations ont débuté ...... deux jours et ...... deux jours elles se succèdent sans résultats. Si aucune solution n'est trouvée avant ce soir, elles seront interrompues et ne pourront reprendre que ...... trois semaines.

2. Les pilotes retenus en otage, qui ont été libérés ...... une semaine, ne retrouveront leurs familles que ...... quelques jours. En effet, ... leur libération, ils sont sous surveillance médicale.

3. ...... dix minutes en principe la coupe est à nous ! ...... le début du match notre équipe domine. La deuxième mi-temps a commencé ...... trente minutes ; il ne reste plus que dix minutes de jeu.

4. Nous nous sommes rencontrés pour la première fois ...... très longtemps et ...... cette époque-là nous nous voyons régulièrement. Malheureusement ...... quelques semaines, la vie va nous séparer pour longtemps.

5. ...... dix ans nous regardons grandir cet arbre. Nous l'avons planté ...... dix ans ! Il est déjà très beau mais il ne sera magnifique que ...... vingt ans !

6. Le premier témoin est entré chez le juge ...... une heure. Le second témoin est entendu ...... dix minutes. Nous allons être entendus à notre tour ...... quelques minutes.

347 **Rédigez de courts paragraphes. Utilisez « dans », « il y a » et « depuis ».**

partir ● parcourir x pays d'Europe ● être de retour → *J'ai deux amis étudiants qui sont partis il y a deux mois pour un tour d'Europe. Ils parcourent depuis deux mois différents pays d'Europe grâce à leur pass interRail mais, dans une semaine, ils seront de retour pour la rentrée universitaire.*

1. Faire un emprunt ● rembourser l'emprunt ● devenir propriétaire

2. Recevoir une proposition de travail ● y réfléchir ● donner sa réponse définitive

3. S'inscrire à un cours de langue ● suivre ce cours et étudier ● aller dans le pays

4. Commencer une thèse ● y travailler ● soutenir sa thèse

5. Début du tournage du film ● interruption ● reprise du tournage

6. Départ des alpinistes ● absence de nouvelles ● déclenchement des recherches

7. Dépôt du projet de loi ● discussion à l'assemblée ● vote

14

■ il y a... que, cela/ça fait... que

108

348 Écoutez la réponse à la question :
Qu'est-ce que vous n'avez pas fait depuis
longtemps ? Puis échangez entre vous.

349 Formulez les phrases.

Il y avait plus de cinquante ans que le volcan *(avoir
une éruption)* → *n'avait pas eu d'éruption.*

1. Belle victoire ! Ça faisait un bon moment que vous
...... *(jouer aussi bien).*

2. Quelle bonne soirée ! Ça faisait longtemps qu'on
...... *(rire autant).*

3. Va donc voir ce film. Il y avait des mois que je
...... *(voir un aussi bon film).*

4. Cela faisait bien longtemps qu'un Premier ministre ...... *(être aussi haut dans les sondages).*

5. Il a beaucoup plu hier ! Il y avait longtemps qu'...... *(pleuvoir autant).*

6. Quelle frayeur ! Cela faisait longtemps que je ...... *(avoir une telle peur).*

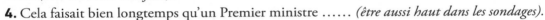

109

350 Écoutez et répliquez.

– *Tu m'attends depuis longtemps ?*
– Tu exagères ! Ça fait plus de trois quarts d'heure que je t'attends !

1. – .... ?
   – Que je souffre autant non, non, pas depuis longtemps, ça fait quelques heures.

2. – .... ?
   – Il y a maintenant plus d'une semaine que je n'ai ni téléphone, ni Internet.

3. – .... ?
   – De quoi me parles-tu ? Qu'est-ce qui ne t'était pas arrivé depuis longtemps ?

4. – .... ?
   – Attendez que je réfléchisse. Cela fait... ça fait plus de 4 ans ! Ça fera même exactement
   5 ans le mois prochain.

5. – ....
   – Je ne comprends pas, il y a plus d'une semaine que je vous ai envoyé ma réponse par
   courrier !

Imaginez une situation et une suite pour un de ces dialogues.

14

◼ pendant, pour

351 Lisez et observez l'emploi de « pour » et « pendant ». Écrivez un titre pour chacun de ces articles.

1.

Un projet de recherches européen sur l'agroalimentaire, prévu **pour** une durée de 5 ans, vient d'être confié à deux universités de Bretagne. **Pendant** ces cinq ans, elles vont mettre en place des équipes de recherche qui travailleront en étroite collaboration.

2.

Les vendanges s'annoncent plutôt bonnes. Les viticulteurs embauchent comme chaque année des équipes de travailleurs saisonniers **pour 8 à 15 jours**.

3.

Une navette spatiale américaine, qui était partie **pour** seize jours, a abrégé sa mission dans l'espace et est revenue après quatre jours seulement. **Pendant** deux heures, on avait même perdu sa trace sur les écrans de contrôle.

4.

Il y a deux ans en janvier, une grosse tempête avait dévasté la côte est des États-Unis. **Pendant plusieurs jours,** les gens étaient restés bloqués chez eux. Neuf mois plus tard, les maternités de Washington étaient bondées !

5.

Un jeune espoir du tennis vient d'être suspendu **pour un an** pour avoir pris de l'ecstasy. Cette interruption d'un an risque d'avoir de graves conséquences sur sa carrière. Que va-t-il faire **pendant** cette année ?

1. *AGROALIMENTAIRE : Cinq ans de recherches pour deux universités bretonnes.*

Pendant et pour

*Ils sont partis **pendant** six mois.* = Leur absence a duré six mois.
*Ils sont partis **pour** six mois.* = La durée prévue de leur absence est de 6 mois.
Pendant peut être omis lorsqu'il exprime une durée et que le sens ne fait pas de doute :
*Je t'ai attendu / cherché (**pendant**) une heure ! Nous avons dormi (**pendant**) plus de 12 heures.*
Mais n'est jamais omis lorsqu'il est synonyme de «lors de», registre plus soutenu, «au cours de».
*Il a vendangé **pendant** ses vacances. Il a très peu plu **pendant** l'été.*

---

352 Complétez avec « pour » ou « pendant ».

1. Ils ont cherché en vain …… un mois un appartement …… six mois. **2.** Je vous prescris des médicaments …… cinq jours. Prenez-les régulièrement …… ces cinq jours. **3.** Le propriétaire du studio vient enfin de trouver un locataire …… les trois mois d'été. **4.** Jean a proposé …… plusieurs années à Jeanne de l'épouser. Mais Jeanne n'a jamais voulu s'engager …… la vie. **5.** Voilà ton argent de poche …… deux semaines. Je ne te donnerai pas un sou de plus …… deux semaines. **6.** Le président de la République française est élu …… cinq ans et les sénateurs …… six ans. **7.** Dès notre arrivée, nous avons loué une voiture …… une semaine et, …… toute la semaine, nous avons sillonné la Bourgogne.

14

◼ en, pendant, dans

353 **a) Lisez et observez l'emploi de « en » dans ces trois coupures de presse, puis cherchez d'autres titres de presse contenant « en ».**

En Méditerranée, 2 500 migrants secourus en vingt-quatre heures.

La marine italienne a annoncé avoir secouru **en** vingt-quatre heures quelque 2 500 migrants qui tentaient la dangereuse traversée de la Méditerranée à bord de 17 bateaux.

Les hommes européens ont grandi de 11 cm en un siècle.

En un peu plus d'un siècle, la taille moyenne des jeunes hommes adultes européens a augmenté d'environ onze centimètres. Même si la taille moyenne a fluctué au fil des siècles, la croissance constatée depuis la fin du XIXe siècle est vraiment sans précédent.

Le tour de la terre en 92 minutes.

La station spatiale internationale fait le tour du monde **en** 92 minutes, ce qui correspond à une vitesse de 8 km/seconde, 500 km/minute ou 28 000 km/heure.

« **En** » indique la durée nécessaire à l'accomplissement de quelque chose :
La terre fait le tour du soleil en 365 jours.
Cet accomplissement peut être formulé par :
Falloir x temps pour : *Il faut 365 jours à la terre pour faire le tour du soleil.*
Mettre x temps pour : *La terre met 365 jours pour faire le tour du soleil.*

---

353 **b) Préparez et posez des questions. Utilisez les différentes formulations.**

En combien de temps le café fait-il de l'effet ? Il vous faut combien de temps pour aller à votre travail ?

354 **Complétez avec « en », « pendant » ou « dans ».**

Il a joué *pendant* toute une soirée au casino. Il a perdu sa fortune *en* une heure. Mais *dans* quelques mois, il recommencera à jouer. **1.** Les enfants vont sortir jouer ...... quelques minutes. La cour de l'école sera remplie d'enfants ...... quelques minutes. Ils y resteront ...... environ dix minutes. **2.** Il va monter à la tribune ...... un quart d'heure. Il exposera son projet rapidement ...... une dizaine de minutes, puis répondra aux questions ...... plus de vingt minutes. **3.** Je suis désolée, mais tout notre stock de caméras en promotion s'est vendu ...... trois jours. Nous ne recevrons d'autres caméras que ...... une semaine. Vous devrez attendre ...... quelques jours. **4.** Je ne peux pas prendre ma décision ...... cinq minutes. J'ai besoin de réfléchir au moins ...... le week-end. Je vous donnerai ma réponse ...... quelques jours. **5.** Il a attendu ...... plusieurs mois l'inspiration pour écrire. Puis un jour, il s'est assis à sa table et il s'est mis à écrire. ...... dix jours son livre était écrit ! Deux mois plus tard, il recevait la réponse positive de l'éditeur et, ... un mois, son livre sera en librairie.

14

Évaluation

355 Mettez en relation chaque phrase et son explication.

Il est parti il y a 5 minutes ●   ● durée de l'absence au moment où l'on parle.

Il est parti depuis 5 minutes ●   ● durée de l'absence indépendamment du présent.

Il est parti pour 5 minutes ●   ● durée prévue de son absence.

Il est parti en 5 minutes ●   ● point de départ de l'absence.

Il est parti pendant 5 minutes ●   ● temps qui lui a été nécessaire pour partir.

356 Posez pour chaque événement deux questions portant sur le temps, la durée, le moment, l'époque. Travaillez à deux, l'un interroge, l'autre répond.

①	**②**	**③**
À 3 h 56, heure de Paris, le lundi 21 juillet 1969, l'Américain Neil Armstrong a été le premier homme à marcher sur la lune. Un écrivain français Jules Verne l'avait imaginé dans son livre en 1869, cent ans auparavant.	Louis XIV n'avait pas 5 ans à la mort de son père. En 1643, il est devenu roi de France et l'est resté jusqu'en 1715. Il a gouverné pendant 68 ans. C'est un des plus longs règnes de l'histoire.	La Révolution française a commencé à Grenoble par la Journée des Tuiles en 1788, un an avant la prise de la Bastille le 14 juillet 1789. Le 14 juillet est la fête nationale de la France depuis 1880.
④	**⑤**	**⑥**
La tour Eiffel a été construite par Gustave Eiffel de 1887 à 1889 à l'occasion de l'Exposition universelle de 1889. Elle avait été construite pour 20 ans et elle est toujours là!	On a découvert en 1974 le squelette de la plus vieille femme préhumaine du monde, Lucy, qui était morte il y a trois millions d'années alors qu'elle venait d'avoir 20 ans.	Le 3 mars 1983 est mort Hergé, le créateur de Tintin. Du *Pays des Soviets*, en 1929, à *Tintin et les Picaros*, en 1976, ce personnage a fait le tour du monde en 23 albums.
⑦	**⑧**	**⑨**
En 1981, la peine de mort a été abolie en France. Victor Hugo l'avait prédit en 1848: «Vous ne l'abolirez peut-être pas aujourd'hui. Mais n'en doutez pas, demain vous l'abolirez ou vos successeurs l'aboliront.»	Le 6 mai 1994 a été inauguré le tunnel sous la Manche. Il y avait 200 ans que les ingénieurs s'efforçaient de trouver une solution pour relier l'Angleterre à la France. Un projet de tunnel avait été déjà déposé en 1802.	Le 5 décembre 1360, le roi Jean le Bon a créé le franc qui est resté en usage plus de 600 ans. Le 1ᵉʳ janvier 1999, l'euro est devenu la monnaie unique européenne. Les monnaies nationales ont circulé encore pendant 2 ans.

357 🔊110 Écoutez, puis reconstituez ce récit de mésaventures.

Recherche d'un nouvel appartement; problèmes chez le notaire; avec les artisans; pour le déménagement, pour les meubles; décision.

Expression du temps dans les subordonnées

Simultanéité — indicatif

quand, lorsque (langue soutenue)	*Quand j'ai dit à mon père, pianiste de jazz, que je voulais cesser le piano, il a décidé de devenir mon professeur.*
au moment où	*Il a accepté de l'être au moment où j'allais abandonner.*
le jour / la semaine / le mois / l'année où	*Le jour où il m'a donné mon premier cours, j'étais un peu nerveux.*
chaque fois que	*Mais chaque fois qu'il me félicitait, je rougissais de plaisir.*
pendant que tandis que / alors que	*Pendant qu'il est en tournée, je travaille énormément pour le surprendre à son retour.*
aussi longtemps que tant que	*Il m'a promis qu'il me guiderait aussi longtemps que je le voudrais.*
maintenant que	*Maintenant qu'il m'a pris en charge, j'aime le piano.*
à mesure que	*À mesure que je progresse, j'ai de plus en plus de plaisir à jouer.*

gérondif

en ... -ant	*Je progresse en m'amusant.*

Postériorité — indicatif (« après que » + indicatif/subjonctif)

depuis que	*Depuis que je suis tout jeune, je suis sérieux.*
après que	*Je n'arrive jamais après que le cours a / ait commencé.*
dès / aussitôt que	*Dès que / aussitôt que je ne comprends pas, je pose des questions.*
une fois que	*Mais une fois que j'ai compris, j'ai vraiment compris.*

participe passé

aussitôt / dès	*Aussitôt les cours terminés, je file travailler à la bibliothèque.*

Antériorité — subjonctif (sauf «jusqu'au moment où» + indicatif)

avant que	*L'amphi était plein bien avant que le cours (n')* ait commencé.*
en attendant que	*Les étudiants parlaient en attendant que le prof ait sorti ses notes.*
jusqu'à ce que, jusqu'au moment où	*Le professeur a attendu jusqu'à ce que le calme se rétablisse. Il a attendu jusqu'au moment où le silence a été total.*

- *Le « ne » explétif facultatif n'a pas de sens négatif.
- Lorsque le sujet des deux verbes est le même on utilise l'infinitif :

Regardez-vous la télévision au moment de vous coucher ?
avant de partir travailler ? en attendant de dîner ? après avoir dîné ?

14

358 a) Lisez ces phrasez. Lesquelles sont vraies pour vous ? Totalement ? Partiellement ? Échangez entre vous.

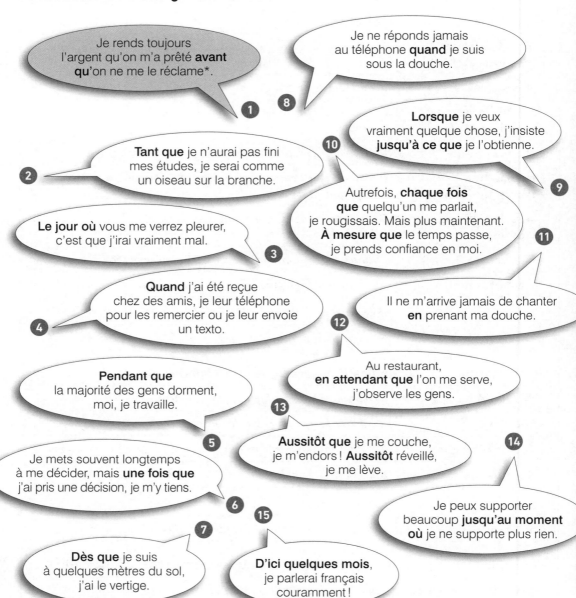

Je rends toujours l'argent qu'on m'a prêté **avant qu'**on ne me le réclame*. **1**

Je ne réponds jamais au téléphone **quand** je suis sous la douche. **8**

Lorsque je veux vraiment quelque chose, j'insiste **jusqu'à ce que** je l'obtienne. **9**

Tant que je n'aurai pas fini mes études, je serai comme un oiseau sur la branche. **2**

Autrefois, **chaque fois que** quelqu'un me parlait, je rougissais. Mais plus maintenant. **À mesure que** le temps passe, je prends confiance en moi. **11**

Le jour où vous me verrez pleurer, c'est que j'irai vraiment mal. **3**

Quand j'ai été reçue chez des amis, je leur téléphone pour les remercier ou je leur envoie un texto. **4**

Il ne m'arrive jamais de chanter **en** prenant ma douche. **12**

Pendant que la majorité des gens dorment, moi, je travaille. **5**

Au restaurant, **en attendant que** l'on me serve, j'observe les gens. **13**

Je mets souvent longtemps à me décider, mais **une fois que** j'ai pris une décision, je m'y tiens. **6**

Aussitôt que je me couche, je m'endors ! **Aussitôt** réveillé, je me lève. **14**

Je peux supporter beaucoup **jusqu'au moment où** je ne supporte plus rien. **15**

Dès que je suis à quelques mètres du sol, j'ai le vertige. **7**

D'ici quelques mois, je parlerai français couramment ! **15**

358 b) Écoutez. Quelles différences y a-t-il entre les phrases écrites ci-dessus et les phrases enregistrées ?

1. Je *ne* rends *jamais* l'argent qu'on m'a prêté avant qu'on me le réclame.
Différences : toujours → ne… jamais, et le « ne » explétif n'a pas été prononcé.

ex 358 a)

359 Écoutez et écrivez ces proverbes.

14

■ simultanéité

360 **Ces phrases ont-elles un sens si on inverse les deux parties de la phrase ?**

Elle se douche en chantant → inversion possible : on peut dire *Elle chante en se douchant.*
Il s'est fait mal en tombant → on ne peut pas dire ~~Il est tombé en se faisant mal.~~

1. Elle a souri en me regardant. **2.** Il réfléchit en marchant. **3.** J'ai appris la nouvelle en sortant de chez moi. **4.** Elle nous parlait en ne nous quittant pas des yeux. **5.** Ils nous ont raconté leur histoire en pleurant. **6.** Elle s'est fait des ennemis en refusant les compromis. **7.** Il fait la cuisine en écoutant les informations. **8.** Le facteur distribue son courrier en sifflotant. **9.** Elle m'a rendu mon livre en me remerciant. **10.** Je grelottais en attendant qu'on m'ouvre la porte.

> **Lorsque le gérondif a une valeur temporelle de simultanéité, il peut être précédé de « tout » :** *(Tout) en m'écoutant, elle griffonnait sur un papier.*

361 **Remplacez par une proposition ce qui est souligné.**

La majorité des Parisiens étai(en)t dans la rue, le jour de la libération de Paris en 1944 → *le jour où Paris a été libéré en août 1944.*

1. Ça a été le désespoir au moment des adieux. **2.** La salle était très tendue pendant la plaidoirie de l'avocat. **3.** Avez-vous déjà vu ce qu'on appelle « le rayon vert », au moment du coucher du soleil ? **4.** Le candidat au poste est sorti de la salle, pendant l'examen de son dossier. **5.** Il ne s'est rien passé de marquant dans le monde, l'année de ma naissance. **6.** Au moment de sa disparition, le jeune homme portait un jean et un blouson rouge. **7.** Le jour de la remise des diplômes, je ressentais à la fois joie et nostalgie.

362 **Quelles pensées peuvent traverser l'esprit de nouveaux diplômés au cours de la journée ou pendant la cérémonie de remise des diplômes ? Chaque phrase devra comporter « maintenant que ».**

▪ antériorité, postériorité

363 **a) Lisez et proposez d'autres conseils à l'attention de gens distraits.**

Affranchissez vos lettres avant de les poster.	**1.** N'oubliez pas de vider le poulet avant de le mettre à cuire.	**2.** Vérifiez que votre pull est à l'endroit avant de l'enfiler.
3. Épluchez les carottes avant de les râper.	**4.** Corrigez les copies des élèves avant de les leur rendre.	**5.** Vérifiez la température de l'eau du bain avant d'y plonger votre bébé.
6. Bouclez votre ceinture avant de prendre la route.	**7.** Reprenez votre carte de crédit avant de quitter le distributeur de billets.	**8.** N'oubliez pas de vous déshabiller avant de vous doucher.

363 **b) Reformulez ces conseils oralement.**

Ne postez vos lettres qu'après les avoir affranchies.

1. Ne mettez jamais un poulet à cuire avant… **2.** N'enfilez pas votre pull avant… **3.** Ne râpez pas les carottes avant… **4.** Ne rendez les copies aux élèves qu'après… **5.** Ne plongez votre bébé dans le bain qu'après… **6.** Ne prenez pas la route avant… **7.** N'oubliez pas de reprendre votre carte de crédit après… **8.** Ne vous douchez qu'après…

364 **a) Remplacez par une proposition ce qui est souligné.**

L'accueil du public était tiède jusqu'à l'entrée en scène de l'acteur principal.
L'accueil du public était tiède *jusqu'à ce que l'acteur principal entre en scène.*

1. De nombreux invités sont sortis bien avant la fin de la cérémonie. **2.** Avant la mort du roi, la famille royale avait pris des dispositions. **3.** Allons boire un café en attendant la publication des résultats. **4.** Le nouveau gouvernement a voulu imposer ses vues dès son arrivée au pouvoir. **5.** Nous ne ferons aucune déclaration avant la fin du conseil des ministres. **6.** Dès la réception de votre lettre, nous vous confirmerons votre réservation. **7.** Ils se sont mariés juste après la naturalisation de son amie. **8.** La police est particulièrement vigilante depuis l'évasion du groupe de terroristes. **9.** Elle a commencé à pleurer dès le début du film. **10.** Les négociations reprendront après l'apaisement du conflit. **11.** Il faut arroser le rôti jusqu'à la fin de la cuisson. **12.** Ne touchez à rien, jusqu'à l'arrivée de la police ! **13.** Une fois le directeur parti, la réunion se déroulera plus sereinement. **14.** Depuis le changement de régime politique, beaucoup de choses ont évolué.

364 **b) Choisissez quelques-unes de ces phrases et imaginez une suite.**

L'accueil du public était tiède jusqu'à ce que l'acteur principal entre en scène, *mais à partir de ce moment-là, l'atmosphère de la salle s'est rapidement réchauffée.*

365 Formulez des phrases à partir des éléments ci-dessous.

Passé	Futur

dès que lancement du nouvel iPhone → grand succès. *Dès que le nouvel iPhone a été lancé, il a remporté un grand succès.*

1. **aussitôt que** révélation du scandale → démission du ministre

2. **dès que** rénovation terminée → réouverture des portes du musée

3. **une fois que** chargement du fichier → clic sur fichier pour ouverture

4. **dès que** nouvelle de l'assassinat des otages → indignation de l'opinion

5. **une fois que** se mettre une idée en tête → ne plus vouloir en changer

6. **aussitôt que** constater la panne du moteur → SOS du commandant de bord

aussitôt que réception des informations → transmission des informations. *Aussitôt que nous recevrons/avons reçu des informations, nous (vous) les transmettrons.*

1. **quand** conclusion du marché → boire le champagne

2. **une fois que** remplissage du formulaire → dépôt à l'accueil

3. **dès que** météo favorable → départ en randonnée

4. **lorsque** retraite de mes parents → installation à la campagne

5. **dès que** obtenir satisfaction → arrêt de la grève

6. **une fois** dépôt de votre candidature → plus de modifications

ex 219 et s.

366 a) Formulez des phrases. Utilisez le participe passé seul ou « une fois /aussitôt » + participe passé.

Fin de la conférence → cocktail : *Une fois la conférence terminée/Aussitôt la conférence terminée/ La conférence terminée, les participants ont été invités à un cocktail.*

1. Réception et encaissement du chèque → envoi de la commande **2.** Adoption de la loi → entrée en vigueur de la loi **3.** Signature de la paix → retour des soldats **4.** Chargement de la voiture → départ immédiat **5.** Fin des travaux → réouverture de l'autoroute **6.** Arrivée à Paris → tour en bateau-mouche sur la Seine **7.** Obtention du permis de conduire → liberté de mouvement **8.** Dépassement de la date de consommation → consommation dangereuse

366 b) Décrivez le comportement de ce type de personnes.

14

L'homme pressé. Au restaurant, à peine la dernière bouchée avalée, *il part.*

1. Le grand voyageur : À peine revenu de voyage, ...

2. Le gros dormeur : À peine couché, ...

3. Le voleur récidiviste : À peine sorti de prison, ...

4. Le gros fumeur : Sa cigarette à peine éteinte, ...

5. Le lecteur vorace : À peine un livre fini, ...

6. L'homme d'affaires surchargé : À peine une réunion terminée, ...

7. L'emprunteur incorrigible : À peine un emprunt remboursé, ...

8. Le grand bavard : À peine un sujet épuisé, ...

367 **a) Commentez les images de la bande dessinée en utilisant des marqueurs temporels.**

Vignette 1. *Elle entend le réveil et **aussitôt** elle se lève. / **Aussitôt que** son réveil a sonné, elle saute de son lit. / **Dès que** le réveil sonne, elle se lève. –* **Vignette 2.** ***Aussitôt** levée, elle se précipite à la cuisine. / **Dès qu**'elle est debout elle file à la cuisine. / Son mari reste couché **jusqu'à ce que** le petit-déjeuner soit prêt, **une fois que** ce sera prêt il se lèvera…*

1.

2.

3.

4.

5.

6.

7.

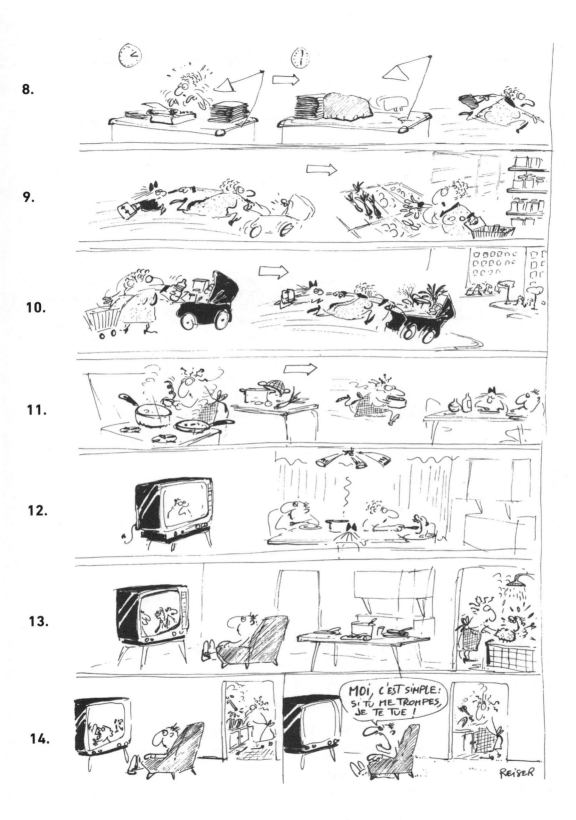

8. **9.** **10.** **11.** **12.** **13.** **14.**

> MOI, C'EST SIMPLE :
> SI TU ME TROMPES,
> JE TE TUE !

REISER

367 **b) Cette femme raconte sa journée sur son blog. Écrivez.**

◼ jusqu'à ce que…, tant que…

(113) 114

368 Écoutez les questions et répondez puis écoutez pour vérifier.

Subjonctif présent	Subjonctif passé

Subjonctif présent

1. – Tu vas habiter chez tes parents jusqu'à quel âge ?
– Jusqu'à ce qu'ils *(ne plus vouloir)* de moi.

2. – Jusqu'à quand allez-vous nous poursuivre avec nos questions ?
– Jusqu'à ce que je *(savoir)* ce qui s'est passé.

3. – Tu joues toujours au loto ?
– Je jouerai jusqu'à ce que la chance me *(sourire)*.

4. – Je prends ces cachets pendant combien de temps, Docteur ?
– Jusqu'à ce que vous *(ne plus tousser)*.

5. – Tu laisses sonner le téléphone ?
– Oui, jusqu'à ce que le répondeur *(se mettre en marche)*.

Subjonctif passé

6. – Les explications ont duré longtemps ?
– Jusqu'à ce que tout le monde *(comprendre)*.

7. – Les recherches continuent ?
– Oui, jusqu'à ce que l'auteur de l'attentat *(retrouver)*.

8. – Vous portez longtemps vos vêtements ?
– Très longtemps, jusqu'à ce qu'ils *(user)*.

9. – Vos modèles posent longtemps ?
– Jusqu'à ce que je *(finir)* le tableau.

10. – Jusqu'à quelle heure comptez-vous les attendre ?
– Jusqu'à ce qu'ils *(arriver)*.

11. – Jusqu'à quand pensez-vous poursuivre votre grève.
– Jusqu'à ce que nous *(obtenir)* satisfaction.

369 Transformez avec « tant que ».

Policier 1 : Nous t'interrogerons jusqu'à ce que tu parles.
Policier 2 : Nous ne te laisserons pas partir *tant que tu n'auras pas parlé*.

Gréviste 1 : Nous occuperons l'usine jusqu'à ce que nous ayons obtenu satisfaction.
Gréviste 2 : Nous ne bougerons pas d'ici tant que ....

Ravisseur 1 : Nous garderons tous les otages jusqu'à ce que la rançon soit versée.
Ravisseur 2 : Nous ne libérerons aucun otage tant que ....

Technicien du son 1 : Ne chantez pas avant que je vous fasse signe.
Technicien du son 2 : Surtout, ne commencez pas tant que je ....

Suspect 1 : Nous ne parlerons qu'en présence de notre avocat.
Suspect 2 : Nous ne dirons rien tant que ....

Fan 1 : On va attendre, jusqu'à ce qu'on ait un autographe.
Fan 2 : Ouais, on ne partira pas tant qu'..

Incrédule 1 : Je ne le croirai pas jusqu'à ce que je le voie de mes propres yeux.
Incrédule 2 : Je resterai sceptique tant que je ....

Étudiant 1 : J'attendrai ici jusqu'à ce que les résultats soient publiés.
Étudiant 2 : Moi aussi. Je ne partirai pas d'ici tant que ....

■ récits

 ex 245

370 **a) Prenez connaissance de la chronologie de faits concernant la libération de Paris, lors de la Seconde Guerre mondiale, en août 1944, puis lisez le récit qui en est fait. Observez les termes soulignés.**

Vendredi 25 août 1944

15 h 30 : Remise au général Leclerc de l'acte de capitulation des troupes d'occupation devant la gare Montparnasse.

16 h 30 : Arrivée du général de Gaulle à la gare. Remise de l'acte de capitulation par Leclerc.

Un peu plus tard : Arrivée à l'hôtel de ville. Discours improvisé devant une foule enthousiaste. Transmission immédiate du discours à la radio.

Le soir : Installation du général de Gaulle au ministère de la guerre comme chef de gouvernement.

26 août : Descente triomphale des Champs-Élysées jusqu'à la Concorde. Cérémonie à Notre-Dame.

Le vendredi 25 août 1944, à 15 h 30, le général Philippe Leclerc reçoit à Paris, devant la gare Montparnasse, la capitulation des troupes d'occupation de la capitale.

Une heure plus tard, le général Charles de Gaulle arrive à la gare et se voit remettre par Leclerc l'acte de capitulation.

Il se rend ensuite à l'Hôtel de Ville où sur le perron, devant une foule enthousiaste et joyeuse, il célèbre la libération de Paris. Son discours improvisé est aussitôt retransmis à la radio.

Le soir, de Gaulle s'installe au ministère de la Guerre en qualité de chef du gouvernement provisoire de la République française et le lendemain, le chef de la France libre descend en triomphe les Champs-Élysées, arrive à la Concorde, puis gagne Notre-Dame pour une cérémonie.

---

370 **b) Faites un récit oral, puis écrit des démarches effectuées par un réalisateur avant le début du tournage d'un film.**

● proposition à un auteur d'une adaptation cinématographique de son roman ● pourparlers avec l'auteur ● acceptation par l'auteur ● discussion à propos du scénario entre le réalisateur et l'auteur ● accord ● recherche de financements et de sponsors ● choix des acteurs ● signature du contrat ● choix du lieu de tournage ● début du tournage

14

370 **c) Écrivez un court compte rendu d'une cérémonie d'ouverture des Jeux olympiques. Choisissez l'année et le pays.**

● défilé des athlètes par nations ● spectacle ● défilé du drapeau olympique ● discours du président du comité d'organisation et du président du CIO ● déclaration d'ouverture des Jeux olympiques ● hymne olympique ● allumage de la flamme olympique ● feu d'artifice

Évaluation

371 **Remplacez ce qui est souligné par une proposition.**

1. <u>En attendant l'embarquement</u>, vous pouvez acheter des produits détaxés dans les boutiques. **2.** Vous passerez le contrôle des passeports <u>après l'enregistrement de vos bagages et l'obtention de votre carte d'embarquement</u>. **3.** <u>Dès votre installation à bord</u>, mettez votre montre à l'heure du pays où vous allez atterrir afin de vous habituer au décalage horaire. **4.** Respirez profondément <u>avant le décollage et surtout au moment du décollage</u>. **5.** <u>Durant le vol</u>, vous devez éteindre votre téléphone portable. <u>Après l'atterrissage</u>, vous pourrez le rallumer. **6.** Vous devez garder votre ceinture attachée <u>au moment du décollage et, à l'atterrissage, jusqu'à l'arrêt complet de l'appareil</u>.

372 **Complétez librement les phrases.**

1. Tant qu'elle était célibataire, elle faisait la fête tous les soirs, mais maintenant que ......
2. Tant qu'elle n'avait pas de papiers et n'avait pas obtenu sa carte de séjour, elle ne pouvait pas travailler, mais le jour où ...... **3.** Le médecin lui a dit que tant qu'elle avait de la fièvre, elle ne pouvait pas sortir, mais que dès que ...... **4.** Tant que la salle sera aussi houleuse, le politicien ne pourra pas se faire entendre, mais aussitôt que ...... **5.** Tant que vous n'aurez pas introduit votre mot de passe, vous ne pourrez pas accéder au site, mais aussitôt que ......
6. Tant qu'il ne m'aura pas fait des excuses, tant qu'il ne reconnaîtra pas ses torts, je ne lui adresserai pas la parole, mais à partir du moment où ......

373 **Imaginez un carnet de voyage où chaque jour sont notés des impressions et événements. Utilisez au moins 8 à 10 expressions de temps.**

Lundi 3 mai 2001
Comme d'habitude, <u>une fois</u>
l'ancre levée, j'ai tout oublié.

Vendredi 7 mai
J'ai le mal de mer <u>depuis</u> 3 jours.
La mer est forte <u>depuis que</u> nous
avons franchi le cap. Je reste dans
ma cabine <u>en attendant que</u>
ça passe.

Chapitre 15

L'expression de la condition et de l'hypothèse

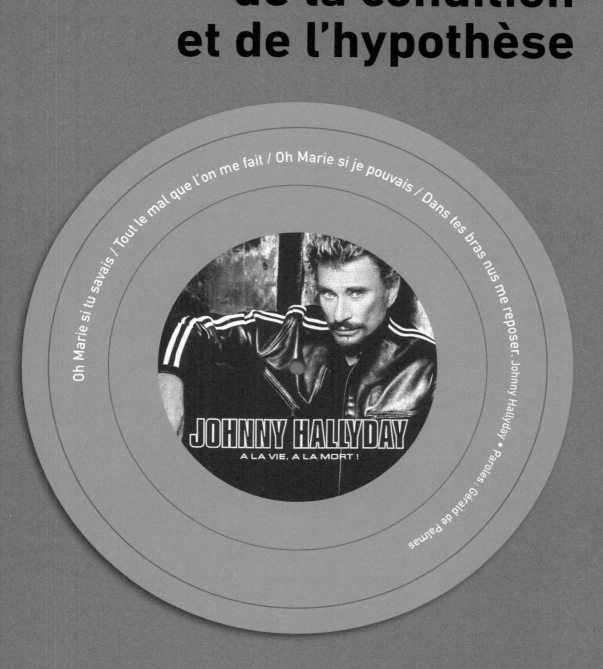

Oh Marie si tu savais / Tout le mal que l'on me fait / Oh Marie si je pouvais / Dans tes bras nus me reposer. Johnny Hallyday • Paroles: Gérald de Palmas

Expression de la condition et de l'hypothèse

Tableau p. 134

Dans les propositions subordonnées introduites par « si »

Hypothèses	
considérées comme probables	*Si tu réussis, on fera la fête / téléphone-moi tout de suite !* *Si nous nous sommes trompés, nous allons rectifier / excusez-nous.* *Si le voyage vous a plu, faites-nous de la publicité. / vous reviendrez.*
considérées comme douteuses	*Si tu réussissais, ce serait un miracle.* *Si par hasard, vous ne connaissiez pas encore nos produits, contactez-nous !*
contraires à la réalité	*Si les Anglais conduisaient à droite, leur volant serait à gauche.* *Si tu avais tenu ta droite, l'accident n'aurait pas eu lieu et tu ne serais pas à l'hôpital.*

Dans des constructions introduites par d'autres marqueurs

+ subjonctif

à condition que	*Je te prête mon vélo à condition que tu me le rendes ce soir.*
à supposer que **en supposant que**	*À supposer que nos nouveaux vélos soient livrés à temps, nous pourrions les essayer cet après-midi.*
à moins que	*Je te prête mon vélo à moins que quelqu'un (ne) l'ait déjà pris.*
pourvu que	*J'aime bien le vélo, pourvu que ça ne monte pas trop.*
pour peu que	*Pour peu que le beau temps soit de la partie, la réussite de la balade à vélo est assurée.*

+ conditionnel

au cas où **pour le cas où**	*Prenons le numéro du loueur, au cas où on aurait un problème !*

+ infinitif (si les deux verbes ont le même sujet)

à condition de	*Tout le monde peut louer un vélo à condition de payer.*
à moins de	*Des manifestations bloquent les rues. À moins d'être à vélo, vous ne passerez pas.*

+ substantif

en cas de	*En cas de problème, téléphonez à l'agence de location.*
à moins de	*À moins d'un problème technique, je viendrai à vélo.*

Dans des constructions juxtaposées

Sans toi, la vie serait triste !	*Tu me le demandais, je te le donnais.*
Avec un peu de patience, vous auriez réussi !	*Il aurait insisté, j'aurais dit oui.*

15

374 **a) Lisez. Soulignez les marqueurs de condition et d'hypothèse dans les réponses. Imaginez des dialogues.**

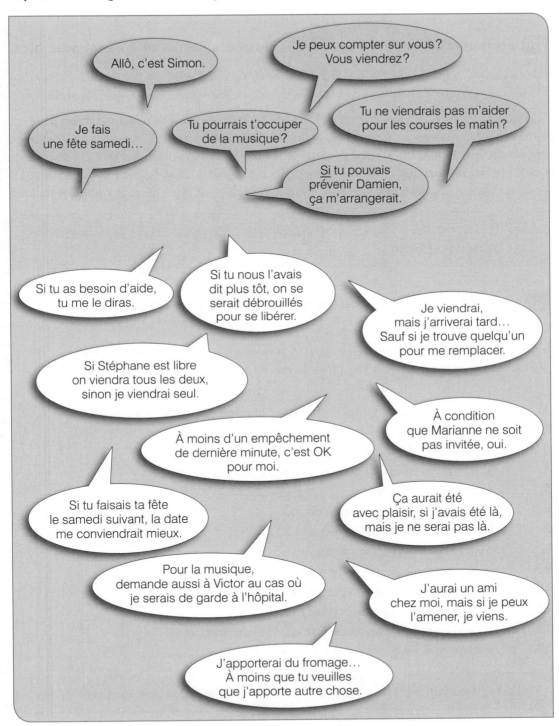

374 **b) Écrivez les phrases avec si: 1) comportant un futur 2) comportant un conditionnel.**

si + présent/passé composé

375 Formulez des phrases avec « si ». Plusieurs formulations sont possibles.

Moins de 0 °C **>** gel de l'eau → *S'il fait moins de 0 °C, l'eau gèle.*
Délit grave **>** risque de prison → *Si vous commettez un délit grave, vous risquez la prison.*

1. Baisse de la vue **>** port de lunettes **2.** Fraudes électorales **>** possibilité d'annulation des élections **3.** Violents orages **>** risque d'inondations **4.** Retrait de permis de conduire **>** interdiction de prendre le volant **5.** Location d'appartement **>** dépôt d'une caution **6.** Perte/vol de carte de crédit **>** prévenir la banque **7.** Rassemblement des hirondelles **>** départ proche **8.** Baisse du cours de la monnaie **>** augmentation des exportations **9.** Manque d'eau **>** dessèchement des plantes.

> Dans des phrases de ce type, « si » peut être remplacé par « quand » ou par « à chaque fois que » lorsqu'il y a répétition.

376 a) Complétez chacune de ces phrases. Comparez vos productions.

...... si tu as un moment demain matin ......
→ *Est-ce que tu pourrais me rendre un service*, si tu as un moment demain matin ?
→ Si tu as un moment demain matin, *est-ce que tu pourrais me rendre un service* ?

1. ...... s'ils n'ont pas eu le temps de terminer hier soir ......
2. ...... si vous avez besoin d'argent en ce moment ......
3. ...... si un jour ou l'autre vous cherchez du travail ......
4. ...... si je n'ai pas trouvé de solution avant ce soir ......
5. ...... si tu as encore faim ......
6. ...... si tu as faim et que ton frigo est vide ......
7. ...... s'il a encore perdu au jeu hier soir ......
8. ...... s'il a réussi à s'échapper de prison ......
9. ...... si d'ici quelques jours, il n'y a pas plus d'inscrits au tournoi ......
10. ...... si dans un bref délai votre commande n'est pas arrivée ......
11. ...... si un jour vous vous faites cambrioler ......
12. ...... si dans quelques jours votre état ne s'est pas amélioré ......
13. ...... si vous vous imaginez que les choses vont changer ......

> Quand deux conditions se suivent, le deuxième « si » peut être remplacé par « que ».

376 b) Écoutez et répétez les phrases.

ex 418

377 Lisez ces textes, puis écrivez un autre texte comportant des « si »
(publicité, annonce, enquête...).

**Le bénévolat bien fait apporte à tous ceux qui
le pratiquent un enrichissement personnel
et du soleil dans la chambre du patient !**

- Si vous avez du temps libre à consacrer à une activité
  bénévole (½ journée par semaine),
- Si vous avez le sens de l'accueil,
- Si vous aimez les contacts humains,
- Si vous avez le sentiment que chacun peut participer
  à l'amélioration des relations humaines dans notre
  société,
- Si les difficultés des autres vous touchent,
- Si vous êtes capable de les écouter,
- Si vous êtes doué(e) de patience,

**... alors venez rejoindre notre équipe
de bénévoles.**

**ENQUÊTE DE
SATISFACTION**

Si vous avez voyagé avec notre
compagnie, veuillez prendre
quelques minutes pour répondre
à notre questionnaire.
Si vous avez été satisfait, nous
serons heureux de le savoir et
sinon nous ferons tout pour
que vous soyez satisfait lors d'un
autre voyage.

---

378 Écoutez les dialogues en entier puis ¹¹⁷ répliquez en prenant
de mémoire le rôle de B. ⬇ ex 58 a)

Dialogue 1.
A – J'aimerais faire médecine mais je ne suis
pas un gros bosseur.
B – *Si tu n'es pas un gros bosseur, mieux vaut
abandonner l'idée de faire médecine.*
A – Mais je peux m'y mettre, à bosser.

Dialogue 2.
A – J'ai vécu plus de trois ans à Bangkok, je
travaillais comme professeur de français.
B – Si ....
A – Dans la vie quotidienne, je me débrouillais
pas mal.

Dialogue 3.
A – J'aime beaucoup les champignons mais
surtout j'aime aller les chercher.
B – Si ....
A – Bien sûr, mais je les garde pour moi.

Dialogue 4.
A – Ma plus jeune fille a une très belle voix et
voudrait prendre des cours.
B – Si ....
A – Au conservatoire ? Ah oui, c'est une bonne
idée. Je vais me renseigner.

Dialogue 5.
A – On part à quelle heure vendredi pour ne
pas arriver trop tard ?
B – Si ....
A – OK, j'aurai tout préparé pour midi.

Dialogue 6.
A – J'aimerais aller aux États-Unis, mais je n'ai
pas de visa.
B – Si ....
A – Et tu sais comment ça se passe pour la
Colombie ?
B – Je crois que ....

Dans ces dialogues, « si » a un sens proche de « puisque ».

◼ si + imparfait d'habitude

379 Lisez ces traditions et croyances qui avaient cours dans le passé.

Traditions

◆ Si les enfants ne finissaient pas ce qui avait été servi dans leur assiette, ils étaient privés de dessert. ◆ S'ils voulaient parler, ils devaient faire attention à ne pas interrompre les adultes. ◆ Si le père donnait un ordre, les enfants obéissaient sans discuter. ◆ Si on était amoureux, on écrivait des lettres d'amour. ◆ Si un jeune homme voulait se marier, il devait faire officiellement sa demande en mariage auprès des parents de la jeune fille. ◆ Si on disait oui le jour de son mariage, on s'engageait en général pour la vie.

Croyances

Si on était 13 à table, on croyait qu'un des convives allait mourir dans l'année.		Si à table on passait le sel à quelqu'un, il fallait lui sourire sinon on risquait de se fâcher avec lui.	
	Si on trouvait un trèfle à 4 feuilles, c'était un signe de chance et de porte-bonheur.		Si on ouvrait un parapluie dans une maison, cela portait malheur.
Si on voyait une araignée le matin, elle annonçait un chagrin, à midi des soucis, mais le soir de l'espoir.		Si, en se levant, on posait d'abord son pied gauche à terre, on serait de mauvaise humeur toute la journée, et tout irait mal.	
	Si on passait sous une échelle, on croyait qu'on aurait des malheurs pendant plusieurs années.		Si l'on croisait un chat noir dans la rue, on croyait voir le diable et cela portait malheur.

Quelles traditions ou croyances survivent encore à votre avis ? Existent-elles dans votre pays ? Quelles autres coutumes ou croyances de votre pays pouvez-vous présenter ?

15

▪ même si, sinon

ex 494 à 496

380 **Lisez ces phrases puis dites-le contraire en utilisant « même si ».**

1 Je <u>ne</u> vais voir des films étrangers <u>que</u> **s'**ils sont en VO (version originale).
Je vais voir les films étrangers même s'ils sont en version française.

2 Je <u>ne</u> donne de l'argent aux mendiants <u>que</u> **s'**ils me sourient.
....

3 Je <u>ne</u> fais du sport de plein air <u>que</u> **s'**il fait beau.

4 Je <u>ne</u> vais chez le médecin <u>que</u> **si** je souffre beaucoup.
....

5 Je <u>ne</u> promets quelque chose <u>que</u> **si** je suis sûr(e) de pourvoir tenir ma promesse.
....

6 Je <u>ne</u> me mets en colère <u>que</u> **si** ça en vaut la peine.
....

7 Dans une soirée, je <u>ne</u> bois de l'alcool <u>que</u> **si** je ne dois pas prendre le volant.
....

8 Je <u>ne</u> regarde la télévision le soir <u>que</u> **si** je trouve une émission intéressante.
....

9 Je <u>ne</u> prends ma voiture <u>que</u> **si** les transports en commun sont en grève.
....

10 Je <u>n'</u>utilise Internet <u>que</u> **si** je ne peux pas faire autrement.
....

11 Je <u>ne</u> travaille <u>que</u> **si** on m'y oblige.
....

Lesquelles de ces phrases s'appliquent à vous ? Échangez entre vous.
Proposez d'autres phrases.

381 **Complétez avec « sinon ». Comparez vos réponses.**

1. Pourrait-on faire la réunion lundi plutôt que mardi ....

2. Ils achèteront cette maison s'ils obtiennent un crédit ....

3. Il faut qu'on réserve rapidement des places pour le spectacle ....

4. Heureusement qu'elle a pris des cours particuliers de maths ....

5. Roule plus doucement sur cette route verglacée ....

6. Il faut que je fasse tout moi-même ....

7. Il faut que vous ayez dix-huit ans ....

8. Vous devriez améliorer votre niveau d'anglais ....

9. Ne ratez surtout pas votre rendez-vous ....

15

▄ à moins que/de, sauf si

382 **Lisez. Cochez les phrases négatives.**

Je vous propose d'aller voir le film *Titanic*

☐ à moins que le sujet ne vous intéresse pas. ☐ à moins que vous n'ayez un autre projet. ☐ à moins que vous n'ayez une autre idée. ☐ à moins que vous n'ayez déjà vu le film. ☐ à moins que vous n'en ayez pas envie. ☐ à moins que vous ne soyez pas libre.

> **On trouve, dans la langue soutenue, un « ne » dit « explétif » qui n'a pas de valeur négative.**
> – après les conjonctions « à moins que », « avant que », « de peur que/de crainte que »,
> – après les verbes « avoir peur/craindre/redouter que »,
> – après certaines constructions comparatives.

383 **Mettez le verbe au subjonctif. Utilisez ou non le « ne » explétif.**

Il ne viendra pas, à moins que vous *(insister)* → *à moins que vous (n')insistiez.*

1. Personne ne vous croira, à moins que vous *(pouvoir)* le prouver. **2.** Nous arriverons à l'heure, à moins que nous *(être ralenti)* par des bouchons. **3.** Je pars seul, à moins que quelqu'un *(vouloir)* m'accompagner. **4.** Votre candidat n'aura pas ma voix à moins que vous *(parvenir)* à me convaincre. **5.** L'église ne sera pas restaurée à moins que la commune *(recevoir)* une subvention. **6.** Le trésorier ne sera pas à la réunion à moins que la secrétaire *(réussir)* à le prévenir.

384 **Remplacez « si » par « à moins que ».**

9 h 00 Si tout le monde est là, nous allons nous mettre au travail.
Nous allons nous mettre au travail, *à moins que tout le monde ne soit pas là.*

9 h 05 Si personne ne fait d'objection, nous respecterons l'ordre du jour.
9 h 30 Si tout le monde est d'accord, nous pourrions passer au point suivant.
10 h 15 Si personne n'a de meilleure idée, nous mettrons la proposition au vote.
10 h 16 Si personne ne veut plus intervenir, nous allons passer au vote sur ce point.
10 h 30 Si personne ne s'y oppose, nous allons faire une courte pause.

15

385 **Formulez pour chaque phrase une généralité, puis une restriction. Utilisez « sauf si » ou « à moins que/de ».**

Chute du quatrième étage → se tuer *Si on saute du quatrième étage, on se tue à moins que la chance vous sourie/à moins d'un miracle/sauf si ce sont les pompiers qui vous font sauter.*

1. Freiner en voiture → ralentir **2.** Mettre un plat au four → cuire **3.** Rencontrer quelqu'un qu'on connaît → saluer **4.** Ne pas comprendre → demander des explications **5.** Avoir une peau fragile → coups de soleil **6.** Ne plus avoir faim → s'arrêter de manger **7.** Éplucher des oignons → pleurer **8.** sonnerie du réveil → se lever **9.** Être en retard → excuses **10.** Sonnerie téléphone → répondre.

à condition, à supposer que

386 Lisez. Reformulez les conditions exigées avec « si et seulement si ».

La reproduction des textes est autorisée **à condition que** la source soit mentionnée très précisément.	**3.** Le retour de la marchandise est accepté **à condition que** celle-ci soit en parfait état et que l'affranchissement soit suffisant.
1. Nous accepterons les documents envoyés par courrier électronique **à condition de** recevoir l'original par courrier postal dans les 5 jours.	**4.** Un mineur de plus de 12 ans peut être détenu dans un commissariat de police **à condition que** la détention ne se prolonge pas au-delà de 24 heures.
2. Le ménage sera fait une fois par semaine dans votre chambre, **à la seule condition que** vous ayez mis un écriteau sur votre porte pour nous indiquer le jour où vous le souhaitez.	**5.** Vous pouvez importer des tabacs et des alcools sans formalité et sans payer de droits ni taxes, **à condition de** ne pas dépasser les quantités autorisées par personne.

→ La reproduction des textes est autorisée, *si et seulement si* la source *est* mentionnée très précisément.

387 Formulez des réponses comportant les conditions proposées.
Utilisez « à condition que ». Improvisez une suite à ces dialogues.

Puis-je publier une photo qui ne m'appartient pas sur Internet ? – Oui, *à condition que vous ayez obtenu l'autorisation de l'auteur.*	Obtention de l'accord de l'auteur
1. – Tu accepterais de me prêter ta caméra ? – Oui, …	Faire attention
2. – Vous oublierez cet incident ? – Oui, …	Changement d'attitude
3. – Vous acceptez de signer ce contrat ? – Oui, …	Suppression du paragraphe 2
4. – Je peux vous accompagner à cette assemblée générale ? – Je n'accepte qu'…	Discrétion. Pas de questions
5. – Je viens d'avoir 18 ans. Je peux voter aux prochaines élections ? – Bien sûr, mais …	Inscription sur les listes électorales
6. – Je peux obtenir une aide financière de l'État pour mon procès ? – Vous pouvez l'obtenir, oui, …	Preuve de la faiblesse des revenus
7. – Les chiens peuvent-ils voyager en train ? – Oui, …	Tenue en laisse / port d'une muselière
8. – Je peux vous poser encore une question ? – Oui, …	Dernière question

388 Répétez puis écrivez ces phrases contenant « à supposer que ».

15

118

au cas où, en cas de

389 **Lisez ces annonces.**

> En cas de perte
> ou de vol de votre chéquier
> ou de votre carte bancaire,
> vous devez le signaler
> immédiatement aux autorités
> bancaires.

> Nous nous engageons, en cas de panne,
> à intervenir en moins de quatre heures.

> En cas d'absence, partez en toute
> sécurité, nous prendrons soin de
> vos animaux. Nous nous rendrons
> à votre domicile autant de fois que
> vous le souhaiterez et nous leur
> apporterons tous les soins
> et les attentions nécessaires.

> En cas d'incendie,
> appelez immédiatement
> le **18**.

Puis formulez quelques avertissements, conseils ou publicités.

● en cas d'urgence ● en cas d'épidémie ● en cas de retard ● en cas de bouchon ● en cas d'échec ● en cas de trou de mémoire à un examen ● en cas de découvert bancaire ● en cas de licenciement ● en cas de morsure ● en cas de vol de voiture…

390 **Complétez librement les phrases avec « au cas où ».**

Nous laisserons la clé sous le paillasson *au cas où vous arriveriez avant nous.*
1. Prenons une carte routière… **2.** Je te prête mon bouquin « L'art de conjuguer »…
3. Préparons-nous des sandwichs… **4.** Il faut prévoir des remplaçants pour le match…
5. Prévoyez des vêtements chauds pour ce week-end… **6.** Je vous envoie une procuration pour l'assemblée générale des copropriétaires… **7.** Emmenez toujours une photocopie de votre passeport… **8.** Mieux vaut prendre un parapluie… **9.** Gardez vos clés de voiture dans votre poche plutôt que dans votre sac… **10.** Si vous prenez l'avion, emportez vos médicaments avec vous en cabine…

15

■ pour peu que, pourvu que

119

391 Écoutez puis travaillez ces dialogues à deux.

1. – Vos parents s'inquiètent facilement ?
– Très facilement, pour peu que j'aie cinq minutes de retard ils sont inquiets.

2. – Je ne comprends pas.
– Pour peu que tu réfléchisses, tu comprendras.

3. – La terre semble fertile dans votre région.
– Elle l'est, et pour peu que l'on se donne la peine de semer, tout pousse.

4. – Les préparatifs se passent bien ?
– Très bien, et pour peu que le beau temps soit de la partie, la réussite du spectacle en plein air est assurée.

5. – Il est bien petit, le bar de l'hôtel !
– Il est minuscule et pour peu que tous les clients veuillent y aller, il n'y a pas assez de place pour tout le monde.

« La nature peint à notre place, jour après jour, des tableaux d'une infinie beauté, pour peu que nos yeux les voient. » John Ruskin

> Il y a dans « **Pour peu que** » l'idée de condition minimum ou l'idée qu'il suffit de peu pour qu'une chose se réalise

392 Faites des associations puis utilisez les phrases dans des dialogues ou amplifiez-les.

1. Fais ce que tu veux ● ● pourvu que ça ne coûte pas trop cher.

2. On est d'accord pour participer ● ● pourvu que tu sois rentré avant la nuit !

3. Je veux bien faire la cuisine ● ● pourvu que ce ne soit pas trop long.

4. Je vais te lire ce qu'il m'écrit ● ● pourvu que ce soit en équipe.

5. Je t'attendrai ● ● pourvu que quelqu'un d'autre fasse la vaisselle.

6. J'aime bien les pâtes ● ● pourvu que je retrouve mes lunettes.

7. Je veux bien faire du sport ● ● pourvu qu'elles ne soient pas trop cuites.

« Peu importe que le chat soit gris ou noir, pourvu qu'il attrape les souris. » Deng Xiaoping

> Il y a dans « **pourvu que** » l'idée d'une condition souhaitée.

15

hypothèse sur le présent, le futur, le passé

120

393 Écoutez. Qui a pu tenir ces propos ? Quelles sont les phrases où les hypothèses portent sur le présent /futur ?

1. *Un footballeur*

Si je n'avais pas été footballeur, j'aurais bien aimé travailler dans l'informatique.

2. ....

Je ne peux pas dire ce que j'aurais fait, si je n'avais pas été coureur automobile parce que, dès l'âge de 16 ans, j'ai presque tout basé là-dessus.

3. ....

Si on m'avait dit à douze ans que je dessinerais un jour cette série que j'adorais, j'aurais crié au fou !

4. ....

Si on me proposait d'aller sur Mars, je signerais tout de suite.

6. ....

Si mes parents n'avaient pas fait de vélo, je n'aurais peut-être pas été coureur.

5. ....

Si mes concitoyens m'appelaient au pouvoir, je ne refuserais pas leur confiance.

8. ....

Si j'étais né ailleurs, j'aurais peut-être créé un groupe de rock et pas de musique baroque.

7. ....

Si c'était à refaire, je le referais, car j'aime mon travail, faire respecter la loi, maintenir l'ordre et assurer la sécurité publique.

9. ....

Si je ne m'étais pas enfuie de Paris il y a quelques années, si je n'étais pas partie me « soigner » au bord de la mer et sur la mer, je ne serais sans doute pas là aujourd'hui pour vous parler de mon livre.

121

394 Écoutez et écrivez cette phrase du poète Arthur Rimbaud.

15

◼ si + imparfait

 ex 421

395 Échangez entre vous. Posez les questions (tu ou vous), répondez-y.

1 Comment aimeriez-vous vous appeler, si vous changiez de prénom ou si vous preniez un pseudonyme ?

2 Si vous deviez émigrer, quel pays choisiriez-vous et pourquoi ? Quel pays ou quelle région du monde élimineriez-vous et pourquoi ?

3 Que feriez-vous si vous aviez une heure libre, juste maintenant ? Où iriez-vous ?

4 Si vous pouviez changer quelque chose dans votre vie ou votre façon de vivre, qu'est-ce que vous changeriez en priorité ?

5 Si vous pouviez avoir n'importe quel travail, n'importe où dans le monde, quel serait ce travail ?

6 Si vous aviez la possibilité de faire quelque chose d'important pour votre famille, votre ville, votre université, votre entreprise ou pour la société en général, que proposeriez-vous ?

7 Si vous pouviez rencontrer une personne de votre choix, morte ou vivante, qui serait cette personne ?

8 Si un jour, sur votre chemin, vous rencontriez une « bonne fée », que lui demanderiez-vous ?

396 Travaillez à deux : A complète la phrase avec si + imparfait → conditionnel présent et B réagit.

1 Si je *(ne plus pouvoir)* écouter la radio, ça me *(manquer)*.
  A. Si je *ne pouvais plus* écouter la radio, ça me *manquerait*.
  B. *Moi, ça me serait égal, je n'écoute pas beaucoup la radio, sauf sur internet quelquefois.*

2 Si je *(ne pas avoir)* de famille, je me *(sentir)* très seul.

3 Si actuellement je *(pouvoir)* habiter à la campagne, je le *(faire)*.

4 Si j'*(avoir)* plus de temps, j'*(aller)* à toutes les expositions de peinture.

5 Si je *(pouvoir)* me passer d'argent, je *(cesser)* de travailler.

6 Si j'*(écrire)* un livre, ce *(être)* un roman policier.

7 Si je *(parler)* parfaitement le français, je *(essayer)* de travailler dans un pays francophone.

8 Si je *(gagner)* un voyage gratuit, je *(partir)* aux îles Kerguelen ou à Madagascar.

9 Si je *(vivre)* ailleurs qu'ici, je ne crois pas que je *(vivre)* mieux.

10 Si j'*(avoir)* une voiture, ça me *(simplifier)* beaucoup la vie.

11 Si je ne *(passer)* pas autant de temps sur Internet, je *(passer)* plus de temps avec mes amis.

12 Si je *(s'inscrire)* à un cours de judo, j'*(apprendre)* à me défendre.

13 Si j'*(obtenir)* une augmentation, je *(emménager)* dans un logement plus grand.

14 Si je *(souffrir)* d'insomnies régulières, je *(consulter)* un spécialiste du sommeil.

15 Si je *(parler)* la langue des gens du pays que je visite, je *(comprendre)* mieux ce pays.

15

397 Formulez les phrases avec « si », puis donnez votre avis.

1. Est-ce que le nombre d'accidents de la route diminuerait

- Limitation de la vitesse de 20 km/h → *si on limitait la vitesse de 20 km/h*
- Interdiction de rouler par mauvais temps → si…
- Interdiction d'utiliser le téléphone en voiture → si…
- Augmentation du nombre des radars → si…
- Campagnes de sécurité routière efficaces → si…
- Augmentation des taxes sur l'essence → si…

2. Est-ce que la violence et la criminalité diminueraient

- Travail pour tous → *si tout le monde avait un travail*
- Diffusion de la musique douce partout → si…
- Rétablissement des travaux forcés → si…
- Vente interdite des jeux vidéo violents → si…
- Mise en place de stages de relaxation gratuits → si…
- Alourdissement des peines → si…

398 **a)** Lisez ce sondage et écrivez le compte rendu qui peut en être fait.

Résultats d'un sondage paru dans un magazine féminin		
Si 20 000 euros vous tombaient du ciel, qu'en feriez-vous ?		
Vous les placeriez ?	45,4 %	32,2 %
Vous feriez le tour du monde ?	22,8 %	35,7 %
Vous referiez tout votre intérieur ?	13,8 %	15,2 %
Vous prendriez une année sabbatique ?	5,9 %	4,1 %
Vous dévaliseriez les magasins ?	5,6 %	0,6 %
Vous aideriez des œuvres caritatives ?	4,5 %	8,8 %
Vous vous offririez de la chirurgie esthétique ?	2,2 %	3,5 %
Ensemble de la population		**Plus de 55 ans**

Compte rendu de ce sondage

Si vous vous trouviez en possession de 20 000 euros inattendus, vous seriez presque une sur deux (45,4 %) à les mettre à la banque directement, …

398 **b)** Les questions seraient-elles à votre avis les mêmes dans un journal de lycéens ou d'étudiants ou dans un magazine masculin ?
Mettez vos idées en commun.

399 Écoutez et écrivez.
Dites si vous êtes d'accord avec ces opinions.

La grammaire des premiers temps B1-B2

400 Formulez des questions (« vous » et/ou « tu ») avec un conditionnel présent et échangez.

1. Votre maison brûle – Qu'emportez-vous ? *Qu'emporteriez-vous si votre maison brûlait ?*

« J'emporterais le feu », a dit le poète Jean Cocteau

2. La police vous recherche – Où vous cachez-vous ?

3. Vous gagnez un voyage pour deux personnes – Avec qui et où partez-vous ?

4. Vous passez un mois seul à la campagne avec un seul livre – Quel livre choisissez-vous ?

5. Vous recevez des lettres anonymes – Comment réagissez-vous ?

6. Un ours vous poursuit – Que faites-vous ?

7. Vous avez un âne – Comment l'appelez-vous ?

8. Vous êtes immortel – Comment organisez-vous vos journées ?

9. Vous avez le don de passer à travers les murs – Où pénétrez-vous ?

10. Vous êtes invité à dîner à l'Élysée – Comment vous habillez-vous ?

401 **a)** Posez-vous des questions et répondez-y en justifiant votre choix.

Si vous étiez une voiture, quelle voiture voudriez-vous être ?

SI J'ÉTAIS UNE VOITURE, JE SERAIS LA LÉGENDAIRE 2CV

Et si vous étiez un animal ? un chiffre ? un siècle ? une couleur ? une fleur ? un métal ? un livre ? une langue ? un instrument de musique ? un vêtement ? un objet ?

• je serais volontiers • j'aimerais bien • je souhaiterais • je choisirais • ça me plairait de • ça m'intéresserait de • ça m'amuserait de • ça me tenterait de • ça me dirait de • ça ne me déplairait pas • ça ne me serait pas désagréable de • je ne serais surtout pas • je n'aimerais pas • je ne pourrais pas • je détesterais • je refuserais de • j'aurais horreur de • ça ne me plairait pas de • ça ne me tenterait pas de • ça ne me dirait rien de

123

401 **b)** Écoutez et prenez quelques notes pour retrouver les questions posées et les réponses qui ont été faites. Puis posez-vous les questions et répondez-y.

124

402 Écoutez les dialogues. Qu'est-ce qui explique à votre avis le choix des interlocuteurs pour « si + présent » ou « si + imparfait » ?

Dialogue 1 → si je ne réussis pas…   → si je réussissais…

Dialogue 2 → si le 9 gagne…   → si le 9 gagnait…

Dialogue 3 → si les propriétaires reviennent…   → si les propriétaires revenaient…

403 **a) Lisez le texte et imaginez la situation.**

Vous êtes assis dans une rame de métro, vous lisez le livre que vous venez d'acheter, pianotez sur votre téléphone ou regardez les autres passagers, quand soudain vous remarquez que la tête de votre voisin s'incline vers vous jusqu'à reposer sur votre épaule. Quelle serait votre réaction ?

C'est la question que s'est posée une actrice américaine, et pour y répondre, elle a mis en pratique la situation décrite ci-dessus dans le métro new-yorkais. Elle s'est installée près de parfaits inconnus, et, feignant le sommeil, a posé sa tête sur leurs épaules. Le résultat ? Une série de réactions, allant de l'amusement à l'agacement en passant par la gêne.

Projet *It felt like I knew you…*

403 **b) Formulez les questions et échangez entre vous.**

1 Si un inconnu *(s'endormir)* sur votre épaule dans un bus, un train, un métro, le *(réveiller)*-vous ou le *(laisser)*-vous dormir ? *Si un inconnu s'endormait sur votre épaule… le réveilleriez-vous ou le laisseriez-vous dormir ?*

2 Si vous *(savoir)* qu'on parlait de vous dans la pièce d'à côté, est-ce que vous *(écouter)* à la porte ?

3 Si, invité dans un repas officiel, on *(oublier)* de vous servir à boire, est-ce que vous *(demander)* qu'on vous serve ?

4 Si quelqu'un *(s'endormir)* sur votre épaule dans un bus, le *(réveiller)*-vous ou le *(laisser)*-vous dormir ?

5 Si vous *(apprendre)* qu'un mendiant du quartier où vous habitez a un important compte en banque, *(faire)*-vous un scandale ?

6 Si, par une grosse pluie, quelqu'un sans parapluie vous *(demander)* de le raccompagner chez lui, le *(faire)*-vous ?

7 Si l'administration fiscale *(se tromper)* d'une grosse somme à votre avantage, la *(prévenir)*-vous de son erreur ?

8 Si un ami *(oublier)* de vous rendre une somme d'argent qu'il vous avait empruntée, est-ce que vous la lui *(réclamer)* ?

9 Si dans un restaurant quelqu'un que vous ne connaissez pas *(piquer)* en passant une frite dans votre assiette, comment *(réagir)*-vous ?

10 Si vous *(voir)* un serveur faire tomber à terre le contenu d'un plat, le remettre dans le plat et le porter à une table, est ce que vous *(intervenir)* ?

11 Si vous *(trouver)* une liasse de billets de banque sur un banc, qu'en *(faire)*-vous ?

12 Si quelqu'un, désireux de s'isoler pour téléphoner discrètement, *(oublier)* de fermer la porte derrière lui, est-ce que vous la *(fermer)* ?

13 Si un ami très proche, sans raison, ne vous *(inviter)* pas à une fête où ont été invités tous vos amis communs, comment *(réagir)*-vous ?

14 Si, dans la rue, un adulte inconnu vous *(tirer)* la langue, que *(faire)*-vous ?

15 Si quelqu'un vous *(offrir)* un vêtement qui ne vous plaisait pas du tout, le *(mettre)*-vous pour lui faire plaisir ?

◼ si + plus-que-parfait

> **Hypothèse sur le passé**
> → **conséquence sur le présent**
> *Si* j'avais compris la question, je pourrais vous répondre **maintenant**.
>
> **Hypothèse sur le passé**
> → **conséquence sur le passé**
> *Si* j'avais compris la question, je vous aurais **déjà** répondu.

125

404 Imaginez une suite à chacune de ces phrases puis écoutez et écrivez les deux suites données à chaque phrase en remarquant l'usage du conditionnel présent et du conditionnel passé.

Supposez que Christophe Colomb n'ait pas découvert l'Amérique...
– Si Christophe Colomb n'avait pas découvert l'Amérique...
● *on ne parlerait pas espagnol en Amérique latine.*
● *quelqu'un d'autre l'aurait découverte.*

1. Imaginez qu'un jour vous deveniez chef d'État
– Si un jour je devenais chef d'État...

2. Supposez que vous soyez analphabète
– Si j'étais analphabète...

3. Supposez que vos parents ne se soient pas rencontrés
– Si mes parents ne s'étaient pas rencontrés...

4. Supposez que les vaccins n'aient pas été découverts
– Si les vaccins n'avaient pas été découverts...

5. Imaginez que vous parliez une trentaine de langues
– Si je parlais une dizaine de langues...

6. Imaginez que les humains marchent à quatre pattes
– Si les humains marchaient à quatre pattes...

7. Imaginez que vous soyez immortel(le)
– Si j'étais immortel(le)...

405 Cherchez sur Internet des chansons qui comportent des propositions hypothétiques. Partagez vos trouvailles.

15

406 Complétez avec une phrase au conditionnel présent et une autre au conditionnel passé.

Je ne t'inviterais pas au restaurant mais chez moi
savoir cuisiner *si je savais cuisiner*
apprendre à cuisiner *si j'avais appris à cuisiner*

1. Je pourrais aller les voir plus souvent,
ne pas déménager à Genève   si…
habiter toujours Bruxelles   si…

2. Il ne serait pas déprimé
ne pas être au chômage   si…
ne pas être licencié   si…

3. Elle serait plus heureuse
ne pas perdre ses parents très jeune   si…
ne pas être orpheline   si…

4. Je pourrais te prêter ma voiture,
passer permis de conduite   si…
ne pas travailler demain   si…

5. On aurait pu se mettre à table,
repas être prêt   si…
toute la famille arriver   si…

6. Elle ne serait pas dans une maison de santé,
avoir toute sa tête   si…
ne pas avoir un accident cérébral   si…

7. Le voleur n'aurait pas récidivé,
ne pas être libéré   si…
être encore en prison   si…

8. Il n'aurait pas téléphoné à la police,
être l'assassin   si…
commettre le meurtre   si…

9. Tu n'aurais pas la jambe dans le plâtre,
conduire moins vite   si…
respecter le stop   si…

407 Écoutez et répétez les phrases de mémoire. Puis écrivez.

1. Si nous avions emporté une carte, nous saurions quelle route prendre…
2. Si quelqu'un m'avait expliqué comment ça marchait, je n'aurais pas perdu autant de temps…
3. Si vous aviez été attentifs, je n'aurais pas besoin de répéter…
4. Si les secours étaient arrivés plus rapidement, le blessé serait sans doute sauvé…
5. Si leur commerce avait bien marché, ils auraient ouvert une seconde boutique…
6. Si vous vous étiez un peu dépêchés, vous seriez arrivés à temps…

408 Imaginez une série de désagréments dans un hôtel où vous avez passé quelques jours et rédigez un commentaire sur cet hôtel. Comparez votre texte à celui du livret des corrigés.

Nous aurions pu passer un merveilleux séjour dans cet hôtel très bien situé ☺
si .... ☹
si .... ☹
si .... ☹
si .... ☹
si .... ☹
si .... ☹

ENQUÊTE DE SATISFACTION
☺ 😐 ☹
Hôtel Belle vue
Avez-vous été satisfait?
Donnez-nous votre avis

La grammaire des premiers temps B1-B2

15

◼ autres constructions

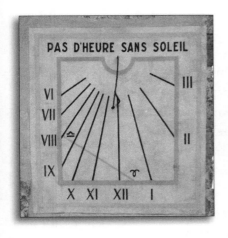

PAS D'HEURE SANS SOLEIL

VI
VII
VIII
IX
X XI XII I
III
II

**Inscriptions relevées
sur des cadrans solaires**

Si le soleil se tait, je me tais.

Sans ta clarté et ta chaleur,
nous n'aurions ni heure, ni fleur.

Si le soleil fait défaut,
nul ne me regarde.

127

409 **a) Écoutez et écrivez.**

1. Un point de plus, ...
2. Encore un mot blessant, ...
3. Un seul mouvement et ....
4. Sans toi, ...

5. Heureusement que tu as crié! Sans ça, ...
6. Avec une bourse, ...
7. Sans ce prêt, ...
8. Sans un accord entre nos deux formations
politiques, ...

409 **b) Reformulez ces phrases avec si.**

1. Un point de plus et j'obtenais la mention très bien! *Si j'avais eu un point de plus, j'aurais obtenu la mention très bien.*

410 **Reformulez les phrases.**

Tu serais venu, tu l'aurais vu! – *Si tu étais venu, tu l'aurais vu!*
Tu me le demanderais gentiment, je te dirais oui tout de suite. – *Si tu me le demandais gentiment, je te dirais oui tout de suite.*

1. Tu aurais été là, cela n'aurait rien changé! **2.** Vous ne m'auriez pas retenu, je serais tombé!
3. Tu goûterais ce vin, tu en achèterais, j'en suis sûre. **4.** Je n'aurais pas freiné, je l'écrasais, cette poule! **5.** Elle porterait des couleurs claires, cela lui irait mieux. **6.** Tu me le demanderais, je te suivrais au bout du monde! **7.** Tu me l'aurais demandé, je te l'aurais prêtée, ma voiture!
8. Il aurait insisté, je lui aurais dit oui.

> Dans la langue parlée, on peut trouver deux conditionnels successifs.

15

Évaluation

411 Formulez les phrases.

● *Si* + **imparfait** + conditionnel présent

1. Si la grève *(s'arrêter)* ce soir, nous *(partir)* dès demain matin.

2. Si tu *(ranger)* ton bureau, tu *(retrouver)* peut-être tes papiers plus facilement.

3. Si votre père *(vivre)* encore, il *(être)* fier de vous et il *(avoir)* raison.

4. Si je *(pouvoir)* prendre des vacances en hiver, je le *(faire)* et j'*(aller)* en Guadeloupe.

5. Si nous *(augmenter)* nos prix, nous *(ne plus être compétitifs)* et nous *(perdre)* de nombreux clients.

● *Si* + **imparfait** + conditionnel passé

1. Si tu *(ne pas être)* pas mon frère, je *(ne pas te pardonner)* ce que tu as fait.

2. Si elle ne vous *(aimer)* pas, elle vous *(quitter)* depuis longtemps.

3. S'il n'*(être)* pas allergique aux poils de chat, il *(prendre)* un chat.

4. Si mes voisins *(être)* en vacances, ils me *(demander)* d'arroser leurs plantes.

5. Si ses affaires *(marcher)*, il *(ne pas décider)* de vendre sa boutique.

● *Si* + **plus-que-parfait** + conditionnel présent

1. Si tu *(te coucher)* plus tôt hier soir, tu *(être)* en meilleure forme aujourd'hui.

2. Si vous *(écouter)* nos conseils, le problème *(être)* déjà réglé.

3. Si quelqu'un m'*(poser)* cette question, je *(s'en souvenir)* certainement.

4. Si notre maire *(se présenter)* aux élections, il *(être)* député actuellement.

5. Si par hasard vous *(changer)* d'avis, il *(falloir)* nous le dire.

● *Si* + **plus-que-parfait** +conditionnel passé

1. Si on *(ne pas pouvoir)* prévenir rapidement les pompiers, tout *(brûler)*.

2. Si nous *(ne pas protester)*, le projet *(être adopté)*.

3. Si vous *(réfléchir)*, vous *(ne pas accepter)*.

4. Si le train *(ne pas avoir)* du retard, nous le *(rater)*.

5. S'ils *(laisser)* leur numéro de téléphone, la secrétaire *(pouvoir)* les prévenir.

412 Formulez les phrases avec « à condition que/de ».

● prix pas trop élevé ● obtention d'un prêt à taux avantageux ● pas trop de travaux ● bonne exposition et belle vue ● possibilité d'emménager rapidement

→ *Ils achèteront un appartement à condition…*

413 Formulez les phrases avec « à moins que/de ».

● mauvais temps ● pas de billet à prix réduit ● maladie ● obligations familiales ● empêchement professionnel

Elle partira en week-end à moins…

La grammaire des premiers temps B1-B2

Chapitre 16

L'expression de la cause

Principaux marqueurs de cause

1. coordination

car*	Je ne connais pas ses goûts en musique, *car il n'en parle jamais.*

* « car » est plus fréquemment utilisé à l'écrit qu'à l'oral.

2. + indicatif

parce que	Pourquoi m'obéir? *parce que c'est moi le chef !*
puisque	*Puisque c'est moi le chef, c'est moi qui commande!*
comme	*Comme c'est lui le chef, tout le monde lui obéit.*
du fait que, vu que étant donné que	*Du fait qu'il a été nommé chef, il a changé de statut.*
sous prétexte que	*Sous prétexte qu'il est devenu chef, il se croit tout permis.*

3. + subjonctif

ce n'est pas que non (pas) que	Je préfère rester chez moi. *Ce n'est pas que la sortie me déplaise, mais j'ai besoin d'être seule.*

4. + infinitif (même sujet)

sous prétexte de	Elle sortait tous les soirs *sous prétexte d'aller voir une amie.*
pour + infinitif passé	Ses parents l'ont punie *pour avoir menti.*

5. + substantif

du fait de, étant donné, vu, en raison de	*Étant donné/vu la situation du pays, de nouvelles économies s'imposent.*
grâce à	*Grâce à ces économies, le déficit diminuera.*
à cause de	En effet, *à cause du déficit, notre dette augmente.*
à force de	*À force d'efforts, nous redresserons la situation.*
faute de	*Faute d'efforts, la situation se dégraderait.*
par	Nous devons agir vite, *par nécessité.*

6. autres constructions

participe présent	*Craignant des violences, le préfet a interdit la manifestation.*

16

414 Lisez ces messages et choisissez d'en dire un à haute voix. Retrouvez les marques de la cause dans chaque texte.

1. Bijou,
Tu me demandes pourquoi je t'aime.
C'est tout simple : parce que je t'aime !
Ton Roméo

2. Comme tu ne réponds pas
à mes SMS, je ne sais pas si tu les
as reçus, et comme je ne sais pas
où tu habites, je ne peux pas
te joindre. Excuse-moi si j'insiste,
mais c'est parce que je veux
vraiment te revoir. M. B.

3. Étant donné :
1° que tu es bien sans moi ;
2° que je suis bien sans toi ;
3° que tu ne m'aimes plus
autant qu'avant ;
4° que je ne t'aime plus autant qu'avant,
je me demande si nous ne ferions
pas mieux de nous séparer
à l'amiable. Qu'en penses-tu ?
Julie

4. Cher voisin,
Puisque vous ne vous décidez
pas à faire le premier pas,
c'est moi qui vais le faire.
Vous me plaisez beaucoup !
Voilà qui est dit ! J'attends
votre réponse.
Votre voisine d'en face.

5. Madeleine,
Que les choses soient claires !
Je ne te quitte pas « sous prétexte que »
tu es jalouse, je te quitte parce que tu
es jalouse.
Georges.

6. Ulysse
N'ayant aucune nouvelle de toi
depuis plus de dix jours
et ne voulant pas passer ma vie
à attendre dans l'inquiétude,
je pars définitivement !
Adieu !
Pénélope

7. Mademoiselle,
Si je ne vous ai pas fait signe
depuis notre rencontre, ce n'est
pas parce que je ne pensais pas
à vous, c'est parce que je n'osais
pas et que j'avais peur de ne pas
trouver les mots pour vous dire
que je suis fou amoureux de vous.
Jean-Charles

8. Horace,
L'amour s'efface,
car le temps passe
et que nous ne sommes guère
tenaces.
Il va falloir que l'on s'y fasse.
Hélas !

16

parce que, car, sous prétexte que /de

415 Ces « mots d'excuses » font partie des perles recueillies par un proviseur. Pourquoi les élèves sont-ils absents ou en retard ?

1. William n'est pas venu à l'école hier parce qu'il a fait grève. Chacun son tour.	**2.** Madame, Sébastien est arrivé en retard pour raison personnelle, ce qui signifie bien que c'est personnel. Cordialement.	**3.** Monsieur, je garde Alice à la maison, car on m'a dit qu'il y a la grippe dans votre école. Bonne chance de ne pas l'attraper.
4. Veuillez excuser le retard de Thomas, c'est mon mari qui l'a emmené à l'école et il s'est perdu.	**5.** Excusez le retard de Léo, c'est moi qui lui ai interdit de mettre son réveil, parce que ça nous réveille.	**6.** Monsieur, mon fils Hugo ne sera pas présent demain, car il sera malade. Merci d'avance de l'excuser.
7. Madame, veuillez excuser Lucas pour son absence d'hier matin. Ayant passé la nuit sur un jeu vidéo sans que je le voie, il s'est endormi dans le bus.	**8.** Monsieur, Dylan s'est réveillé en retard, donc il est arrivé en retard à l'école. C'est aussi simple que cela et ce n'est pas la peine d'en faire un drame. Merci.	

Vous est-il déjà arrivé de trouver un prétexte pour manquer l'école ?

> « **Car** » est fréquemment utilisé à l'écrit plutôt que « **parce que** ».

416 **a)** Lisez les commentaires de la première phrase puis expliquez pourquoi les journalistes utilisent « sous prétexte que » dans les trois autres.

1. Sous prétexte de protéger la « sécurité nationale », un très grand nombre de documents sur cette affaire sont classifiés « Top Secret ». → *Pour le journaliste, le fait que certains documents soient classifiés « Top secret » ne s'explique pas seulement par la volonté de protéger la sécurité nationale. Il imagine d'autres raisons.* **2.** Les États peuvent-ils prendre n'importe quelle décision **sous prétexte qu'**ils luttent contre le terrorisme ? **3.** On peut se demander si, **sous prétexte de** protéger les intérêts de sa riche cliente, l'homme d'affaires n'est pas en train de s'approprier sa fortune. **4.** Les passeurs, véritables trafiquants d'êtres humains, retirent à leurs victimes leurs passeports **sous prétexte de** les mettre en lieu sûr.

416 **b)** Écoutez et écrivez.

> « **Sous prétexte que** » : indique que, pour le locuteur, la raison donnée est une fausse raison ou bien une raison non pertinente ou non suffisante.

16

128

◼ mise en relief

C'est parce que… que…	*C'est **parce que le sport** est un spectacle **que** le dopage s'est répandu.*
Ce n'est pas parce que… que	***Ce n'est pas** seulement **parce que** le sport est un spectacle **que** le dopage s'est répandu, mais aussi parce que l'argent a envahi le monde du sport.*
Si…, c'est (parce) que…	***Si** le dopage est aussi fréquent, **c'est (parce) qu'**on demande aux athlètes d'être de plus en plus performants.*

417 Écartez une des deux causes.

Il a raté son examen ● *il/ne pas travailler* ● *il/être malade.*
→ *Ce n'est pas parce qu'il n'a pas travaillé qu'il a raté son examen, c'est parce qu'il était malade.*
→ *Ce n'est pas parce qu'il était malade qu'il a raté son examen, c'est parce qu'il n'a pas travaillé.*

1. Je ne fais pas de sport ● *je/ne pas avoir le droit* ● *je/ne pas avoir le temps*
2. Il a épousé Mlle Bétancourt ● *elle/être riche* ● *il/aimer Mlle Bétancourt*
3. Je ne danse jamais ● *je/ne pas savoir danser* ● *je/ne pas aimer ça*
4. Elle a changé de travail ● *elle/licencier* ● *elle/aimer le changement*
5. Ils votent pour ce candidat ● *ils/le connaître* ● *il/avoir un bon programme*
6. Elle est silencieuse ● *elle/être timide* ● *elle/n'avoir rien à dire*

> **Une cause peut aussi être écartée par la construction « non (pas) que… mais » suivie du subjonctif :** *Nous ne visiterons pas cette ville, **non (pas) qu'**elle soit sans intérêt, **mais** cela nous ferait faire un trop grand détour.*

418 Êtes-vous d'accord avec ces affirmations ? Échangez, nuancez, réfutez.

Si quelqu'un sourit, c'est (parce) qu'il est heureux.
Si quelqu'un sourit, ce n'est pas nécessairement (parce) qu'il est heureux ; il peut aussi être triste et sourire par simple politesse.

1 C'est parce que les hommes politiques aiment le pouvoir qu'ils font de la politique. **2** C'est parce que les animaux n'éprouvent pas de joie qu'ils ne sourient pas. **3** C'est parce que la loi est bonne que nous devons la respecter. **4** C'est parce que les jeunes lisent peu que les ventes de livres chutent. **5** C'est parce que la vie est courte qu'il faut en profiter. **6** Si quelqu'un ne va pas voter, c'est (parce) qu'il ne s'intéresse pas à la politique. **7** Si les touristes viennent nombreux dans un pays, c'est (parce) qu'ils trouvent ses habitants sympathiques. **8** Si les oiseaux chantent c'est parce que leurs parents chantaient.

16

◗ puisque, comme

419 Complétez librement.

Un professeur devant l'incompréhension de ses élèves: « Puisque personne n'a compris, *je vais reprendre mon explication.* »

1. À une terrasse de café, un fumeur, à une dame qui tousse: « Puisque la fumée vous dérange…

2. Un contrôleur dans un train bondé à un voyageur: « Puisqu'il n'y a plus de place en seconde…

3. Dans un restaurant, des clients agacés: « Puisque personne ne vient nous servir…

4. Un(e) ami(e) à un(e) ami(e): « Puisque tu l'aimes…

Un client à un autre client à la caisse d'un supermarché: « Passez devant moi *puisque vous n'avez que ça!* »

5. Une vendeuse à une cliente hésitante: « Prenez donc ces bottes…

6. Un professeur à ses élèves après un chahut: « Reprenons le cours…

7. Un ami à un ami le jour de son anniversaire: « Je t'ai choisi un roman de Modiano…

8. Un vieux monsieur dans un bus à une dame qui veut absolument lui céder sa place: « J'accepte…

> **Puisque:** cause connue ou supposée connue de l'interlocuteur. Sa place peut varier.
> **Comme:** toujours placé en début de proposition, met la cause en évidence.

129
420 Racontez au passé. Écoutez pour vérifier.

1. Comme je / passer devant chez amis – je / sonner **et comme** amis dîner – ils / inviter. → *Comme je passais devant chez des amis, j'ai sonné et comme ils étaient en train de dîner, ils m'ont invité.*

2. Comme faire chaleur étouffante – elle / s'asseoir sous arbre **et comme** elle / être bien – elle / s'endormir. **3. Comme** voiture garagiste – je / vouloir prendre bus **mais comme** grève – je / devoir aller à pied / travail. **4. Comme** il / aimer cousine – vouloir l'épouser **mais comme** ne pas vouloir – il / épouser voisine. **5. Comme** on / arriver pleine nuit **et comme** ne pas vouloir déranger – nous / chercher hôtel / village, **mais comme** pas hôtel – nous / dormir voiture. **6. Comme** il / aimer feu – devenir pompier, **mais comme** pas assez incendies – il / se mettre allumer feux lui-même.

421 Complétez librement les phrases puis proposez-en d'autres.

Je vous raconterais bien ce qui s'est passé *mais comme j'ai promis le secret, je ne peux rien vous dire.*

1. Je t'accompagnerais volontiers si j'avais le temps, mais comme… **2.** Si le sujet t'intéressait, je t'en dirais plus, mais comme… **3.** Si on me demandait mon avis, je le donnerais, mais comme… **4.** Si elle avait de l'argent, elle t'en prêterait certainement, mais comme… **5.** Si ce candidat avait une chance d'être élu, je voterais bien pour lui, mais comme… **6.** Je vous aurais bien rejoint à la piscine si j'avais su que vous y alliez, mais comme…

■ étant donné... participe présent

> **Étant donné, du fait, vu** et **le participe présent** posent la cause comme un fait établi ; ils sont très utilisés dans le langage administratif et juridique.

422 **Lisez puis imaginez d'autres nouvelles, bonnes ou mauvaises.**

Étant donné les excellents résultats de notre entreprise, nous allons être en mesure d'augmenter les salaires.	Vu le beau temps de l'été, les vendanges seront précoces, la récolte abondante et le vin excellent.	Compte tenu de la diminution du prix du pétrole, la facture énergétique du pays va beaucoup baisser.

423 **Formulez les phrases de réponse. Puis écoutez.**

1. Alors ? Qu'est-ce qu'on fait ?
– ***Vu** la situation, on ferait mieux de partir.*

2. Votre père sort quand de l'hôpital ?
– **Étant donné** état de fatigue ● pas avant plusieurs jours.

3. Tu penses qu'on devra payer un supplément de bagages ?
– **Vu** taille et poids valises ● certainement.

4. Vous avez un point de vue contesté sur l'apprentissage des langues étrangères à l'école ?
– Oui, je pense que **compte tenu** universalité anglais ● apprentissage autres langues étrangères pas nécessaire début.

5. Vous avez des chances d'obtenir le poste ?
– **Étant donné** faible nombre de candidats ● chances pas nulles.

6. La réunion va durer combien de temps ?
– **Étant donné** longueur ordre du jour ● prolongation possible.

7. Tu logeras à l'hôtel ?
– **Étant donné** budget très limité ● devoir camper.

8. Je ne pèse pas un peu lourd pour ma taille, Docteur ?
– **Compte tenu** taille ● poids idéal.

424 **Observez puis rédigez trois messages commençant par un participe présent.**

Anton, Mon père, <u>ayant été hospitalisé d'urgence</u>, je n'ai pu ni assister à la réunion d'hier, ni te prévenir à temps. Excuse-moi. Didier	À L'ATTENTION DES ÉLÈVES DE 4e ET 5e Le professeur de gymnastique <u>étant malade</u>, les cours sont annulés.

1. *Vous n'avez pas reçu la commande* que vous aviez passée deux semaines auparavant. Vous demandez au fournisseur des explications. **2.** *Vous ne pourrez pas* assister à une réunion, vous envoyez une procuration accompagnée d'un mot. **3.** *Vous n'avez pas réussi à joindre* quelqu'un au téléphone. Vous lui laissez un mot avec votre numéro de téléphone pour qu'il vous rappelle.

■ en raison de, pour cause de, du fait de, par suite de...

425 **a) Où pourrait-on lire ces annonces ?**

Fermé pour cause de décès. *Sur la porte d'un magasin*

1. Par suite d'un accident sur l'A32, la circulation est détournée sur la nationale 20 à la sortie 34.

2. En raison des risques d'avalanche, les pistes sont fermées.

3. Le service de restauration ne sera pas assuré du fait d'une grève surprise du personnel. Nous nous en excusons auprès des voyageurs.

4. En raison d'un avis de tempête, la traversée est annulée.

5. En raison d'un incident technique, les émissions sont momentanément interrompues.

6. Nous informons notre clientèle qu'en raison de la multiplication des vols, notre système de surveillance est renforcé.

131
425 **b) Imaginez des dialogues correspondant à ces situations. Puis écoutez.**

– Tiens la boulangerie est fermée, vous savez pourquoi ?
– La femme du boulanger vient de mourir.

426 **Lisez et proposez d'autres panneaux, annonces, ou informations contenant ces expressions de cause.**

> En raison de plusieurs
> plaintes du voisinage
> nous vous prions,
> à votre sortie, de ne pas
> rester devant le bar et sur
> la place des tilleuls.
> Merci

> **Avis aux automobilistes**
> **EN RAISON D'**IMPORTANTES
> CHUTES DE NEIGE
> LE COL DU GRAND SAINT BERNARD
> EST FERMÉ

> REPORT DU PROGRAMME
> **Du fait d'**incidents techniques à répétition, le programme de lancement de la navette spatiale a été retardé.

> **GRÈVE SURPRISE**
> **À la suite de** l'agression qui a causé la mort de l'un des leurs, les contrôleurs de la SNCF sont en grève.

132
427 **Écoutez et écrivez.**

16

◼ à cause/à force de, grâce à

428 **Lisez puis cherchez d'autres informations avec ces marqueurs de cause.**

> **Naissance d'une étoile. Grâce à** leur puissant télescope, des astrophysiciens ont assisté à la naissance d'une étoile.

> **Inondations.** Tous les moyens de secours sont mobilisés **à cause de** fortes inondations dans le sud de la France.

> **Vol de chaussures au mont Blanc**
> Un alpiniste de 48 ans, qui s'était fait voler ses chaussures dans un refuge du mont Blanc à 3 835 m, a été redescendu en hélicoptère par la gendarmerie de Chamonix, **faute de** pouvoir descendre en chaussettes.

> **Éducation Nationale**
> « **À force de** travail et de ténacité, toutes les réformes se feront. Petit à petit », a déclaré le Premier ministre.

429 **Reformulez les phrases proposées avec « à cause de » ou « grâce à ».**

Sa mémoire lui a permis de réussir ce concours. → *Il a réussi ce concours grâce à sa mémoire.*

1. Attention, le gel rend les routes glissantes. **2.** Il a pu continuer ses études parce qu'il a obtenu une bourse. **3.** Le bruit m'a empêché de dormir cette nuit. **4.** C'est toi qui es responsable de mon retard. **5.** Vos explications lumineuses m'ont permis de comprendre. **6.** Des travaux sur la route nous ont obligés à faire un détour. **7.** C'est une erreur de conduite qui lui a fait rater son permis de conduire. **8.** Une émission de télé lui a permis de retrouver ses parents biologiques.

133
430 **Formulez des phrases avec « à force de ». Puis écoutez les dialogues.**

avoir accident ● prendre risques → Tu vas avoir un accident *à force de prendre des risques !*

1. Vous allez vous casser la voix ● crier. **2.** Il lasse tout le monde ● se plaindre. **3.** Les enquêteurs finiront bien par trouver ● entendre des témoignages. **4.** Vous me déstabilisez ● me contredire. **5.** On trouvera bien une solution ● réfléchir. **6.** Tu vas progresser ● travailler régulièrement ton piano. **7.** Ils vont s'attirer des ennuis ● se mêler des affaires des autres.

431 **a) Complétez avec « faute de ».**

L'expédition a dû être interrompue *faute de vivres.* **1.** On peut échouer dans ses études… **2.** On peut ne pas pouvoir prendre de vacances… **3.** Une entreprise peut être obligée de fermer… **4.** Un coupable peut ne pas être condamné… **5.** Un écrivain peut rester des heures sans écrire…

134
431 **b) Écoutez, retrouvez de mémoire et écrivez.**

> • **Grâce à** : vision positive de la cause • **À cause de** : vision neutre ou négative
> • **À force de** : permanence/répétition • **Faute de** : raison due au manque de qqch

16

◼ pour, par

432 **Lisez ces faits divers et soulignez les motifs d'accusation, d'arrestation ou d'emprisonnement évoqués. Cherchez-en d'autres.**

1 **Agent double B.M.**, américano-polonaise, a été condamnée à 6 ans de prison pour avoir fourni des renseignements d'importance pour la sécurité polonaise aux services secrets de deux pays étrangers.

2 **Réalité ou fiction ?**
Un petit garçon de 6 ans a été accusé de harcèlement sexuel pour avoir embrassé sa petite voisine de classe.

3 **Un Britannique en prison**
Un Britannique de 37 ans a été condamné à seize mois de prison ferme pour avoir crevé près de 2000 pneus de voitures.

4 **Égalité des sexes**
Une condamnation pour indécence envers une jeune femme, qui s'était promenée torse nu dans la rue par une chaude journée d'été, a été annulée par un juge de l'Ontario. La jeune femme avait invoqué pour sa défense l'égalité des sexes.

5 **Amendes en série**
J.M.T., chargé des affaires sociales, a été condamné à payer à chacun des 2 900 salariés de l'entreprise une amende de 1 euro pour n'avoir pas consulté les délégués du personnel sur l'organisation des congés payés.

433 **Formulez des phrases avec *pour + infinitif passé*.** ➘ ex 206

punition de toute une classe ← chahuter → *Toute une classe a été punie pour avoir chahuté.*

1. arrestation d'un automobiliste ← brûler feu rouge. **2.** décoration d'un pompier ← sauver 3 personnes. **3.** exclusion de plusieurs membres du parti au pouvoir ← manifester désaccord. **4.** forte récompense à un enfant ← retrouver chien banquier. **5.** condamnation et mutation d'un gardien de prison ← complicité d'évasion. **6.** licenciement d'un employé ← gifler client. **7.** destitution d'un président de club sportif ← piquer dans la caisse. **8.** En 1917, exécution plusieurs centaines soldats ← refuser combattre et déserter.

434 **Proposez plusieurs explications et échangez.**

1 On peut *tuer par amour, par jalousie, par cruauté, par erreur, par jeu.* **2** fuir une situation … **3** travailler … **4** se marier … **5** manger … **6** Sourire à quelqu'un … **7** faire du cinéma …

1 On peut être connu *pour son courage, son intelligence, pour ses recherches.* **2** être apprécié… **3** être félicité … **4** être embauché … **5** être licencié … **6** être puni … **7** être mis en examen

435 **« Pourquoi filmez-vous ? »**: écoutez les réponses de 5 cinéastes. Notez leurs raisons.

◼ interroger sur la cause

436 **a) Lisez ces questions et échangez entre vous. Puis faites l'inventaire des différentes manières d'interroger sur la cause.**

1 Pourquoi bâille-t-on ?

2 À quoi est dû le réchauffement climatique ?

3 Quelles sont les raisons de la baisse de la natalité ?

4 Quelle est la cause principale des accidents de la route ?

5 Qu'est-ce qui incite/pousse les jeunes à commencer à fumer ?

6 Pour quelles raisons les produits biologiques sont-ils plus chers ?

7 Comment expliquer qu'on appelle certains triangles « rectangles » ?

8 Qu'est-ce qui vous fait rire ? pleurer ? rougir ? perdre votre sang-froid ?

9 Qu'est-ce qui rend les gens heureux ? malheureux ? nostalgiques ? agressifs ?

10 Qu'est-ce qui motive les gens à émigrer ? Qu'est-ce qui provoque le hoquet ?

11 Comment s'explique le fait que certaines personnes deviennent facilement la proie de sectes ?

Composez à votre tour une page de questions sur un ou plusieurs thèmes.

136
436 **b) « Pourquoi bâille-t-on »ⁿ ? Quelles sont les causes évoquées ?**

137
437 **Observez la structure de ce texte explicatif. Écoutez et complétez.**

> La France commence le XXIᵉ siècle plus vieille qu'elle n'avait commencé le siècle précédent. Cette situation s'explique par… et par… Grâce à… et à…, l'espérance de vie a fait un bond spectaculaire en un siècle. Elle est passée de 47 ans en 1900 à 82 ans en 2012. La vieillesse aussi se passe mieux grâce à… . Toutefois, les hommes continuent à mourir plus jeunes que les femmes ; deux raisons à cela : …

438 **Lisez cette interview à voix haute. Quelles sont les raisons mises en avant par ce maire ? Énumérez-les. Comment le texte est-il structuré ?**

> *Les reconstitutions historiques sont actuellement en vogue. Quelles sont d'après vous les raisons de ce succès ?*
> – Il y a plusieurs raisons à cela. En premier lieu, on constate que dans les périodes difficiles, lorsque l'avenir est incertain, les gens se tournent vers leurs origines, leur histoire. Il faut ensuite saluer le rôle des communes et des associations qui lancent l'idée de ces reconstitutions historiques qui font revivre le passé et montent ces spectacles. Et bien sûr, ces manifestations sont aussi l'occasion de créer du lien social dans les villes et les villages, car toutes les générations, toutes les professions se retrouvent autour d'un projet commun. Les bénévoles se mobilisent pour créer des costumes, des décors, pour jouer, etc. Chacun apporte son savoir-faire et sa compétence. Et, enfin, comme les spectacles sont en général de qualité, ils sont appréciés du public.

16

Évaluation

439 Formulez pour chaque texte deux questions différentes portant sur la cause.

1. Faits divers – Une explosion, sans doute due au gaz, a éventré un immeuble parisien faisant 53 blessés dont deux graves.

2. Tempête – Des vents violents accompagnés d'une forte houle ont frappé la côte atlantique. Cette houle, associée à une grande marée, a provoqué une forte hausse du niveau de la mer.

3. Voyages en solde – La baisse générale du prix des voyages pendant la morte-saison est liée à la forte concurrence entre les transporteurs aériens.

4. Espérance de vie – Les hommes continuent à mourir plus jeunes que les femmes. Il y a deux raisons à cela : les cancers et les maladies cardio-vasculaires.

5. Manque de médecins – La désertification médicale s'intensifie. En effet le nombre de médecins décroît dans les zones rurales, car les médecins qui partent à la retraite, ne sont pas remplacés.

440 Faites des phrases en utilisant les expressions de cause proposées.

1. ennuis mécaniques ● abandon pilote : à cause de
2. dopage ● disqualification vainqueur Tour de France : pour
3. mauvais temps ● annulation slalom spécial : en raison de
4. pluie ● match se dérouler salle : puisque
5. niveau élevé participants ● aucune chance gagner équipe : vu
6. alimentation équilibrée ● forme excellente joueurs : grâce à
7. absence entraînement ● forte migraine : sous prétexte que
8. excitation supporters ● incidents possibles issue match : étant donné
9. incidents ligne 2 métro ● trafic momentanément interrompu : du fait de
10. être majeur dans quelques mois ● possibilité vote prochaines élections : comme
11. employés licenciés ● faillite société : car
12. ténacité avocate ● obtention révision procès client : à force de
13. manque preuves ● acquittement prévenu : faute de
14. mauvais taux audience émission ● non-reconduction contrat animateur : parce que

441 Complétez avec « c'est parce que » ou « ce n'est pas parce que ».

1. S'il y a des travailleurs au noir…

2. Si les chaînes de restauration rapide s'installent partout…

3. Si malgré Internet, la presse n'a pas encore disparu…

4. Si la justice est lente…

5. Si les jeux d'argent ont autant de succès…

6. Si les frais de santé augmentent…

7. Si les gens émigrent…

8. Si le nombre de morts sur les routes baisse…

16

Chapitre 17

L'expression du but et de la conséquence

Soyez attentifs à ce que vous dites, afin de ne rien dire de superflu.

Je pense, donc je suis.

L'homme souffre si profondément qu'il a dû inventer le rire.

Dieu n'a créé les femmes que pour apprivoiser les hommes.

Les hommes se regardent de trop près pour se voir tels qu'ils sont.

Le penseur,
Rodin

Principaux marqueurs du but

+ subjonctif ou infinitif

pour (que) afin que / de	*Je mets le haut-parleur pour que tu entendes bien.* *Ils travaillent l'été pour payer leurs études.*
de façon / manière / sorte que de façon / manière à	*Parlez lentement de façon que tout le monde comprenne.* *Baisez le son de façon à ne pas gêner les voisins.*
de peur / de crainte que / de	*Tiens bien ton sac de peur qu'un voleur (ne) te l'arrache.*

+ infinitif

en vue de, dans le but de	*Il apprend le chinois en vue d'aller vivre en Chine.*

Principaux marqueurs de la conséquence

1. coordination

donc, alors, par conséquent	*Nous avons bien révisé, donc nous devrions réussir.* *J'ai mal dormi, alors j'ai du mal à me concentrer.*
du coup (fam.)	*On a tous réussi, du coup on a fait la fête toute la nuit.*
d'où	*Elle pensait rater son bac et elle a réussi, d'où son air réjoui.*
de ce fait	*Je viens de réussir mon bac et de ce fait je suis bachelier.*
c'est pourquoi / pour cela que / la raison pour laquelle	*Il veut devenir journaliste, c'est pour ça qu'il s'est inscrit en sciences politiques.*

2. + indicatif / infinitif

si bien que, de sorte que	*Elle parle peu de sorte qu'elle ne se fait pas remarquer.*
de telle sorte / manière / façon que	*Elle vit de telle manière qu'elle n'a que peu d'amis.*
au point que / de, à tel point que	*Elle est timide au point que ça l'empêche de vivre.* *Elle est fatiguée au point de risquer de s'endormir au volant.*

3. + indicatif

si / tellement +adj +que	*L'été a été si/tellement sec que les rivières sont à sec.*
tellement de + nom + que	*Il y a tellement de neige que les routes sont bloquées.*
verbe + tellement que	*Il pleut tellement que les routes sont inondées.*
un(e) tel(le)… que	*Il y a un tel vent qu'il est dangereux de sortir en mer.*

4. + subjonctif / infinitif

trop / assez… pour (que)	*Cette voiture est trop vieille pour être vendue, mais ne marche pas assez bien pour que nous la gardions.*

La grammaire des premiers temps B1-B2

138

442 Écoutez. Ils parlent de leur profession. Quelle est cette profession ?
Soulignez les expressions de conséquence. Entourez les marqueurs du but.

Un acteur ou une actrice

Au début de ma carrière, j'avais tellement le trac que j'en perdais parfois la voix et pour que je rentre sur scène, il fallait me pousser.

Mon grand-père maternel et mes deux parents avaient fait du droit, alors j'ai fait du droit et comme eux, je plaide.

J'écris la nuit afin de ne pas être dérangé et de manière à avoir un peu de temps libre dans la journée pour faire autre chose.

Au retour d'un voyage j'ai proposé des photos à un journal. Ça leur a plu, à tel point qu'ils m'ont embauché tout de suite.

1. ....

3. ....

Je suis toute la journée assis dans la circulation, d'où mon mal de dos et mon stress.

2. ....

J'ai toujours aimé le bois. Tout petit déjà, je taillais, je sculptais, je construisais ; si bien que le choix de mon métier a été très simple. J'ai toujours su ce que je voulais faire.

4. ....

5. ....

Ma profession exige beaucoup de discrétion. Je ne peux donc pas vous parler de mes activités.

J'ai fait d'abord sciences politiques, puis l'ENA en vue d'une carrière dans l'administration et dans la politique.

J'aime les jeux d'argent, l'ambiance des salles de jeu, des casinos… C'est pour ça que je fais ce métier.

6. ....

7. ....

9. ....

8. ....

Je ne voulais pas prendre la suite de mon père, mais il est tombé malade et ne pouvait plus s'occuper de la ferme : du coup, je me suis senti obligé de prendre le relais.

Nos parents nous ont toujours laissés, mes frères et moi, suivre nos inclinations ; moi c'était les poupées, les déguisements, les chiffons ; de sorte que j'ai suivi naturellement cette voie. S'ils ne m'avaient pas encouragée, je ferais peut-être tout autre chose.

10. ....

11. ....

17

J'ai toujours aimé la mécanique et voulu comprendre les moteurs de voiture ; par conséquent, à 16 ans, j'ai demandé à aller en apprentissage. Résultat : maintenant j'ai ma propre affaire.

J'avais des problèmes de vue, de ce fait je n'ai pas pu devenir pilote. Mais je voulais voler, alors je vole.

12. ....

17. L'expression du but et de la conséquence

271

◼ but : pour, afin

443 Formulez les questions et échangez entre vous.

1 Est-ce qu'il vous est déjà arrivé d'argumenter, d'insister ou de supplier **pour** que quelqu'un vous *reçoive* sans que vous ayez pris rendez-vous ?

2 pour qu'on ne vous *(faire)* pas mal ou peur ?

3 pour que quelqu'un vous *(dire)* quelque chose de gentil ?

4 pour qu'on vous *(donner)*, vous *(prêter)* ou vous *(rendre)* de l'argent ?

5 pour qu'on *(être)* attentif à vous ou qu'on *(prendre)* soin de vous ?

6 pour que vos parents vous *(permettre)* de sortir le soir ?

7 pour qu'on *(avoir)* de la patience avec vous, que l'on ne *(être)* trop sévère envers vous ou qu'on ne vous *(punir)* pas ?

8 pour que quelqu'un *(faire)* quelque chose qu'il n'a pas envie de faire ou *(dire)* quelque chose qu'il n'a pas envie de dire ?

9 afin que l'on vous *(croire)* ?

10 pour qu'on ne vous *(déranger)* pas, qu'on vous *(laisser)* tranquille ?

> « **afin de/que** » est synonyme de « **pour que** » dans un registre plus soutenu.

444 Complétez ces phrases avec « il faut, il faudrait, il suffit, il suffirait ». Mettez vos réponses en commun. Puis écoutez.

Pour qu'un vêtement me plaise, il ne suffit pas qu'il m'aille bien, il faut aussi que je m'y sente à l'aise.

1 Pour qu'une journée soit bonne, ...

2 Pour qu'une vie d'étudiante soit fructueuse, ...

3 Pour qu'une amitié ou un mariage dure longtemps, ...

4 Pour qu'un enfant soit heureux, ...

5 Pour que les progrès scientifiques n'aient pas d'effets négatifs, ...

6 Pour qu'un homme politique soit respecté, ...

7 Pour que la nature ne soit ni pillée ni dégradée, ...

445 Imaginez une émission où sont posées en direct des questions sur des domaines très variés : jardinage, cuisine, études, amour, santé, voyage... Les uns préparent des questions, les autres doivent improviser des conseils.

Comment faire
Comment pourrais-je faire
Que faut-il / faudrait-il que je fasse
Que dois-je faire
Je ne sais pas comment m'y prendre
Pourriez-vous me dire comment faire

} pour... ?
pour ne pas... ?
pour que... ?

Vous pouvez / pourriez...
Vous devez / devriez...
Il ne suffit pas...
Il faut / faudrait (aussi)...
Faites-en sorte que...
Faites le nécessaire pour...
Arrangez-vous / Débrouillez-vous pour... (fam.)

17

■ but : de peur, de crainte

446 Lisez, puis continuez la liste.

> **Il y a**
> ● des gens timides qui posent beaucoup de questions **de crainte qu'**on leur en pose,
> ● des gens méfiants qui n'ont pas de téléphone **de peur d'**être mis sur écoute,
> ● des gens émotifs qui ne prennent pas l'ascenseur **de crainte d'**y rester bloqués et ne prennent pas le volant **de peur qu'**il leur arrive quelque chose,
> ● des obsessionnels qui pèsent tout ce qu'ils mangent **de peur de** prendre un gramme.
> ● des grippe-sous qui n'ont jamais d'argent liquide sur eux **de crainte qu'**il ne leur faille le dépenser.

© Béatrice Terra

> **Dans un registre soutenu, après « de peur que » et « de crainte que », on peut trouver un « ne » explétif sans valeur négative, comme après « avoir peur/craindre que ».**
> *Craignant qu'on (**ne**) le reconnaisse, il portait des lunettes noires et un chapeau.*
> *Il portait des lunettes de soleil de crainte qu'on (**ne**) le reconnaisse.*

ex 382

447 Proposez une suite à chaque phrase. Utilisez « de peur/de crainte » ou « pour/afin ».

Les enfants n'ont rien dit à leur père *de peur de* l'inquiéter ● *de crainte de* le fâcher ● *de crainte qu'*il *(ne)* les punisse ● *de peur qu'*il *(ne)* leur interdise de sortir ● *pour ne pas* l'inquiéter ● *afin de* ne pas le fâcher ● *pour qu'*il ne les punisse pas ● *afin qu'*il les laisse sortir.

1. Le jeune serveur a vérifié deux fois l'addition…

2. L'équipage de l'avion n'a pas parlé des problèmes techniques aux passagers…

3. Je ne vous ai pas téléphoné hier soir…

4. J'ai quitté la soirée discrètement…

5. J'ai coupé le téléphone…

6. Le témoin a préféré dire la vérité tout de suite…

7. L'acteur se cache derrière des lunettes noires…

8. Certains témoins ont hésité à témoigner…

9. Mon voisin a mis un double verrou à sa porte…

10. À minuit, la jeune fille a monté l'escalier jusqu'à sa chambre sur la pointe des pieds…

17

■ conséquence : donc, alors

448 **a)** Observez l'emploi de « donc » et sa place.

Conclusion sur la cause	Conclusion sur la conséquence
Le centre-ville était interdit aux voitures hier, c'est **donc** que le taux de pollution était élevé.	Le centre-ville était interdit aux voitures hier, **donc**, nous avons contourné la ville.
Il est sorti de l'hôpital. C'est **donc** qu'il allait mieux.	Il est sorti de l'hôpital, il va **donc** pouvoir reprendre ses activités.
Les routes sont très glissantes. Il a **donc** dû pleuvoir beaucoup cette nuit.	Les routes sont très glissantes. **Donc**, la prudence s'impose.

448 **b)** Complétez en utilisant « vous (ne) pouvez donc (pas) ».

Attention, le e-billet est nominatif. *Vous ne pouvez donc pas le revendre à quelqu'un d'autre.*

1. La date de validité de votre passeport est dépassée… **2.** Cette rue est piétonnière… **3.** Vous venez de réussir votre bac ?… **4.** Vous n'avez pas encore dix-huit ans… **5.** La bibliothèque est ouverte gratuitement tous les jours de 9 heures à 20 heures sans interruption… **6.** La reproduction d'images qui ne vous appartiennent pas est réglementée… **7.** La commune ouvre une souscription pour sauver l'église… **8.** Vous faites partie du comité de lecture lec.lec.com ?

449 **(140)** Écoutez et répondez. Puis **(141)** écoutez pour vérifier.

– Vous arrivez bien tard !
– bus / tomber en panne **alors** je/devoir venir à pied → *Le bus est tombé en panne, alors j'ai dû venir à pied.*

1. – Je t'ai téléphoné hier soir !
   – Je / être sur le point de s'endormir **alors** je / ne pas vouloir se lever

2. – Vous avez passé une bonne soirée ? Vous êtes rentrés tard ?
   – On / ne connaître personne **alors** on / partir très vite / ne pas rester longtemps

3. – Comment se fait-il que vous travailliez dans une banque ?
   – Les études de psycho / ne pas me convenir **alors** je / changer d'orientation.

4. – Qu'est-ce qui se passe ? Pourquoi tu ralentis ?
   – Je / voir un radar **alors** je / lever le pied

5. – Pour quelles raisons avez-vous interrompu l'interview ?
   – Le journaliste / poser questions indiscrètes **alors** je / mettre fin à l'entretien

6. – Comment ça, tu n'as pas payé ?
   – Personne à la caisse **donc** je / attendre un moment mais toujours personne **alors** je / sortir.

> « **aussi** » suivi d'une inversion du sujet est utilisé dans un registre soutenu : *Le président a annoncé qu'il serait en retard, **aussi** <u>avons-nous décidé</u> de retarder la réunion.*

17

■ si bien que/de sorte que

142

450 Lisez puis écoutez et répétez les reformulations de ces informations. Quelles autres expressions de la conséquence entendez-vous ?

> **1.** Le printemps a connu un départ fulgurant cette année, **si bien que** la saison des fraises a commencé deux semaines plus tôt que d'habitude.

> **2.** Conduire sur du sable requiert beaucoup de technique, **si bien que** le désert reste un terrain inaccessible pour beaucoup de gens, qui ne peuvent profiter de la beauté de ses paysages.

> **3.** L'odorat est en relation avec les zones du cerveau responsables des émotions, **si bien que** certaines odeurs peuvent susciter des souvenirs puissants.

> **4.** Depuis qu'il a gagné au loto une somme très importante, Monsieur Dung a constamment chez lui des dizaines de compatriotes qui viennent le solliciter, **si bien que** la police a dû intervenir à plusieurs reprises pour maintenir l'ordre et la sécurité du malheureux gagnant.

451 Proposez des conséquences introduites par « si bien que ».

Elle est débordée de travail *si bien qu'elle n'a plus le temps de sortir/si bien qu'elle est obligée d'être très organisée/si bien que ses amis ne la voient plus.*

1. Il a plu des trombes d'eau pendant plusieurs jours… **2.** Notre député est compromis dans plusieurs affaires de fausses factures… **3.** Lorsque son fils est né, il faisait un trekking dans l'Himalaya… **4.** Les douaniers m'ont arrêté à la frontière et ont fouillé la voiture… **5.** Elle voyageait souvent sans billet… **6.** J'ai suivi le plan que vous m'aviez donné… **7.** Le voisin du dessus passe son temps à faire la fête… **8.** Les deux associés se sont disputés… **9.** La société a lancé, il y a quelques mois, une grande opération publicitaire… **10.** Notre train s'est arrêté en rase campagne pendant une heure… **11.** Nos bagages dépassaient largement le poids réglementaire… **12.** Les négociations ont été difficiles…

452 Formulez les phrases en utilisant « de sorte que ».

La route a été déneigée → pouvoir maintenant circuler facilement
→ de sorte que *nous pouvons maintenant circuler facilement.*

1. Il y a des transports en commun commodes entre mon domicile et mon travail → facilité ; pas besoin voiture **2.** Je suis une traductrice assermentée pour l'italien le français et l'espagnol → traduction et certification documents **3.** Votre genou est parfaitement remis ainsi que votre épaule → reprise compétition possible **4.** Un incendie a éclaté dans un immeuble voisin mais le feu a rapidement été maîtrisé, → pas importants dégâts **5.** Elle épluchait nuit et jour les annonces sur Internet → finir par trouver objet convoité **6.** Un lampadaire solaire est installé devant chaque maison → rues éclairées → économique

17

■ conséquence et but : de sorte, de manière, de façon...

But		Conséquence	
de sorte que		de sorte que	
de façon / manière (à ce*) que	} + subjonctif	de telle manière que	} + indicatif
de façon / manière à	+ infinitif		

*de façon / manière à ce que : registre familier

453 Observez le tableau et l'exemple. Puis écoutez et écrivez la fin des phrases selon qu'elles expriment le but ou la conséquence.

Elle s'était placée au fond de l'église, derrière un pilier,
But *de manière à ne pas se faire remarquer.*
Conséquence *de telle manière que personne ne l'a remarquée.*

1. Ils ne ferment jamais à clé la porte de leur ferme, ...
But.. Conséquence ....

2. L'avion volait au ras de l'eau ...
But.. Conséquence ....

3. Le plus beau tableau a été accroché face à l'entrée de la salle ...
But.. Conséquence ....

4. Il a placé le bouquet bien en vue sur la table ...
But.. Conséquence ....

454 Donnez deux suites à ces débuts de phrases, l'une exprimant le but, l'autre la conséquence. Comparez vos phrases.

Les frères Goncourt ont fondé au début du XXe siècle un prix littéraire
→ *de manière à récompenser chaque année un auteur jeune et imaginatif. But*
→ *de sorte que chaque année ce prix est décerné. Conséquence*

1. Les barrages des camionneurs grévistes ont été partiellement levés...
2. La circulation dans la ville est interdite un jour sur deux...
3. Certains étudiants arrivent à la fac bien avant l'heure des cours en amphi...
4. Le médiateur a mené les négociations...
5. Comme il y avait des embouteillages, le chauffeur de taxi a changé d'itinéraire...
6. Il aime bien le vin, mais il en achète rarement...
7. Le maire a expliqué longuement son projet dans une réunion...
8. De nombreuses municipalités ont développé leur réseau de transports en commun...

17

◼ conséquence : si / tellement / tant... que

455 **a) Entraînez-vous.**

◼ **si / tellement + adjectif + que →** ⟦imparfait⟧ **dans la principale**

Excès de sel / immangeable → Le plat *était si salé qu'il était immangeable.*

Bulle 1 : CE VERRE EST TELLEMENT PROPRE

Bulle 2 : QU'IL FAUDRA ATTENDRE QU'IL SOIT SALE POUR LE VOIR

1. Forte timidité / ne jamais regarder les gens en face → Ce jeune homme… **2.** Grand bonheur / pleurer de joie → La vieille dame… **3.** Grande impatience / ne pas tenir en place → Les enfants… **4.** Excès de dureté envers les élèves / dépôt de plaintes → Ce professeur… **5.** Grand nombre de manifestants / service d'ordre débordé → Les manifestants…

◼ **si / tellement + adverbe + que →** ⟦présent⟧ **dans la principale**

Parler peu / ignorer tout de lui → Il *parle si peu qu'on ignore tout de lui.*

1. Crier fort / faire peur aux enfants → Le vieux bonhomme… **2.** Souffler fort / parapluies inutilisables → Le vent… **3.** Mentir souvent / personne ne plus le croire → Il… **4.** Chanter faux / ne pas oser chanter → Je… **5.** Habiter loin les uns des autres / ne pas se voir souvent → Nous…

◼ **tellement de / si peu de + nom + que →** ⟦imparfait⟧ **dans la principale**

Peu de choix / sortir du magasin sans rien acheter → Il y avait *si peu de choix que nous sommes sortis du magasin sans rien acheter.*

1. Beaucoup de choix / avoir l'embarras du choix → Nous… **2.** Peu de spectateurs / spectacle annulé → Il y… **3.** Beaucoup de monde / ajout de chaise dans la salle → Il y… **4.** Beaucoup d'arbres et d'ombre dans ce jardin / rien n'y pousse → Il y… **5.** Peu de vent / planche à voile impossible → Il y…

◼ **verbe + tellement que →** ⟦plus-que-parfait⟧ **dans la principale**

pleurer beaucoup / les yeux rouges et les paupières gonflées → Elle *avait tellement pleuré qu'elle avait les yeux rouges et les paupières gonflées.*

1. marcher beaucoup / pieds en sang → Nous… **2.** crier beaucoup / voix cassée → Ils avaient crié… **3.** parler beaucoup / bouche sèche → J'… **4.** courir beaucoup / essoufflement → Nous… **5.** changer beaucoup / faillir ne pas reconnaître → L'enfant…

455 **b) Choisissez une phrase de chaque exercice et développez-la.**

Le plat était si salé qu'il était immangeable. *On a dû appeler le serveur qui a voulu le goûter et en a convenu.*

456 **Les affirmations qui suivent peuvent-elles s'appliquer à votre région, à votre pays ou à d'autres pays ? Échangez entre vous.**

1 Le prix des loyers est tellement élevé dans les centres-villes que les gens aux revenus modestes doivent se loger dans les banlieues.

2 Les grandes villes sont tellement étendues que, sans voiture, on ne peut pas se déplacer.

3 Il y a si peu de luminosité pendant la période hivernale que les dépressions sont fréquentes.

4 À la saison des pluies, il pleut tellement que beaucoup de routes sont impraticables.

5 La densité de population est telle que les rues fourmillent de monde.

6 Les gens ont une telle pudeur dans l'expression de leurs sentiments qu'ils peuvent donner l'impression de ne rien ressentir.

7 Les gens craignent si peu les voleurs qu'ils ne ferment jamais leur porte à clé.

8 Les gens sont si hospitaliers que les voyageurs trouveront toujours un toit pour la nuit.

9 Le manque d'eau est tel, à certaines périodes, que la consommation d'eau est réglementée.

10 Il y a tant à voir, tant de sites à visiter, tant de choses à faire que les touristes viennent très nombreux.

11 Les gens râlent tellement que c'est devenu une caractéristique nationale.

12 Les salaires sont si bas que beaucoup de gens doivent avoir deux métiers.

> « **Tant** » peut remplacer « **tellement** » dans une langue soutenue ou littéraire.

457 **a) Lisez et complétez librement les trois dernières phrases de ce texte.**

> Ce professeur est si sympathique que les étudiants l'adorent et viennent si nombreux que l'amphi est toujours plein à craquer. Il s'exprime tellement bien que les étudiants sont suspendus à ses lèvres et explique si clairement que tout le monde comprend. Il a tellement d'humour… À la fin des cours et des conférences, les étudiants l'applaudissent tellement… Il a tant de talent, une telle réputation et un tel charme…

457 **b) Écrivez un autre texte de ce type pour un autre personnage.**

Un chef d'entreprise débordé, un collectionneur passionné, un escroc habile, un très bon copain, une belle fille, un beau garçon, un SDF…

458 **Proposez quelques phrases utilisant « tellement / si… que ».**

Cette voiture coûte si cher que je ne peux pas me l'acheter.

● coûter cher ● frapper fort ● peser lourd ● mentir beaucoup ● sentir bon / mauvais ● se sentir bien / mal ● parler bas / fort / beaucoup ● pleuvoir peu / beaucoup ● se terminer bien / mal ● rouler vite / lentement ● écrire beaucoup / mal / bien ● répondre sèchement / gentiment

459 **144** **Écoutez et écrivez.**

17

■ trop/assez... pour (que)

trop / assez + *adjectif*	● Il est **trop** bavard **pour que** je lui confie mes secrets. ● Il n'est pas **assez** grand **pour** faire carrière dans le basket.
trop / assez + *adverbe* } + **pour (que)**	● Tu marches **trop** vite **pour que je** puisse te suivre. ● Il n'a pas vécu **assez** longtemps **pour** profiter de sa retraite.
trop / assez de + *nom*	● Elle a **trop d'**ambition **pour** se contenter de ce poste. ● Elle a **assez d'**expérience **pour que** nous l'embauchions.
Verbe + **trop / assez pour (que)**	● Tu mens **trop pour qu'**on te croie. ● Elle travaille juste **assez pour** réussir ces examens.
Auxiliaire + **trop / assez** + part. passé + pour que	● Tu as **trop** menti **pour qu'**on te croie. ● Il n'avait pas **assez** travaillé **pour** avoir une retraite décente.

(145)
460 Répondez en reprenant le verbe souligné. Écoutez pour vérifier.

– La neige va <u>fondre</u>.
– Froid / trop → *Non, il fait trop froid pour qu'elle fonde.*

– On <u>paye</u> par chèque ou <u>en liquide</u>?
– Argent / pas assez → *Je n'ai pas assez d'argent pour payer en liquide.*

1. – On ne <u>sortirait</u> pas faire un tour?
   – Pleuvoir / trop

2. – L'excursion prévue <u>a</u> bien <u>eu lieu</u>?
   – participants / trop peu

3. – Le type <u>a été condamné</u> ou non finalement?
   – preuves / pas assez

4. – Pourquoi ne <u>dit</u>-il pas ce qu'il ressent?
   – pudeur et de fierté / trop

5. – Vous avez <u>franchi</u> facilement le ruisseau à pied?
   – profond / trop

6. – Si vous <u>avez retapé</u> cette vieille maison vous-même, bravo! C'est une réussite.
   – En mauvais état / trop

7. – Cet enfant est trop sensible. Il vaut mieux ne rien lui <u>dire</u>. Qu'en pensez-vous?
   – Raisonnable / assez

8. – Ce garçon est un mystère pour moi! Tu le <u>connais</u> bien?
   – Secret / trop

9. – Tu pourrais me <u>retrouver</u> facilement le papier dont tu m'as parlé?
   – Désordre sur mon bureau / trop

461 Prolonger la liste et échangez.

être trop ... pour → *être trop timoré pour prendre des risques, être trop fier pour s'excuser, être trop amoureux pour être lucide, être trop gourmand pour résister à un bon dessert.*
– *Moi, je suis trop gourmand pour résister à un dessert.*
– *Moi non, les desserts ne me font pas craquer, je préfère le salé au sucré.*

◾ au point de / que, à tel point que

462 Passez d'une formulation à une autre.

tellement que		au point que/de
*Certains auditeurs bâillaient **tellement que** le conférencier s'en est aperçu.*	←→	*Certains auditeurs bâillaient **au point que** le conférencier s'en est aperçu.*
1. Il avait **tellement** bu **qu'**il n'arrivait plus à articuler une phrase.	←→	
2.	←→	Il a perdu la tête **au point de** ne plus savoir où il est.
3. Le quartier de mon enfance a été **tellement** modifié **que** je ne le reconnais plus.	←→	
4. Ces jumeaux se ressemblaient **tellement qu'**on avait du mal à les différencier.	←→	
5.	←→	Son apparence lui importe peu, *__à tel point qu'__il lui arrive de sortir de chez lui en pantoufles.
6. Ils se détestaient **tellement qu'**ils ne s'adressaient plus la parole.	←→	

463 Complétez avec « au point que » ou « au point de ». Comparez vos réponses.

Il peut arriver

que certains comédiens aient le trac *au point de devoir abandonner leur carrière/au point qu'on doit les pousser sur scène.*

1. que certaines personnes soient distraites au point…
2. que l'on puisse être amoureux au point…
3. que l'on puisse être ému au point…
4. que certains collectionneurs soient passionnés au point…
5. que certaines personnes soient généreuses au point…
6. que certains hommes politiques soient sûrs d'eux au point…
7. que certains jeunes se révoltent au point…
8. que certaines personnes aiment les jeux d'argent au point…
9. que certains enfants aient peur des araignées au point…
10. que certaines personnes soient timides au point…

17

> *****Les phrases avec « au point que » peuvent être reformulées avec « à tel point que » :**
> *Certaines personnes sont timides **à tel point qu'**elles sont obligées de se soigner.*
> *Certains comédiens ont le trac **à tel point qu'**on doit les pousser sur scène.*

La grammaire des premiers temps B1-B2

■ conséquence et but

464 **a)** Voici quelques explications plus ou moins plausibles à la situation évoquée par ce dessin humoristique. Lesquelles vous paraissent les plus vraisemblables ? Échangez.

Notez B ou C en face de chaque phrase selon qu'elles comportent une expression de but ou de conséquence.

Son entreprise a eu **tant de** problèmes qu'elle a dû licencier du personnel : **C**

1. Il avait tellement mauvais caractère que son associé s'est débarrassé de lui. ☐

2. Il cherche un petit boulot en vue de préparer sa retraite. ☐

3. Il était devenu trop gros pour continuer à aller de repas d'affaires en repas d'affaires. ☐

4. Il est tombé amoureux d'une belle inconnue au point d'abandonner femmes, travail et enfants. ☐

5. Les pinces à linge en bois que son entreprise fabriquait ne se vendaient plus, aussi a-t-il été obligé de liquider son affaire. ☐

6. Il cherche un petit boulot en vue de préparer sa retraite. ☐

7. Il a accepté de faire un film sur la crise, de sorte qu'il se retrouve à jouer un PDG au chômage. ☐

8. De crainte que son entreprise soit obligée de fermer, il cherche une autre activité. ☐

9. Le neveu du PDG, un jeune loup aux dents longues, a évincé son oncle si bien que celui-ci se trouve à 55 ans au chômage. ☐

10. Sa femme le harcelait depuis des années pour qu'il travaille moins si bien qu'il a fini par céder. ☐

11. Il cherche un petit boulot pour payer les études de ses enfants. ☐

12. Il est d'une telle cupidité qu'il cherche des petits boulots le soir après son travail. ☐

13. Son entreprise s'est si mal adaptée aux technologies nouvelles qu'elle a dû fermer ses portes. ☐

14. Il n'a plus envie de se tuer au travail, c'est pourquoi il cherche un petit boulot. ☐

15. Il voudrait faire l'expérience d'un petit boulot de manière à savoir ce que c'est que vivre dans la précarité. ☐

464 **b) Cherchez des photos ou des dessins et proposez des phrases de commentaire comportant des expressions de but ou de conséquence.**

Évaluation

465 Formulez des phrases avec les marqueurs proposés.

But

1. Prenez vos dispositions → pas de retard **pour**

2. Ne vous étalez pas sur la table → ne pas gêner les voisins de table **de façon**

3. L'entreprise a lancé campagne publicitaire → faire connaître ses productions **de manière**

4. Il a toujours son portable à proximité → pouvoir le joindre **pour**

5. Ils font des démarches auprès du consulat → obtenir un visa **en vue**

6. Partez très tôt → embouteillages **de peur**

7. Elle portait un chapeau et des lunettes noires → ne pas reconnaître **afin**

8. Nous ferons suivre l'information → tout le monde savoir ce qui s'est passé **de sorte**

9. Les équipes travaillent la nuit → finir les travaux avant les départs en vacances **de manière**

10. Mon voisin a mis deux verrous à sa porte → cambrioler **de peur**

Conséquence

1. Il voyageait sans billet → devoir payer une amende **donc**

2. On a trouvé rapidement un accord → réunion très courte **de ce fait**

3. Elle refusait toutes les invitations → plus aucune invitation **alors**

4. On l'avait énervé → partir en claquant la porte **du coup**

5. La voiture est sortie de la route → choc avec le camion évité **si bien que**

6. Le voleur portait des gants → pas d'empreintes **de sorte**

7. Personne ne veut faire de compromis → négociation au point mort **si bien que**

8. Je connais très bien cette ville → pouvoir renseigner **de sorte**

9. Le prisonnier avait un complice dans la prison → évasion facile **c'est pourquoi**

10. La pluie s'est mise à tomber → interruption du match à peine commencé **de telle sorte**

466 Proposez pour chaque photo deux phrases utilisant « tellement... que », « si... que » ou « tant... que » et deux phrases exprimant le but.

Chapitre 18

L'expression de l'opposition et de la concession

La lecture,
Jean-Louis Grégoire

Domaine de l'opposition et de la concession

Marqueurs et constructions

Léo est chétif	mais en revanche par contre	Luc est robuste.
	alors que tandis que	

Léo est chétif	en revanche par contre	il est résistant.
	mais pourtant cependant néanmoins toutefois	il est (quand même) résistant.

Léo est résistant	malgré en dépit de	son apparence chétive.

Léo est résistant	alors qu'	il est chétif.
	bien qu' quoiqu'	il soit chétif.

Léo est résistant	tout en étant	chétif.

Léo	a beau	être chétif	il est	(cependant) (pourtant) (quand même)	résistant.

Qui que	vous soyez	vous êtes le bienvenu.
Quoi que	vous fassiez	vous serez toujours mon ami.
Où que	tu ailles	tu seras bien reçu.

Quel que	soit	votre âge	vous pouvez faire ce voyage.
Quelles que	soient	vos opinions	allez voter !

467 **a)** **Lisez ces observations de conseil de classe. Soulignez les marqueurs d'opposition/concession.**

OBSERVATIONS DU CONSEIL DE CLASSE	
1. Bon travail mais, en revanche, Maxime est un peu trop bavard !	**2.** Les résultats de Lucas sont satisfaisants malgré une baisse de motivation en milieu de trimestre.
3. Quelle catastrophe ! Christophe est pourtant capable de beaucoup mieux, j'en suis certain.	**4.** Encore quelques difficultés pour Colin même si les résultats sont nettement en progrès.
5. Bien que Clara doute d'elle, elle peut réussir ! Il ne faut pas qu'elle baisse les bras !	**6.** Le second trimestre s'est très bien passé alors qu'Emma avait mal commencé l'année.
7. Louis traîne. Il tarde à répondre, tarde à se mettre au travail, tarde à rendre ses devoirs. Cependant, il a quand même la moyenne.	**8.** Juliette fait le minimum et cela ne suffit pas. Pourtant, elle est capable de très bien faire et de réussir.
9. Malgré une légère progression, les résultats de Sophie restent insuffisants dans l'ensemble.	**10.** Même si ce trimestre fut plus difficile, les résultats de Pierre sont globalement positifs. C'est encourageant pour l'an prochain.
11. Les résultats de Louise restent satisfaisants bien que sa motivation ait nettement fléchi au dernier trimestre.	**2.** Les résultats de Chloé sont corrects, c'est l'attitude en classe par contre, face au professeur et aux élèves, qui doit être modifiée : un peu moins de nonchalance et un peu plus de respect.

Les affirmations suivantes sont-elles vraies (V) ou fausses (F) ?

1. S'il n'était pas bavard, Maxime serait irréprochable : ☑ **2.** La baisse de motivation de Lucas a entraîné une baisse des résultats : ☐ **3.** Christophe pourrait mieux faire : ☐ **4.** Colin n'a plus de difficultés : ☐ **5.** Le fait que Clara doute d'elle est un obstacle à sa réussite : ☐ **6.** Emma a progressé en cours d'année : ☐ **7.** Malgré le fait qu'il traîne, Louis a cependant la moyenne : ☐ **8.** Si Juliette travaillait plus, elle serait sûre de réussir son année : ☐ **9.** Sophie n'a pas progressé : ☐ **10.** Les quelques difficultés rencontrées par Pierre pendant ce trimestre n'ont pas empêché sa réussite : ☐ **11.** Louise est de plus en plus motivée : ☐ **12.** Les résultats et l'attitude de Chloé sont satisfaisants : ☐

146
467 **b)** **Écoutez et écrivez.**

Les appréciations sur le bulletin de notes ....

◼ opposition : mais

468 Observez les exemples puis complétez les phrases avec « mais »
en contredisant les éléments en gras.

Je ne **vis** pas actuellement à Paris, mais *j'y travaille.*
Je ne vis pas actuellement à Paris, mais *mes parents y vivent./toute ma famille y vit.*
Je ne vis pas actuellement à **Paris**, mais *près de Paris, dans la banlieue parisienne./en province.*
Je ne vis pas à Paris **actuellement**, mais *j'y ai vécu jusqu'à l'année dernière, j'y ai vécu longtemps.*

1. Je n'ai **pas encore** trouvé de travail, mais… **2.** Je n'ai pas trouvé de logement **proche
de mon lieu de travail**, mais… **3.** Non, tu ne **me** dois pas d'argent, mais… **4.** Non, tu
ne me dois pas **beaucoup** d'argent, mais… **5.** Il **n'est pas certain** que je puisse prendre
de **longues vacances**, mais… **6.** Cette année je ne partirai pas en vacances **en famille**,
mais… **7.** Je ne bois pas **régulièrement** de café **le matin**, mais… **8.** Nous **n'avons pas
encore** réglé **tous les problèmes**, mais… **9.** Je ne pense pas avoir **beaucoup d'influence**
sur lui, mais… **10.** La police n'a pas trouvé **beaucoup d'indices**, mais… **11.** Il ne parle
pas **couramment** espagnol, mais… **12.** Leur film n'a pas obtenu **la palme d'or** au Festival
de Cannes, mais… **13.** Je n'ai pas lu **en détail** la presse ce matin, mais… **14.** Les deux
pays **n'ont pas encore signé** la paix, mais… **15.** La tache n'a pas **complètement** disparu
au lavage, mais… **16.** Je ne suis pas d'accord avec vous sur **tous les points**, mais…

469 Lisez à haute voix ce que Dany Laferrière écrit à Montréal
dans *Chronique de la dérive douce*, en pensant à son pays Haïti, qu'il a quitté
à l'âge de 23 ans. Remarquez les oppositions introduites par « mais ».

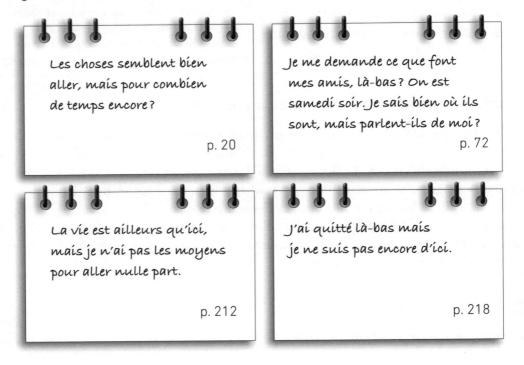

Les choses semblent bien
aller, mais pour combien
de temps encore ?

p. 20

Je me demande ce que font
mes amis, là-bas ? On est
samedi soir. Je sais bien où ils
sont, mais parlent-ils de moi ?

p. 72

La vie est ailleurs qu'ici,
mais je n'ai pas les moyens
pour aller nulle part.

p. 212

J'ai quitté là-bas mais
je ne suis pas encore d'ici.

p. 218

18

La grammaire des premiers temps B1-B2

■ par contre, en revanche

147

470 **Écoutez, répétez et écrivez.**

Chez elle, elle communique en chinois avec ses parents, *par contre elle parle français avec ses frères et sœurs.*

1. Chez lui, il est plutôt râleur; … **2.** Il est interdit de fumer à l'intérieur des bars et des restaurants. … **3.** Il travaille tard toute la semaine. … **4.** Je mange peu de légumes, … **5.** L'épicerie est ouverte le dimanche et les jours fériés, … **6.** Le budget de la police et de l'éducation sont en hausse … **7.** Le jeune homme dit ne pas avoir menacé le policier. … **8.** S'il ne nous a pas dit clairement son opinion, … **9.** Si le plagiat est interdit, … **10.** Sur le premier point je vous donne raison, …

> « **Par contre** » et « **en revanche** » sont en général interchangeables. « **En revanche** », qui appartient à un registre plus soutenu que « **par contre** », peut contenir l'idée de contrepartie, de compensation. Les puristes refusent « **par contre** » qui est cependant très utilisé dans le langage courant.

471 **Complétez librement.**

Je ne vais pas souvent au concert, mais en revanche *j'écoute beaucoup de musique.*

1. En ce moment je ne peux plus envoyer de mails, mais par contre… **2.** Je ne vois pas souvent mes parents; en revanche… **3.** J'ai des voisins très bruyants, par contre… **4.** Je n'ai pas beaucoup d'expérience professionnelle, en revanche…

472 **Lisez une ou deux fois chaque texte et retrouvez de mémoire leur contenu.**

> **Semer des radis en pot**
> **Quel emplacement?**
> Au printemps et en automne le pot peut être placé plein sud. Par contre, en été, il faut impérativement qu'il soit à l'ombre la moitié de la journée.

> **Les parents et l'école**
> Si tous les parents sont unanimes pour demander à l'école de transmettre à leurs enfants des savoirs, certains parents, en revanche, n'acceptent pas que les professeurs interviennent dans l'éducation de leurs enfants.

> **Conservation des documents administratifs**
> Tous les documents ne doivent pas être conservés. En revanche, certains documents qui peuvent servir de preuve doivent impérativement être conservés. Vous devez garder par exemple vos factures d'électricité 2 ans, vos talons de chèque 5 ans et vos bulletins de salaire à vie.

18

◼ alors que, tandis que

473 **a)** Qu'en pensez-vous ? Vrai ? Faux ? Réalité ? Clichés ? Stéréotypes ?

Le Chinois, pour se désigner, pointe l'index sur son nez alors que le Français dirige l'index vers sa poitrine.	Les Belges, les Espagnols, les Suisses ont plusieurs langues officielles tandis que les Français n'en ont qu'une.	Les Britanniques et les Irlandais roulent à gauche alors que les Français et les Italiens roulent à droite.
Les Français s'embrassent souvent quand ils se rencontrent ou se quittent alors que les Allemands ne se font qu'un geste de la main.	Les Suisses sont fréquemment appelés à voter par référendum pour donner leur avis tandis que d'autres Européens le font plus rarement.	Les Français sont dépeints avec un béret et une baguette alors que les Allemands le sont avec un chapeau bavarois et une chope de bière.

473 **b) Formulez des oppositions dans d'autres domaines et comparez vos opinions.**

● deux pays ou régions ● deux races d'animaux ● deux âges de la vie ● deux types d'éducation ● deux professions ● deux auteurs ou compositeurs ● deux mouvements picturaux ● deux conceptions de la vie, du bonheur ● la vie à la ville et à la campagne ● les hommes et les femmes

148
474 **Écoutez. Reformulez les informations à l'aide de ces éléments.**

1. Politique : durée du mandat et mode d'élection	**Députés :** 5 ans, suffrage universel direct	**Sénateurs :** 6 ans, suffrage universel indirect
2. Santé : manifestation de l'anorexie	**Filles :** refus alimentation normale	**Garçons :** pratique sportive excessive
3. Famille : nombre d'enfants	**Autrefois :** beaucoup d'enfants	**De nos jours :** peu d'enfants, sauf si famille recomposée
4. Biologie : consommation d'énergie	**Reptiles :** la plus faible	**Oiseaux :** la plus forte
5. Maisons françaises : couverture des toits	**Tuiles :** sud de la Loire	**Ardoises :** nord de la Loire

18

149
475 **Écoutez et écrivez.**

476 Laquelle des phrases ci-dessous associeriez-vous au dessin ?
Comparez les valeurs de « alors »
et de « alors que ».

Le bureau n'est pas encore ouvert, alors les employés prennent leur temps.	Une des femmes est blonde alors que l'autre est brune.	Ils ne se pressent pas alors que, déjà, des administrés attendent.
Leur chef n'est pas là, alors ils en profitent !	*(Il est 13 h 30)* Ces employés du bureau B commencent à 14 h alors que leurs collègues du bureau A commencent à 13 h 30.	Ces employés sont restés au bureau alors que leur journée de travail est terminée.
Ils sont mécontents des clichés concernant l'administration, alors ils ont décidé une demi-journée de provocation.	*(Il est 18 h 30)* Le matin ils ont beaucoup de travail alors que le soir il n'y a personne dans les bureaux.	Ils tardent à se mettre au travail alors qu'ils devraient déjà avoir commencé.
Alors = conséquence	**Alors que 1** = simple opposition/ comparaison	**Alors que 2** = écart par rapport à ce qui serait attendu.

150

477 **a) Écoutez et notez un ou deux mots dans la colonne correspondante pour vous souvenir des phrases, puis prononcez-les.**

	alors que 1	alors que 2
Il peut parler d'un film pendant des heures,	*rien à dire / concert.*	*pas vu.*
1. Elle va souvent à des matchs de rugby,		
2. Elle a marché trois heures aujourd'hui,		
3. Il s'inquiète de tout,		
4. Elle a décoré sa maison pour Noël,		

477 **b) Proposez deux fins pour ces phrases : l'une avec « alors que » sens 1, l'autre avec « alors que » sens 2.**

1. Cet élève a des mauvais résultats en maths ....

2. Le soir, il boit du café après le repas, ...

3. Il dépense sans compter ....

4. Il faisait beau hier, ...

18

18. L'expression de l'opposition et de la concession

289

◾ marqueurs de concession

478 Écoutez les réponses aux questions qui ont été posées aux locuteurs. Prenez des notes pour vous en souvenir. Êtes-vous d'accord avec les réponses ? Échangez entre vous.

Est-il selon vous possible, est-il concevable...

d'aimer une région même si son climat est rude ou bien de passer une bonne soirée malgré une rage de dents ?

possible : climat rude
impossible : soirée rage de dents même bonne compagnie.

1 de rouler à 180 km/h malgré une limitation de vitesse à 130 km/h ?

2 de se faire comprendre en langue étrangère malgré un accent prononcé ?

3 de trouver la vie belle même si on est fauché ?

4 d'être fidèle à un parti politique bien qu'on n'adhère plus à ses idées ?

5 de se plaire dans la compagnie de quelqu'un bien qu'il soit odieux ?

6 de rire tout en étant triste ou de sourire en ayant envie de pleurer ?

7 de bégayer et de devenir néanmoins un grand comédien ?

8 de ne pas être très riche et d'être cependant très généreux ?

9 de ne pas croire aux horoscopes et de les lire quand même ?

10 d'être innocent et de passer cependant plusieurs années de sa vie en prison ?

11 de vouloir traverser l'Atlantique à la voile alors qu'on est sujet au mal de mer ou de détester le froid et de partir quand même pour une expédition polaire ?

18

Ajoutez deux questions à cette liste.

■ bien que, quoique

479 Écoutez les dialogues. Travaillez-les à deux. Puis écoutez les questions et répondez de mémoire.

1. – Vous êtes sœurs jumelles toutes les deux ? On ne le dirait pas !
– Eh oui ! …

2. – Il y a des voitures stationnées partout ! Je croyais que c'était interdit ?
– Ça l'est, mais …

3. – Vous comprenez tous les mots et vous ne comprenez pas la phrase ?
– Non, je ne comprends pas la phrase, …

4. – Vous pourriez nous aider à financer notre projet ?
– Hélas, non, …

5. – Vous avez vu votre agresseur ? Vous pouvez donc nous donner son signalement ?
– Non, je ne peux pas le décrire précisément, …

6. – Tu prends un second dessert ?
– … , je craque !

480 Formulez des phrases avec « bien que » au subjonctif présent (colonne de gauche) et au subjonctif passé (colonne de droite)

Ils / ne pas vivre ensemble / ils / être mariés → *Ils ne vivent pas ensemble, bien qu'ils soient mariés.*

1. Cette voiture / faible consommation / puissance

2. Tout le village / connaître le coupable / personne / ne rien dire

3. Elle / sauter dans l'eau / elle / ne pas savoir nager

4. Vous / rouler vite / je / se sentir en sécurité

5. Je / changer de téléphone portable / pas nécessaire

6. Je / vous / proposer une partie d'échecs / vous / être plus fort / moi

7. Il / avoir souvent raison / il / pouvoir se tromper parfois

8. Je / prendre un café / je / craindre de ne pas dormir

9. Nous / renouveler notre demande / nous / avoir peu de chances d'avoir une réponse positive

Elle / ne pas donner son avis / on / demander plusieurs fois → *Elle n'a pas donné son avis bien qu'on le lui ait demandé plusieurs fois.*

1. Le suspect / avouer le crime / il / ne pas le commettre

2. Les chevaux / s'échapper / attacher

3. Il / ne pas vouloir cesser de travailler / son médecin / le / inciter à le faire

4. Bijoux / rapidement trouvés / bonne cachette

5. Certains passants / être témoins de la scène / ne pas vouloir témoigner

6. Cet ancien sportif / rester svelte et vif / grossir

7. Nous / ne pas très bien se connaître / se rencontrer plusieurs fois

8. Ils / être au dernier rang / arriver une heure en avance

9. Il / ne jamais faire fortune / beaucoup travailler toute sa vie

> « **Quoique** » est synonyme de « **bien que** » mais est moins utilisé et d'un registre plus soutenu. *L'entrevue avec le ministre, bien que / quoique brève, a été fructueuse.*

18

481 Voici quelques opinions d'étudiants français sur les études universitaires. Êtes-vous d'accord ou non ? Échangez entre vous.

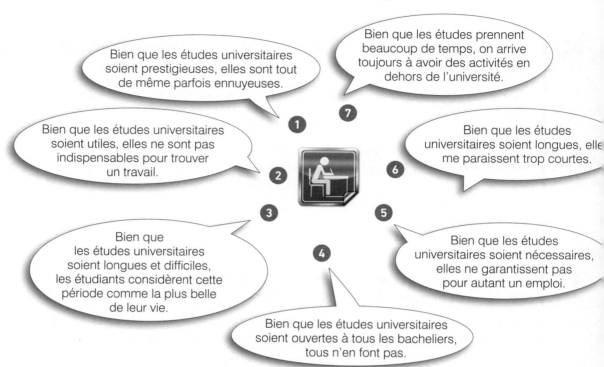

Bien que les études universitaires soient prestigieuses, elles sont tout de même parfois ennuyeuses.

Bien que les études prennent beaucoup de temps, on arrive toujours à avoir des activités en dehors de l'université.

Bien que les études universitaires soient utiles, elles ne sont pas indispensables pour trouver un travail.

Bien que les études universitaires soient longues, elle me paraissent trop courtes.

Bien que les études universitaires soient longues et difficiles, les étudiants considèrent cette période comme la plus belle de leur vie.

Bien que les études universitaires soient nécessaires, elles ne garantissent pas pour autant un emploi.

Bien que les études universitaires soient ouvertes à tous les bacheliers, tous n'en font pas.

482 **a) Formulez des phrases avec « Bien que/quoique certains pensent le contraire ». Selon votre opinion, choisissez de garder ou non la négation. Comparez vos réponses.**

Nous (ne) sommes (pas) tous égaux.
→ *Bien que certains pensent le contraire, nous sommes tous égaux.*
→ *Quoique certains pensent le contraire, nous ne sommes pas tous égaux.*

● Le climat (ne) se réchauffe (pas). ● La fessée (n')est (pas) une bonne méthode d'éducation. Il (n')est (plus) possible de vivre sans téléphone portable. ● Le piano (n')est (pas) plus facile à apprendre que la guitare. ● On (n')est (pas) maître de son destin. ● Les miracles, ça (n')existe (pas). ● La peine de mort (n')est (pas) dissuasive pour les criminels. ● Les tablettes (ne) tuent (pas) le livre papier ● Il (n')est (pas) possible d'hypnotiser quelqu'un contre son gré

Argumentez par écrit deux de vos réponses.

154

482 **b) Donnez votre opinion et comparez vos points de vue. Puis écoutez quelques points de vue de lycéens français.**

Bien que les jeunes… ● Bien que les hommes politiques… ● Bien que les militaires… ● Bien que les célibataires… ● Bien que les hommes… ● Bien que les animaux… ● Bien que la famille… ● Bien que les Français… ● Bien que les immigrés… ● Bien que les hommes… ● Bien que les animaux… ● Bien que la famille…

18

> **«Bien que»** et **«quoique»** se construisent aussi avec un adjectif, un participe ou un adverbe.
>
> *Bien que surchargé, ce médecin prend son temps.*
> *Quoique fort cultivée, elle ne fait pas état de ses connaissances.*

483 **a) Lisez ces phrases à voix haute en insérant les propositions figurant dans la colonne de droite.**

La situation, …, n'est pas catastrophique.
La situation, *bien que préoccupante,* n'est pas catastrophique.   Bien que préoccupante

1. ……, notre entrevue a été productive.	quoique brève
2. Ce problème, ……, peut être résolu.	quoique complexe
3. Cet hôtel, ……, est une bonne adresse.	bien qu'un peu trop cher
4. Cette organisation joue un rôle important, ……, sur la scène internationale.	quoique discret
5. Le remboursement des assurances, ……, a permis la reconstruction des habitations sinistrées.	bien que tardif
6. ……, le malade se remet de son opération.	bien que fragile encore
7. Le gardien de but, ……, n'a pas quitté le terrain.	quoique légèrement blessé
8. L'appel à la générosité publique a donné quelques résultats,……	quoiqu'insuffisants
9. Les voleurs, ……, n'ont pas pu être arrêtés.	quoique bien identifiés
10. Le ministre a accepté, ……, de recevoir la délégation d'étudiants.	bien que tardivement
11. Les otages, ……, ont gardé leur calme pendant l'assaut qui a précédé leur libération.	bien qu'effrayés
12. À l'Assemblée nationale, la discussion entre les députés, ……, n'a pas été conflictuelle.	quoique vive

483 **b) Insérez deux de ces phrases dans un contexte plus large.**

«La situation, bien que préoccupante, n'est pas catastrophique», *a déclaré le chef d'entreprise à ses employés dans une réunion où il s'est montré plutôt rassurant sur le sort de l'entreprise.*

Je tiens à rassurer les membres du club. La situation financière, bien que préoccupante, n'est pas catastrophique. *En effet nous pouvons réduire nos dépenses sans mettre en danger la vie du club.*

18

malgré, en dépit de

484 **Dans quelle situation ces phrases peuvent-elles être dites et par qui ?**

1. Ils ont gardé leur sang-froid, malgré les circonstances. **2.** Malgré leur carte de presse, ils n'ont pas pu approcher. **3.** Elle a refusé, malgré la pression de son entourage. **4.** Malgré son âge, elle est alerte, elle marche encore bien. **5.** Il n'a pas été inquiété, malgré les preuves réunies contre lui. **6.** Malgré le prix un peu élevé, l'affaire a été vite conclue. **7.** Malgré ce qui lui est arrivé, il a repris rapidement son travail. **8.** Ça ne s'est pas très bien passé, malgré les encouragements du public. **9.** On s'entend très bien, malgré la différence d'âge. **10.** Il ne lui en a pas tenu rigueur malgré ce qu'elle lui a dit. **11.** J'ai fait tout ce que j'ai pu mais, malgré ça, ça n'a pas marché ! **12.** Je n'ai pas agi de mon plein gré, j'ai signé malgré moi.

485 **a) Complétez en utilisant « malgré » suivi du nom correspondant au verbe en italique.**

Il est intelligent mais il a des échecs *malgré son intelligence.*

1. On l'attendait car il avait *promis* de venir, mais il n'est pas venu…

2. Ses parents le *pressaient* de faire des études de commerce, mais il a refusé…

3. C'est *risqué,* je sais, mais je tenterai l'aventure…

4. Ils se sont *efforcés* d'assurer un avenir à leurs enfants, mais ils n'y sont pas parvenus…

5. C'est un personnage qui *paraît* snob, mais qui en fait est très simple…

6. Nos opinions *divergeaient,* mais nous sommes parvenus à un accord…

7. *Le public* n'a pas bien *réagi,* mais le conférencier a continué…

8. La vitesse est *limitée* sur les autoroutes, mais les accidents sont fréquents…

9. La municipalité était d'accord pour *soutenir* le projet, mais celui-ci n'a pas abouti…

10. J'ai beaucoup *insisté* pour qu'on laisse entrer mon copain dans la discothèque, mais ça a été impossible…

11. Le prix des cigarettes a été *augmenté,* mais elles se vendent toujours…

485 **b) Amplifiez les phrases en variant la place de « malgré ».**

Cet enfant est *très* intelligent, *mais ça ne suffit pas pour réussir !* Malgré son intelligence il a *eu* des échecs *pendant cette année scolaire. Peut-être manque-t-il de maturité.*

> **Dans la langue soutenue ou littéraire « en dépit de » est parfois utilisé au lieu de « malgré ».** *Il s'efforçait de faire bonne figure,* **en dépit de** *sa profonde tristesse.*

155
486 **Écoutez, puis écrivez ces phrases avec « en dépit de ».**

18

■ pourtant

487 Écoutez les dialogues. Puis retrouvez les répliques et écrivez-les.

Les maths ne sont pas sa matière préférée.
– *Il est pourtant bon en maths./Je croyais qu'il aimait ça.*

1. Ce type ne me plaît pas, il ne m'inspire pas confiance!
– ....

2. Tu sembles en forme!
– ....

3. J'ai raté mon examen.
– ....

4. Tu sais que j'ai réussi mon examen.
– ....

5. Nous nous entendons très bien
– ....

6. Je t'assure, cette personne est folle!
– ....

7. Moi, je ne crois pas à l'homéopathie.
– ....

8. L'enquête piétine!
– ....

9. Je suis en retard, désolée!
– ....

10. Je n'aime pas les maths.
– ....

488 Répétez les phrases en respectant l'intonation.

C'était pourtant pas très compliqué. ● Pourtant, c'était pas très compliqué. ● C'était pas très compliqué, pourtant.
Je t'avais pourtant prévenu! ● Pourtant, je t'avais prévenu! ● Je t'avais prévenu, pourtant!

489 a) Formulez la fin de chaque phrase. Placez « pourtant » à l'intérieur de la forme verbale composée.

Ma commande n'est pas encore arrivée? *Vous/me/assurer/être rapide* → *Vous m'**aviez** pourtant **assuré** que ce serait rapide!*

1. Tu n'aurais pas dû manger ces champignons. *Je/te/mettre en garde* **2.** Pourquoi avez-vous fait ça? *On/prévenir/ce/être dangereux* **3.** Vous avez agi trop précipitamment! *Je/vous/recommander d'attendre* **4.** Je m'étonne que vous ayez dévoilé nos projets. *Vous/me/assurer de votre discrétion* **5.** Ton prêt est refusé? Mais pourquoi? *La banque/te/donner accord de principe* **6.** Tu n'as pas téléphoné à ton cousin ministre? *Je/te/demander de/intervenir/auprès de lui* **7.** Nous avons tous réagi de la même manière à l'annonce de cette nouvelle. *Nous/ne pas se concerter* **8.** Nous nous sommes reconnus immédiatement. *On/ne pas se voir depuis longtemps*

489 b) Reprenez ces phrases oralement en faisant varier la place de « pourtant » en début de phrase puis à la fin. Attention à l'intonation.

Ma commande n'est pas encore arrivée? *Pourtant vous m'aviez assuré que ce serait rapide. | Vous m'aviez assuré que ce serait rapide pourtant.*

18

cependant, toutefois, néanmoins

490 **Lisez ces textes. Puis reprenez les contenus sous une forme dialoguée.**

Si la France possède un réseau routier très étendu, son réseau autoroutier est **cependant** moins étendu que celui de l'Allemagne.

→ La France possède un réseau routier très étendu.
– Oui, mais le *réseau autoroutier est moins étendu que celui de l'Allemagne.*

1. La population française vieillit, la France compte **cependant** proportionnellement plus de jeunes que d'autres pays européens.

→ La population française vieillit.
– C'est vrai, mais…

2. Si le nombre d'agriculteurs a baissé en France, comme ailleurs au cours du xxᵉ siècle, l'exode rural a été **néanmoins** plus faible chez nous qu'en Angleterre.

→ Il y a de moins en moins d'agriculteurs en France.
– En effet, mais…

3. Le nombre de divorces a notablement augmenté en France comme ailleurs. Il est **cependant** moindre en France que dans d'autres pays européens.

→ Le nombre de divorces en France a beaucoup augmenté.
– Certes il a augmenté comme partout, cependant…

4. Si beaucoup de Français se disent catholiques, ils sont **toutefois** peu nombreux à pratiquer régulièrement leur religion.

→ Plus de la moitié des Français se disent catholiques.
– Se disent catholiques oui, mais…

5. Si l'hétérogamie (mariage entre cultures différentes) est mieux acceptée par les jeunes que par leurs aînés, de fortes réticences subsistent **cependant** même chez ces jeunes.

→ L'hétérogamie est mieux acceptée par les jeunes que par leurs aînés.
– Les jeunes l'acceptent mieux, c'est vrai, mais…

6. Si les étudiants français sont plutôt en bonne santé, et majoritairement satisfaits de leurs études, plus de la moitié d'entre eux font état **néanmoins** de problèmes d'argent et se disent stressés ou déprimés.

→ Les étudiants français sont en bonne santé et satisfaits de leurs études.
– Oui, mais…

« **Néanmoins** », « **toutefois** » sont d'un registre plus soutenu que « **pourtant** ».

491 **Lisez ces phrases. Vous pouvez les reformuler avec « cependant ».**

Si quelqu'un passe sa vie à l'étranger, il n'oublie pas **pour autant** sa terre natale.

1. Les recherches sur les causes génétiques de l'obésité avancent mais le sort des malades obèses n'est pas résolu pour autant. **2.** Si les communications se développent et si l'économie se mondialise, la planète n'est pas pour autant devenue un village. **3.** Si nous avons fait une avancée dans les négociations, elles ne sont pas pour autant terminées.

◼ quand même

158

492 **a) Écoutez puis retrouvez de mémoire les répliques et écrivez-les.**

1. Je t'interdis de sortir!

– ....

2. La salle est presque vide! On annule?

– ....

3. Notre projet a peu de chances d'être adopté.

– ....

4. Attention, il y a un barrage de police.

– ....

5. Le directeur va refuser, c'est presque certain.

– ....

6. Je n'ai pas le temps de rencontrer ce monsieur!

– ....

492 **b) Complétez les commentaires correspondant aux dialogues ci-dessus.**

L'enfant a l'intention de sortir bien que *son père le lui ait interdit.*

1. Les acteurs ont décidé de jouer malgré le fait que… **2.** Ils vont tenter de faire adopter leur projet au conseil bien que… **3.** Les fuyards ont décidé de passer malgré… **4.** L'employé a l'intention de demander une augmentation bien que… **5.** Le directeur devra recevoir un visiteur de marque malgré…

493 **a) Terminez les phrases avec « quand même » dont la place est variable.**

Le total est probablement juste mais je *(préférer vérifier).* → *mais je préfère quand même vérifier/ mais je préfère vérifier quand même.*

1. Il n'est pas obligé de faire ce stage de formation, mais il *(tenir à le faire).* **2.** Ce n'est pas un médicament miracle, mais il me *(faire du bien).* **3.** Elle est en train de beaucoup perdre à la roulette, mais elle *(continuer à jouer).* **4.** La réparation de mon ordinateur va coûter cher, mais je le *(faire réparer).*

493 **b) Terminez les phrases avec « quand même » placé entre l'auxiliaire et le participe passé. Puis reprenez-les avec « quand même » en fin de phrase.**

L'émission qui m'intéressait était programmée très tard mais je la *(regarder)* → *mais je l'ai quand même regardée.*

1. Le bruit des pas sur le gravier était très faible, mais nous *(entendre).* **2.** Le métro était bondé, mais je *(prendre).* **3.** Je savais qu'il est un peu tard pour leur téléphoner, mais je les *(appeler).* **4.** Ils n'ont pas très bien joué, mais ils *(gagner).*

> **« Quand même »** est aussi fréquemment utilisé dans la langue parlée en réaction à des paroles, actions, situations jugées non appropriées, exagérées : *« Tu pourrais quand même répondre quand je te parle! » « Il faut que je me lève! Je ne vais quand même pas passer ma journée au lit! » « Tu ne vas quand même pas faire ça! »*

18

◼ même si, quand bien même

494 **a)** Complétez les phrases et proposez une explication.

ex 380

Même s'il s'excusait… je/ne pas lui pardonner
→ *je ne lui pardonnerais pas car ce qu'il a fait est impardonnable.*

1. Même si maintenant on se dépêchait… *on/ne pas pouvoir arriver à l'heure* **2.** Même si vous étiez arrivé plus tôt… *vous/ne pas avoir de place* **3.** Même s'il coûtait deux fois plus cher… *le tabac/se vendre/toujours* **4.** Je n'aurais pas réussi, même si… *je/travailler davantage*

Même si tu revenais
Je crois bien que rien n'y ferait
Notre amour est mort à jamais
Je souffrirais trop si tu revenais…

Claude François

494 **b)** Puis écoutez ces phrases amplifiées et répétez-les.

Même s'il s'excusait, *ce dont je doute*, je ne lui pardonnerais pas. *Du moins, pas tout de suite.*

495 Travaillez tous les dialogues à deux. Puis reprenez chaque dialogue en reformulant la deuxième phrase avec « même si ».

– Vous auriez dû les supplier de rester.
– Ils seraient partis quand même !
→ *Même si je les avais suppliés, ils seraient partis quand même.*

1. – Les secours ne sont pas arrivés assez vite !
– Il serait mort de toute façon.

2. – Vos parents n'ont pas essayé de vous dissuader de vous lancer dans la chanson ?
– Pas du tout, mais de toute façon, je n'aurais pas renoncé.

3. – Puisque leur fils ne travaillait pas, ils auraient dû le changer de lycée.
– Peut-être, mais il n'aurait pas forcément travaillé davantage pour autant.

4. – Je regrette de ne pas avoir été là.
– De toute façon, ça n'aurait rien changé !

5. – Vous n'avez pas pensé à faire signer une pétition pour empêcher l'expulsion de ces malheureux locataires ?
– Ils auraient été expulsés quand même !

496 Transformez les phrases en utilisant « Même si ».

Quand bien même je le voudrais, je ne le pourrais pas. → *Même si je le voulais, je ne le pourrais pas.*

1. Quand bien même on le lui interdirait, il entrerait.
2. Quand bien même tu me supplierais à genoux, je refuserais.
3. Quand bien même je l'aurais su plus tôt, je n'aurais pas pu y aller.
4. Quand bien même tu dirais oui maintenant, ce serait trop tard.
5. Quand bien même tu te serais trompé, ce ne serait pas irrémédiable.
6. Quand bien même le travail serait pénible, je ne le refuserais pas.

■ avoir beau + infinitif

> *Le chien a beau avoir quatre pattes, il ne peut emprunter deux chemins à la fois.* Proverbe africain

497 **a) Lisez ces demandes de conseil. Observez l'emploi de l'expression « avoir beau », fréquente dans le langage parlé. Transformez les phrases contenant « avoir beau » en utilisant « bien que » ou vice-versa.**

1. Bien que j'aie fait sept ans d'anglais au lycée, je parle mal anglais. Est-ce désespéré ? → *J'ai beau avoir fait sept ans d'anglais au lycée, je parle mal anglais.*

2. J'ai beau chercher l'âme sœur depuis des années, je ne l'ai pas encore trouvée. Pourriez-vous m'aider ? → *Bien que je cherche l'âme sœur depuis des années, je ne l'ai pas encore trouvée.*

3. Malgré les somnifères que je prends, je passe des nuits entières sans dormir. Je n'en peux plus.

4. J'ai beau prendre des cours de chant depuis une année, je chante toujours aussi mal. Est-ce que je dois persévérer ?

5. Mon père et ma mère **ont beau** être séparés, je crois qu'ils s'aiment encore. Vous croyez que je pourrais faire quelque chose ?

6. J'ai beau essayer d'oublier mon copain qui m'a quitté, je n'y arrive pas. Ça m'obsède, je ne pense qu'à ça !

7. J'**ai beau** avoir installé des caméras de surveillance, les vols se multiplient dans mon magasin. Comment faire ? Je ne peux tout de même pas mettre un vigile derrière chaque client !

8. Nous **avons beau** surveiller notre fils, il fait bêtise sur bêtise. Rien ne l'arrête. Pourtant c'est un gentil garçon ! Si vous pouviez nous dire quoi faire !

9. Bien que j'aie suivi les conseils que vous m'avez donnés la semaine dernière, j'ai encore raté mes choux à la crème. Pourtant j'ai suivi scrupuleusement vos conseils. Pourquoi ça ne marche pas ?

10. J'**ai beau** me coucher plus tôt le soir, j'ai toujours autant de peine à me réveiller et à me lever le matin. Avez-vous un conseil à me donner ?

> « **Avoir beau** » se conjugue à différents temps :
> *J'ai beau essayer, je n'y arrive pas. J'ai eu beau essayer, je n'y suis pas arrivé.*
> *Il avait beau essayer, il n'y arrivait pas. Tu auras beau essayer, tu n'y arriveras pas !*
> *Tu aurais beau essayer, tu n'y arriverais pas !*

497 **b) Imaginez d'autres demandes de conseil et organisez un jeu de rôle avec les demandes précédentes et/ou celles que vous aurez imaginées.**

497 **c) Cherchez des chansons avec « avoir beau ».**

⬛ que... ou non, où/quoi/qui que

498 **Lisez ces textes. Observez les constructions en gras.**

> **Que vous ayez** déjà ou **non** passé un entretien d'embauche, chaque rencontre, chaque interlocuteur et chaque société sont différentes. Il faut donc se remettre en question à chaque fois, et se préparer à chaque entretien.

> **Où que vous alliez** en Bourgogne, découvrez les excellentes spécialités régionales.

> Vous pouvez utiliser notre plateforme **qui que vous soyez, ou que vous soyez et quelles que soient vos convictions**. Notre communauté d'utilisateurs est large et vous verrez une grande diversité d'opinions dans les pétitions créées par nos membres.

> **Qui que vous soyez**, **quoi que vous ayez fait** par le passé, cela nous importe peu. Vous trouverez toujours votre place dans notre association de réinsertion.

> **Quoi que l'on dise, quoi que l'on fasse** le temps s'enfuit, et tout s'efface.

> **Quoi que je fasse, où que je sois,** Rien ne t'efface, je pense à toi !

160

499 **Écoutez, répétez et écrivez les phrases complètes.**

1. ...cela ne m'empêchera pas de dire ce que j'ai à dire. **2.** Il ne reprendra pas ses études l'année prochaine,... **3.** La loi existe. Il faut la respecter. C'est ainsi... **4.** ...personne n'entre. **5.** Sa décision est prise... **6.** ...en ce qui me concerne je le tiens pour coupable.

161

500 **Répétez les variations de ces phrases : 123, 213, 321.**

1. quoi qu'il advienne **2.** tu pourras compter sur moi **3.** même si tu as de gros ennuis.
1. quoi qu'on fasse **2.** on ne le convaincra pas **3.** même avec de bons arguments
1. quoi que tu dises **2.** je ne te contredirais pas **3.** même si je ne suis pas d'accord

501 **Insérez « où / quoi / qui ... que » / « que... ou ... » dans ces phrases.**

La police le retrouvera. → *Où qu'il soit, la police le retrouvera.* → *La police le retrouvera où qu'il se cache.* → *Qu'il ait ou non quitté la ville, la police le retrouvera.*

1. Pourquoi me contredis-tu et me critiques-tu toujours ? **2.** C'est la seule solution. **3.** Partout on ne voit que des champs à perte de vue. **4.** Ça lui fait toujours plaisir. **5.** J'ai toujours mon portable sur moi. **6.** Avec un GPS, on peut être localisé. **7.** Elle se demande toujours si elle a bien fait. **8.** Écrivez-nous pour nous donner votre opinion. **9.** Tenez-nous au courant de votre décision. **10.** Cette femme est d'une grande élégance.

18

> Ne confondez pas « quoi que... » et « quoique... ».

p. 291

■ quel(le)(s) que soi(en)t...

502 Lisez ces textes à haute voix, puis reprenez leur contenu de mémoire.

> **Quels que soient** les avantages financiers que les entreprises reçoivent lorsqu'elles accueillent des jeunes, elles ne le font pas toujours très volontiers.

> **Dans notre entreprise :**
> 1. chaque employé, **quel que soit** son poste, doit être efficace,
> 2. toutes ces forces individuelles sont mises en commun, pour qu'en groupe, les employés soient aussi efficaces qu'en solo.

> Le bleu est placé au premier rang des couleurs par les Occidentaux **quel que soit** leur milieu social et professionnel et **quel que soit** leur sexe.

503 Vrai ou faux pour vous ? Échangez.

❶ Quel que soit le temps, je marche une heure par jour.

❷ Quelle que soit l'heure à laquelle je me couche, je m'endors immédiatement.

❸ Quels que soient les choix que j'ai faits, mes parents m'ont toujours encouragé(e).

❹ Quelles que soient mes occupations, je prends le temps de parler aux gens.

❺ Quel que soit le voyage que je fais, je cherche à rencontrer les gens du pays.

❻ Quelles que soient les circonstances, je suis toujours de bonne humeur.

❼ Je ne supporte pas les retards, quelles qu'en soient les raisons.

❽ J'irai jusqu'au bout de mes études, quelles qu'en soient les difficultés.

❾ Je n'en fais qu'à ma tête, quel que soit l'avis des autres.

❿ J'aime tous les chocolats, quelle qu'en soit la marque.

⓫ J'aime le noir. Je porte du noir quelle que soit la saison.

⓬ Quel que soit ce que j'ai entrepris, tout a marché… pour le moment.

⓭ J'ai un avis sur tout, quel que soit ce dont on parle.

⓮ Quel que soit ce dont j'ai besoin, je peux compter sur ma famille et mes amis.

162
504 Écoutez puis travaillez les dialogues à deux en les prolongeant.

1. – Ce GPS s'adaptera sur ma voiture ?
– Oui, il s'adaptera à votre voiture……

2. – Pensez-vous que j'arriverai à le faire renoncer à son projet ?
– Non, je crois qu'il n'y renoncera pas……

3. – Vous viendriez me chercher à la gare même si j'arrive très tard ?
– Je viendrai vous chercher, ……

4. – Quelle saison vous recommandez pour visiter cette région ?
– Vous pouvez y aller ……

5. – Tu as une préférence pour une date ?
– Non, ça m'est égal, je pourrai me libérer ……

6. – Vous regardez régulièrement cette émission ?
– Oh oui, très régulièrement,

163
505 Écoutez et écrivez.

 ex 50 et s.

18

Évaluation

506 Formulez les phrases au présent ou au passé.

1. malgré	grand âge	elle / ne pas avoir une ride
2. bien que	nous / habiter près d'un étang	pas de moustiques l'été
3. pourtant	faire nuit	on / y voir presque comme en plein jour
4. bien que	ma valise peser / plus de 30 kg	je / ne pas payer de supplément
5. cependant	je / ne pas partager les idées de son adversaire politique	je / avoir de l'estime pour lui
6. malgré	averse	terre / être à peine humide
7. pourtant	enfant terrible	il / avoir l'air d'un ange
8. bien que	nous / tous / insister	elle / refuser de sortir
9. malgré	nos recommandations	elle / ne pas se soigner
10. mais quand même	leurs parents / interdire d'aller sur Internet	aller
11. bien que	ça / faire faire un détour	nous / prendre la petite route
12. mais quand même	elle / être très critique envers la télévision	elle / regarder
13. même si	nous / trouver la solution	falloir / y passer la nuit
14. mais quand même	personne / aimer aller chez le dentiste	tout le monde / y aller
15. avoir beau	elle / crier « au secours »	personne / entendre
16. même si	la vie / sembler me sourire	pas toujours facile
17. alors que	je / avoir une bonne mémoire	incapacité à retenir les numéros de téléphone
18. néanmoins	nous / attendre votre réponse	vous / pouvoir réfléchir quelques jours
19. pourtant	ils / ne pas manifester leur déception	très déçus
20. bien que	ne rien dire	tout le monde / deviner
21. cependant	choc très brutal entre les deux voitures	pas de victimes
22. alors que	on / me couper l'électricité	payer toutes mes factures

18

Quelle est la différence entre « quoique » et « quoi que » ?
Donnez deux phrases d'exemple.

La grammaire des premiers temps B1-B2

Annexes

1 base	Majorité des verbes -er
je, tu, il, nous, vous, ils	+ offrir, souffrir, ouvrir, (dé)couvrir, courir, (sou)rire, conclure, exclure
2 bases type A	**2 séries de verbes en -er**
1. je, tu, il, ils 2. nous, vous	→ en -oyer, -uyer, -ayer → en -e.er, -é.er + voir et composés, s'asseoir, croire
2 bases type B	**Tous les verbes non indiqués dans 1 base, 2 bases type A et 3 bases**
1. je, tu, il 2. nous, vous, ils	
3 bases	**Quelques verbes (liste fermée)**
1. je, tu, il 2. nous, vous 3. ils	venir et composés tenir et composés prendre et composés pouvoir vouloir devoir recevoir, s'apercevoir, décevoir, concevoir (s')émouvoir boire

1. 4 Verbes irréguliers : être, avoir, faire, aller

	Présent	Passé composé	Imparfait	Futur
Être	je suis tu es il/elle/on est nous sommes vous êtes ils/elles sont	j' ai été tu as été il/elle/on a été nous avons été vous avez été ils/elles ont été	j' ét ais tu ét ais il/elle/on ét ait nous ét ions vous ét iez ils/elles ét aient	je ser ai tu ser as il/elle/on ser a nous ser ons vous ser ez ils/elles ser ont
Avoir	j' ai tu as il/elle/on a nous avons vous avez ils/elles ont	j' ai eu tu as eu il/elle/on a eu nous avons eu vous avez eu ils/elles ont eu	j' av ais tu av ais il/elle/on av ait nous av ions vous av iez ils/elles av aient	j' aur ai tu aur as il/elle/on aur a nous aur ons vous aur ez ils/elles aur ont
Aller	je vais tu vas il/elle/on va nous allons vous allez ils/elles vont	je suis allé(e) tu es allé(e) il/elle/on est allé(e) nous sommes allé(e)s vous êtes allé(e)(s) ils/elles sont allé(e)s	j' all ais tu all ais il/elle/on all ait nous all ions vous all iez ils/elles all aient	j' ir ai tu ir as il/elle/on ir a nous ir ons vous ir ez ils/elles ir ont
Faire	je fais tu fais il/elle/on fait nous faisons vous faites ils/elles font	j' ai fait tu as fait il/elle/on a fait nous avons fait vous avez fait ils/elles ont fait	je fais ais tu fais ais il/elle/on fais ait nous fais ions vous fais iez ils/elles fais aient	je fer ai tu fer as il/elle/on fer a nous fer ons vous fer ez ils/elles fer ont

2. Verbes dont l'infinitif se termine par –er *(sauf aller, voir ci-dessus)* + quelques verbes

1 base au présent : je, tu, il, nous, vous, ils

la majorité des verbes terminés par -er

	Présent	Imparfait	P. composé	Futur
Parler	je parle, tu parles, il parle, nous parlons, vous parlez, ils parlent	je parlais	j'ai parlé	je parlerai
Écouter	j'écoute, tu écoutes, il écoute, nous écoutons, vous écoutez, ils écoutent	j'écoutais	j'ai écouté	j'écouterai
Commencer	je commence, tu commences, il commence, nous commençons, vous commencez, ils commencent	je commençais	j'ai commencé	je commencerai
Manger	je mange, tu manges, il mange, nous mangeons, vous mangez, ils mangent	je mangeais	j'ai mangé	je mangerai

+ quelques verbes en –ir(e) + conclure, exclure

	Présent	Imparfait	P. composé	Futur
Courir	je cours, tu cours, il court, nous courons, vous courez, ils courent	je courais	j'ai couru	je courrai
Découvrir, couvrir	je découvre, tu découvres, il découvre, nous découvrons, vous découvrez, ils découvrent	je découvrais	j'ai découvert	je découvrirai
Offrir	j'offre, tu offres, il offre, nous offrons, vous offrez, ils offrent	j'offrais	j'ai offert	j'offrirai
Ouvrir	j'ouvre, tu ouvres, il ouvre, nous ouvrons, vous ouvrez, ils ouvrent	j'ouvrais	j'ai ouvert	j'ouvrirai
Souffrir	je souffre, tu souffres, il souffre, nous souffrons, vous souffrez, ils souffrent	je souffrais	j'ai souffert	je souffrirai
Rire, sourire	je ris, tu ris, il rit, nous rions, vous riez, ils rient	je riais	j'ai ri	je rirai
Conclure, exclure	je conclus, tu conclus, il conclut, nous concluons, vous concluez, ils concluent	je concluais	j'ai conclu	je conclurai

2 bases au présent : 1. je, tu, il, ils 2. nous, vous

Verbes terminés par -e.er et -é.er

	Présent	Imparfait	P. composé	Futur
Acheter	1. j'achète, tu achètes, il achète, ils achètent 2. nous achetons, vous achetez	j'achetais	j'ai acheté	j'achèterai
Se lever	1. je me lève, tu te lèves, il se lève, ils se lèvent 2. nous nous levons, vous vous levez	je me levais	je me suis levé(e)	je me lèverai
Emmener	1. j'emmène, tu emmènes, il emmène, ils emmènent 2. nous emmenons, vous emmenez	j'emmenais	j'ai emmené	j'emmènerai
S'appeler	1. je m'appelle, tu t'appelles, il s'appelle, ils s'appellent 2. nous nous appelons, vous vous appelez	je m'appelais	je me suis appelé(e)	j'appellerai
Jeter	1. je jette, tu jettes, il jette, ils jettent 2. nous jetons, vous jetez	je jetais	j'ai jeté	je jetterai
Répéter	1. je répète, tu répètes, il répète, ils répètent 2. nous répétons, vous répétez	je répétais	j'ai répété	je répéterai
Espérer	1. j'espère, tu espères, il espère, ils espèrent 2. nous espérons, vous espérez	j'espérais	j'ai espéré	j'espérerai
S'arrêter*	1. je m'arrête, tu t'arrêtes, il s'arrête, ils s'arrêtent 2. nous nous arrêtons, vous vous arrêtez	je m'arrêtais	je me suis arrêté(e)	je m'arrêterai

**Variation à l'oral mais forme identique à l'écrit*

Verbes terminés par -oyer, -ayer, -uyer

	Présent	Imparfait	P. composé	Futur
Envoyer	1. j'envoie, tu envoies, il envoie, ils envoient 2. nous envoyons, vous envoyez	j'envoyais	j'ai envoyé	j'enverrai
Payer	1. je paie, tu paies, il paie, ils paient 2. nous payons, vous payez	je payais	j'ai payé	je paierai
S'ennuyer	1. je m'ennuie, tu t'ennuies, ils s'ennuient 2. nous nous ennuyons, vous vous ennuyez	je m'ennuyais	je me suis ennuyé(e)	je m'ennuierai

+ quelques verbes

	Présent	Imparfait	P. composé	Futur
Voir, revoir, prévoir	1. je vois, tu vois, il voit, ils voient 2. nous voyons, vous voyez	je voyais	j'ai vu	je verrai
S'asseoir	1. je m'assieds, tu t'assieds, il s'assied, ils s'asseyent **ou :** je m'assois, tu t'assois, il s'assoit, ils s'assoient 2. nous nous asseyons, vous vous asseyez	je m'asseyais	je me suis assis(e)	je m'assiérai
Croire	1. je crois, tu crois, il croit, ils croient 2. nous croyons, vous croyez	je croyais	j'ai cru	je croirai
Fuir	1. je fuis, tu fuis, il fuit, ils fuient 2. nous fuyons, vous fuyez	je fuyais	j'ai fui	je fuirai
Se distraire	1. je me distrais, tu te distrais, il se distrait, ils se distraient 2. nous nous distrayons, vous vous distrayez	je me distrayais	je me suis distrait(e)	je me distrairai
Extraire, soustraire	1. j'extrais, tu extrais, il extrait, ils extraient 2. nous extrayons, vous extrayez	j'extrayais	j'ai extrait	j'extrairai
Mourir	1. je meurs, tu meurs, il meurt, ils meurent 2. nous mourons, vous mourez	je mourais	je suis mort	je mourrai

3. La majorité des verbes qui ne sont pas en -er

2 bases au présent : 1. je, tu, il 2. nous, vous, ils

	Présent	Imparfait	P. composé	Futur
+ [d] pour la base 2				
Atten**dre**	1. j'attends, tu attends, il attend 2. nous attendons, vous attendez, ils attendent	j'attendais	j'ai attendu	j'attendrai
Descen**dre**	1. je descends, tu descends, il descend 2. nous descendons, vous descendez, ils descendent	je descendais	je suis descendu(e) j'ai descendu	je descendrai
Enten**dre**	1. j'entends, tu entends, il entend 2. nous entendons, vous entendez, ils entendent	j'entendais	j'ai entendu	j'entendrai
Mor**dre**	1. je mords, tu mords, il mord 2. nous mordons, vous mordez, ils mordent	je mordais	j'ai mordu	je mordrai
Per**dre**	1. je perds, tu perds, il perd 2. nous perdons, vous perdez, ils perdent	je perdais	j'ai perdu	je perdrai
Répon**dre**	1. je réponds, tu réponds, il répond 2. nous répondons, vous répondez, ils répondent	je répondais	j'ai répondu	je répondrai
Ven**dre**	1. je vends, tu vends, il vend 2. nous vendons, vous vendez, ils vendent	je vendais	j'ai vendu	je vendrai
+[t] pour la base 2				
Bat**tre** (se)	1. je me bats, tu te bats, il se bat 2. nous nous battons, vous vous battez, ils se battent	je me battais	je me suis battu(e)	je me battrai
Met**tre** et composés	1. je mets, tu mets, il met 2. nous mettons, vous mettez, ils mettent	je mettais	j'ai mis	je mettrai
Men**tir**, Sen**tir**	1. je mens, tu mens, il ment 2. nous mentons, vous mentez, ils mentent	je mentais	j'ai menti	je mentirai
Par**tir**	1. je pars, tu pars, il part 2. nous partons, vous partez, ils partent	je partais	je suis parti(e)	je partirai
Sor**tir**	1. je sors, tu sors, il sort 2. nous sortons, vous sortez, ils sortent	je sortais	je suis sorti(e) j'ai sorti	je sortirai
+ [s] pour la base 2				
Choi**sir**	1. je choisis, tu choisis, il choisit 2. nous choisissons, vous choisissez, ils choisissent	je choisissais	j'ai choisi	je choisirai
Fi**nir**	1. je finis, tu finis, il finit 2. nous finissons, vous finissez, ils finissent	je finissais	j'ai fini	je finirai
Gros**sir**	1. je grossis, tu grossis, il grossit 2. nous grossissons, vous grossissez, ils grossissent	je grossissais	j'ai grossi	je grossirai
Gué**rir**	1. je guéris, tu guéris, il guérit 2. nous guérissons, vous guérissez, ils guérissent	je guérissais	j'ai guéri	je guérirai
Nour**rir** (se)	1. je (me) nourris, tu (te) nourris, il (se) nourrit 2. nous (nous) nourrissons, vous (vous) nourrissez, ils (se) nourrissent	je nourrissais	j'ai nourri	je nourrirai
Mai**grir**	1. je maigris, tu maigris, il maigrit 2. nous maigrissons, vous maigrissez, ils maigrissent	je maigrissais	j'ai maigri	je maigrirai
Réflé**chir**	1. je réfléchis, tu réfléchis, il réfléchit 2. nous réfléchissons, vous réfléchissez, ils réfléchissent	je réfléchissais	j'ai réfléchi	je réfléchirai

	Présent	Imparfait	P. composé	Futur
Remplir	1. je remplis, tu remplis, il remplit 2. nous remplissons, vous remplissez, ils remplissent	je remplissais	j'ai rempli	je remplirai
Réunir	1. je réunis, tu réunis, il réunit 2. nous réunissons, vous réunissez, ils réunissent	je réunissais	j'ai réuni	je réunirai
Réussir	1. je réussis, tu réussis, il réussit 2. nous réussissons, vous réussissez, ils réussissent	je réussissais	j'ai réussi	je réussirai
Vieillir	1. je vieillis, tu vieillis, il vieillit 2. nous vieillissons, vous vieillissez, ils vieillissent	je vieillissais	j'ai vieilli	je vieillirai
Connaître	1. je connais, tu connais, il connaît 2. nous connaissons, vous connaissez, ils connaissent	je connaissais	j'ai connu	je connaîtrai
Paraître et composés	1. je parais, tu parais, il paraît 2. nous paraissons, vous paraissez, ils paraissent	je paraissais	j'ai paru	je paraîtrai
+ [z] pour la base 2				
Dire et redire	1. je dis, tu dis, il dit 2. nous disons, ils disent – **exception : vous (re)dites**	je disais	j'ai dit	je dirai
Interdire, prédire	1. j'interdis, tu interdis, il interdit 2. nous interdisons, vous interdisez, ils interdisent	j'interdisais	j'ai interdit	j'interdirai
Lire, élire	3. je lis, tu lis, il lit 4. nous lisons, vous lisez, ils lisent	je lisais	j'ai lu	je lirai
Conduire	1. je conduis, tu conduis, il conduit 2. nous conduisons, vous conduisez, ils conduisent	je conduisais	j'ai conduit	je conduirai
Cuire	1. je cuis, tu cuis, il cuit 2. nous cuisons, vous cuisez, ils cuisent	je cuisais	j'ai cuit	je cuirai
Traduire	1. je traduis, tu traduis, il traduit 2. nous traduisons, vous traduisez, ils traduisent	je traduisais	j'ai traduit	je traduirai
Construire, détruire	1 je construis, tu construis, il construit 2. nous construisons, vous construisez, ils construisent	je construisais	j'ai construit	je construirai
Produire	1. je produis, tu produis, il produit 2. nous produisons, vous produisez, ils produisent	je produisais	j'ai produit	je produirai
Réduire	1. je réduis, tu réduis, il réduit 2. nous réduisons, vous réduisez, ils réduisent	je réduisais	j'ai réduit	je réduirai
Introduire	1. j'introduis, tu introduis, il introduit 2. nous introduisons, vous introduisez, ils introduisent	j'introduisais	j'ai introduit	j'introduirai
Plaire (se)	1. je me plais, tu te plais, il se plaît 2. nous nous plaisons, vous vous plaisez, ils se plaisent	je me plaisais	je me suis plu **(invariable)**	je me plairai
Taire (se)	1. je me tais, tu te tais, il se tait 2. nous nous taisons, vous vous taisez, ils se taisent	je me taisais	je me suis tu(e)	je me tairai
+ [nj] pour la base 2				
Craindre	1. je crains, tu crains, il craint 2. nous craignons, vous craignez, ils craignent	je craignais	j'ai craint	je craindrai
Plaindre (se)	1. je me plains, tu te plains, il se plaint 2. nous nous plaignons, vous vous plaignez, ils se plaignent	je me plaignais	je me suis plaint(e)	je me plaindrai
Éteindre	1. j'éteins, tu éteins, il éteint 2. nous éteignons, vous éteignez, ils éteignent	j'éteignais	j'ai éteint	j'éteindrai
Peindre	3. je peins, tu peins, il peint 4. nous peignons, vous peignez, ils peignent	je peignais	j'ai peint	je peindrai
Rejoindre	1. je rejoins, tu rejoins, il rejoint 2. nous rejoignons, vous rejoignez, ils rejoignent	je rejoignais	j'ai rejoint	je rejoindrai

	Présent	Imparfait	P. composé	Futur
+[m] pour la base 2				
Dorm**ir**, s'endorm**ir**	1. je dors, tu dors, il dort 2. nous dormons, vous dormez, ils dorment	je dormais	j'ai dormi	je dormirai
+ [v] pour la base 2				
É**cri**re dé**cri**re	1. j'écris, tu écris, il écrit 2. nous écrivons, vous écrivez, ils écrivent	j'écrivais	j'ai écrit	j'écrirai
Ins**cri**re (s')	1. je m'inscris, tu t'inscris, il s'inscrit 2. nous nous inscrivons, vous vous inscrivez, ils s'inscrivent	je m'inscrivais	je me suis inscrit(e)	je m'inscrirai
Ser**v**ir (se)	1. je me sers, tu te sers, il se sert 2. nous nous servons, vous vous servez, ils se servent	je me servais	je me suis servi(e)	je me servirai
Sui**v**re, poursui**v**re	1. je suis, tu suis, il suit 2. nous suivons, vous suivez, ils suivent	je suivais	j'ai suivi	je suivrai
Vi**v**re, survi**v**re	1. je vis, tu vis, il vit 2. nous vivons, vous vivez, ils vivent	je vivais	j'ai vécu	je vivrai
Sa**v**oir +changement vocalique	1. je sais, tu sais, il sait 2. nous savons, vous savez, ils savent	je savais	j'ai su	je saurai
+ [p] pour la base 2				
Interrom**p**re	1. j'interromps, tu interromps, il interrompt 2. nous interrompons, vous interrompez, ils interrompent	j'interrompais	j'ai interrompu	j'interromprai
+ [k] pour la base 2				
convain**c**re	1. je convaincs, tu convaincs, il convainc 2. nous convainquons, vous convainquez, ils convainquent	je convainquais	je suis convaincu(e) j'ai convaincu	je convaincrai
[o] → [al]				
Valoir	1. je vaux, tu vaux, il vaut 2. nous valons, vous valez, ils valent	je valais	j'ai valu	je vaudrai

Verbes impersonnels

		Imparfait	P. composé	Futur
Pleuvoir	il pleut	il pleuvait	il a plu	il pleuvra
Falloir	Il faut	il fallait	il a fallu	il faudra

4. Quelques verbes et leurs composés

3 bases au présent : 1. je, tu, il 2. nous, vous 3. ils

	Présent	Imparfait	P. composé	Futur
Tenir et composés : retenir, soutenir, obtenir	1. je tiens, tu tiens, il tient 2. nous tenons, vous tenez 3. ils tiennent	je tenais	j'ai tenu	je tiendrai
Venir et composés : survenir, se souvenir	1. je viens, tu viens, il vient 2. nous venons, vous venez 3. ils viennent	je venais	je suis venu(e)	je viendrai
Prendre et composés : comprendre, surprendre	1. je prends, tu prends, il prend 2. nous prenons, vous prenez 3. ils prennent	je prenais	j'ai pris	je prendrai

	Présent	Imparfait	P. composé	Futur
Pouvoir	1. je peux, tu peux, il peut 2. nous pouvons, vous pouvez 3. ils peuvent	je pouvais	j'ai pu	je pourrai
Vouloir	1. je veux, tu veux, il veut 2. nous voulons, vous voulez 3. ils veulent	je voulais	j'ai voulu	je voudrai
Devoir	1. je dois, tu dois, il doit 2. nous devons, vous devez 3. ils doivent	je devais	j'ai dû	je devrai
Recevoir, décevoir, concevoir	1. je reçois, tu reçois, il reçoit 2. nous recevons, vous recevez 3. ils reçoivent	je recevais	j'ai reçu	je recevrai
S'apercevoir	1. je m'aperçois, tu t'aperçois, il s'aperçoit 2. nous nous apercevons, vous vous apercevez 3. ils s'aperçoivent	je m'apercevais	je me suis aperçu(e)	je m'apercevrai
S'émouvoir	1. je m'émeus, tu t'émeus, il s'émeut 2. nous nous émouvons, vous vous émouvez 3. ils s'émeuvent	je m'émouvais	je me suis ému(e)	je m'émouvrai
Boire	1. je bois, tu bois, il boit 2. nous buvons, vous buvez 3. ils boivent	je buvais	j'ai bu	je boirai

1. Dans le cas d'un seul complément

→ construction <u>sans préposition</u> : c'est la plus fréquente

verbe + qqn / verbe + qqch
abandonner, accepter, admirer, agacer, aider, aimer, annoncer, apercevoir, applaudir, attendre, arroser, assumer, bloquer, bousculer, brusquer, cacher, chercher, choisir, comprendre, condamner, contester, contrôler, craindre, croire, décider, découvrir, défendre, diriger, distinguer, écouter, écraser, effrayer, ennuyer, entendre, éviter, excuser, fouiller, gêner, guérir, guider, héberger, heurter, identifier, ignorer, imaginer, imiter, indiquer, juger, laver, mépriser, mesurer, montrer, négliger, observer, oublier, payer, perdre, photographier, porter, pousser, prendre, protéger, quitter, rater, recevoir, regarder, regretter, remplacer, renseigner, renvoyer, soigner, soutenir, suivre, surprendre, surveiller, tolérer, transporter, trouver, tuer, utiliser, vaincre, voir, voler **et de très nombreux autres verbes.**

→ construction <u>avec préposition</u> : « à » et « de » les plus fréquentes

à qqn, à qqch, à + inf.	de qqn, de qqch, de + inf.
accéder à qqch,	abuser de qqch,
assister à qqch,	accepter de + *inf.*,
avoir du mal / des difficultés à + *inf.*,	admettre de + *inf.*,
avoir affaire à qqn,	attendre de + *inf.*,
avoir intérêt / tendance à + *inf.*,	avoir besoin de qqn, de qqch, de + *inf.*,
avoir tendance à + *inf.*,	avoir envie de qqn, de qqch, de + *inf.*,
chercher à + *inf.*,	avoir peur de, qqn, de qqch, de + *inf.*,
contribuer à qqch, à + *inf.*,	avoir honte de qqn, de qqch, de + *inf.*,
échapper à qqn à qqch,	avoir horreur de qqn, de qqch, de + *inf.*,
échouer à qqch, à + *inf.*,	avoir l'air de + *inf.*,
faire attention à qqn/à qqch,	avoir l'habitude de qqn, de qqch, de + *inf.*,
faire allusion confiance, échec à qqn / qqch,	avoir l'impression de + *inf.*,
faire appel / honte / mal / peur à qqn,	avoir l'intention de + *inf.*,
manquer à qqn,	bénéficier de qqch,
nuire à qqn,	convenir de qqch,
obéir à qqn, à qqch,	dépendre de qqn, de qqch,
parler à qqn,	discuter de qqch,
participer à qqch,	douter de qqn, de qqch,
parvenir à qqch, à + *inf.*,	faire partie de qqch,
penser à qqn / qqch, à + *inf.*,	manquer de qqch,
plaire à qqn,	négliger de + *inf.*,
recourir à qqn / qqch,	prendre conscience de qqch,
réfléchir à qqch,	profiter de qqn, de qqch, de + *inf.*
renoncer à qqn / qqch, à + *inf.*,	
ressembler à qqn / qqch,	
réussir à + *inf.*,	
servir à qqn, à qqch, à + *inf.*,	
suffire à qqn, à qqch, à + *inf.*,	
tenir à qqn, à qqch, à + *inf.*,	

VERBES PRONOMINAUX	
à qqn, à qqch, à + inf.	**de qqn, de qqch, de + inf.**
s'accrocher à qqn, à qqch,	s'abstenir de + *inf.*,
s'adresser à qqn,	s'apercevoir de qqch,
s'attacher à qqn, à qqch,	s'approcher de qqn, de qqch,
s'attaquer à qqn, à qqch,	s'assurer de qqch,
s'entraîner à + *inf.*,	s'excuser de qqch, de + *inf.*,
s'entraîner à qqch,	s'indigner de qqch,
s'habituer à qqn, à qqch, à + *inf.*,	s'occuper de qqn, de qqch, de + *inf.*,
s'inscrire à qqch,	se charger de qqn, de qqch, de + *inf.*,
s'intéresser à qqn, à qqch,	se contenter de qqn, de qqch, de + *inf.*,
se confier à qqn,	se méfier de qqn, de qqch,
se destiner à qqn, à qqch,	se mêler de qqch,
se former à qqch,	se moquer de qqn, de qqch,
se joindre à qqn, à qqch,	se plaindre de qqn, de qqch,
se livrer à qqn,	se priver de qqch,
se mettre à qqch, à + *inf.*,	se protéger de qqn, de qqch,
s'obstiner à + *inf.*,	se souvenir de qqn, de qqch
se plaindre à qqn,	se rendre compte de qqch,
se préparer à qqch, à + *inf.*,	se satisfaire de qqch, de + *inf.*,
se présenter à qqn	se séparer de qqn, de qqch,
	se servir de qqn, de qqch,
	se venger de qqn, de qqch
avec qqn / qqch	**pour qqn / qqch**
coïncider, collaborer, contraster, communiquer, correspondre, rompre, s'arranger, s'entendre, s'entretenir, se disputer, se marier, se réconcilier	agir, avoir des aptitudes, lutter, trembler, voter, s'enthousiasmer, se qualifier, se sacrifier, se tracasser
contre qqn / qqch	**sur qqn / qqch**
lutter, protester, réagir, voter, comploter, s'élever, s'énerver, se fâcher, se protéger, se révolter, se soulever	agir, avoir de l'influence, compter, insister, pleurer, veiller, se mettre d'accord, s'appuyer, se baser, se précipiter, se renseigner

2. Dans le cas de deux compléments

Préposition à	Préposition de
qqch à qqn *Très nombreux verbes*	**qqch de qqn**
accorder, affirmer, annoncer, apprendre, arracher, attribuer, avouer, cacher, céder, chuchoter, commander, communiquer, confier, confirmer, conseiller, déclarer, délivrer, demander, dérober, dévoiler, devoir, dicter, dire, dissimuler, distribuer, donner, écrire, emprunter, enlever, enseigner, envoyer, expédier, expliquer, exposer, exprimer, faire comprendre, faire entendre, faxer, garantir, imposer, indiquer, interdire, jurer, laisser, lancer, lire, livrer, louer, manifester, montrer, murmurer, offrir, ordonner, ôter, pardonner, passer, payer, permettre, porter, poster, préciser, prendre, préparer, prescrire, présenter, prêter, procurer, promettre, proposer, raconter, rappeler, rapporter, réclamer, recommander, refuser, rembourser, remettre, rendre, répéter, répondre, reprocher, retirer, révéler, servir, signaler, souhaiter, succéder, suggérer, taire, téléphoner, transmettre, vendre, voler, etc.	accepter, attendre, exiger, obtenir, supporter
	qqn de qqch
	accuser, avertir, charger, convaincre, décourager, délivrer, dispenser, écarter, éloigner, féliciter, guérir, informer, persuader, prévenir, priver, remercier, séparer, soupçonner
qqn + à + inf.	**qqn + de + inf.**
aider, amener, autoriser, condamner, contraindre, décider, encourager, engager, forcer, habituer, inciter, inviter, pousser	accuser, charger, convaincre, décourager, dispenser, dissuader, empêcher, permettre, persuader, presser, prier, remercier, soupçonner, supplier
à qqn + de + inf.	
commander, conseiller, défendre, dire, interdire, ordonner, permettre, promettre, proposer, rappeler, recommander, refuser, répéter, reprocher, suggérer	

■ Table des matières

Conclusion

Crédits des images